Schemeruur

JOHAN THEORIN

Schemeruur

Vertaald uit het Zweeds door
Corry van Bree

DE GEUS

Tweede druk

Deze uitgave is mede mogelijk gemaakt dankzij een bijdrage van
The Swedish Arts Council te Stockholm

Oorspronkelijke titel *Skumtimmen*, verschenen bij Wahlström & Widstrand
Oorspronkelijke tekst © Johan Theorin, 2007
First published by Wahlström & Widstrand, Stockholm, Sweden
Published in the Dutch language by arrangement with
Bonnier Group Agency, Stockholm, Sweden
Nederlandse vertaling © Corry van Bree en De Geus bv, Breda 2008
Omslagontwerp Mijke Wondergem
Omslagillustratie © Paul Knight/Trevillion Images
Drukkerij Haasbeek bv, Alphen a/d Rijn

Dit boek is gedrukt op FSC-gecertificeerd papier

ISBN 978 90 445 1153 6
NUR 331

Voor de Ölandse familie Gerlofsson

Öland, september 1972

De muur was opgebouwd uit grote, ronde stenen, die waren begroeid met grijswit korstmos, en hij was net zo hoog als de jongen. Hij kon er alleen overheen kijken als hij in zijn sandalen op zijn tenen ging staan. Alles was grijs en mistig aan de andere kant. De jongen zou bij het einde van de wereld kunnen staan, maar hij wist dat het andersom was – de wereld begon aan de andere kant van de muur. Achter de tuin van zijn opa en oma lag de grote wereld, en het had de jongen de hele zomer aangetrokken om deze wereld aan de andere kant van de muur te ontdekken.

Twee keer probeerde hij over de muur te klimmen. Beide keren verloor hij zijn greep op de ruwe stenen en viel hij achterover in het vochtige gras.

De jongen gaf niet op, en de derde keer lukte het hem.

Hij ademde in en trok zich omhoog, hield zich vast aan de koude stenen en klom boven op de muur.

Het was een overwinning voor hem – hij was bijna zes jaar en hij klom voor het eerst in zijn leven over een muur. Hij bleef nog even boven zitten, als een koning op zijn troon.

De wereld aan de andere kant van de muur was groot en grenzeloos, maar ook grijs en wazig. De mist die deze middag over het eiland was getrokken zorgde ervoor dat de jongen niet veel kon zien van wat zich achter de muur bevond, maar onder zich zag hij geelbruin gras. In de verte zag hij de vage omtrekken van lage, knoestige jeneverbesstruiken en met mos begroeide stenen die uit de aarde staken. De grond was net zo vlak als in de tuin achter hem, maar alles zag er aan de andere kant veel wilder uit; onbekend en uitnodigend.

De jongen zette zijn rechtervoet op een grote steen die tot de helft in de grond stak en klom aan de andere kant van de muur naar beneden. Nu was hij voor het eerst in zijn eentje buiten de tuin, en niemand wist waar hij was. Zijn moeder was vandaag naar het vasteland vertrokken. Zijn opa was een tijd geleden naar het strand gegaan en toen de jongen zijn sandalen aantrok en het huis uit sloop, lag zijn oma te slapen.

Hij kon doen wat hij wilde. Hij beleefde een avontuur.

Hij liet de stenen van de muur los en stapte op het wilde gras. Het was dun en het was niet moeilijk om er doorheen te lopen. Hij deed nog een paar stappen en de wereld voor hem werd langzamerhand wat duidelijker. Hij zag de jeneverbesstruiken achter het gras vorm krijgen en liep ernaartoe.

De grond was zacht en al het geluid werd gedempt, zijn stappen waren niet meer dan een zwak geritsel in het gras. Zelfs toen hij probeerde hard met twee voeten op de grond te stampen hoorde hij alleen een kleine bons, en als hij zijn voeten optilde kwam het gras omhoog en verdwenen de sporen die hij achterliet snel.

Hij liep een paar meter op die manier: hop, bons, hop, bons.

Toen de jongen de grasvlakte afliep en tussen de hoge jeneverbesstruiken kwam stopte hij met het springen met twee voeten. Hij ademde uit, zoog de kille lucht naar binnen en keek om.

Terwijl hij door het gras sprong, was de mist die voor hem had gezweefd stil om hem heen geslopen en nu was de mist ook achter hem. De stenen muur achter het grasland was wazig en het donkerbruine zomerhuis was helemaal verdwenen.

Even wilde de jongen omkeren, teruglopen over het gras en weer over de muur klimmen. Hij had geen horloge en de exacte tijd betekende niets voor hem, maar de hemel boven zijn hoofd was nu donkergrijs en de lucht rondom hem was nog kouder geworden. Hij wist dat de dag ten einde liep en dat het snel avond zou zijn.

Hij zou nog een heel klein stukje over de zachte grond lopen. Hij wist tenslotte waar hij was; het zomerhuis waar zijn oma lag te slapen was achter hem, zelfs al kon hij het niet meer zien.

Hij liep verder naar de wazige muur van mist die je kon zien maar niet vastpakken en die op een magische manier telkens een stukje opschoof, alsof hij met hem speelde.

De jongen bleef staan. Hij hield zijn adem in.

Alles was stil en niets bewoog, maar plotseling kreeg de jongen het gevoel dat hij niet alleen was.

Had hij een geluid in de mist gehoord?

Hij draaide zich om. Nu zag hij de muur en de grasvlakte niet meer, hij zag alleen jeneverbesstruiken achter zich. De struiken stonden roerloos om hem heen en hij wist dat ze niet leefden – niet zoals hij leefde – maar hij kon het toch niet laten eraan te denken hoe groot ze waren. Het waren stille, zwarte gestalten die hem omringden en misschien wel dichterbij kwamen als hij niet keek.

Hij draaide zich weer om en zag meer jeneverbesstruiken. Jeneverbesstruiken en mist.

Nu wist hij niet meer in welke richting het zomerhuis lag, maar de angst en de eenzaamheid maakten dat hij doorliep. Hij balde zijn vuisten en tilde zijn voeten op en rende over de grond en wilde de stenen muur en de tuin erachter vinden, maar hij zag alleen gras en struiken. Ten slotte zag hij die zelfs niet meer; de wereld was wazig van zijn tranen.

De jongen bleef staan, hij ademde in en de tranen stroomden niet meer. Hij zag verschillende jeneverbesstruiken in de mist, maar een ervan had twee dikke stammen – en plotseling zag de jongen dat hij bewoog.

Het was een mens.

Een man.

Hij kwam uit de grijsheid van de mist en bleef op een afstand van maar een tiental korte passen staan. De man was lang en breed, hij droeg donkere kleren en hij had de jongen gezien. Hij stond met zware laarzen aan zijn voeten zwijgend in het gras en keek op hem neer. Hij had een zwarte muts over zijn voorhoofd naar beneden getrokken en hij zag er oud uit, maar niet zo oud als de opa van de jongen.

De jongen stond stil. Hij kende de man niet en zijn moeder had gezegd dat je moest oppassen voor vreemde mensen. Maar nu was hij niet meer alleen met de jeneverbesstruiken in de mist. Hij kon zich altijd omdraaien en wegrennen als de man niet lief was.

'Hallo', zei de man met een zachte stem. Hij haalde zwaar adem, alsof hij net een heel eind in de mist had gelopen of snel had gerend.

De jongen gaf geen antwoord.

De man draaide zijn hoofd en keek om zich heen. Toen keek hij zonder te lachen weer naar de jongen en vroeg zacht: 'Ben je alleen?'

De jongen knikte zwijgend.

'Ben je verdwaald?'

'Ik denk het', zei de jongen.

'Dat is niet erg ... Ik weet de weg hier, op de alvaret.' De man deed een stap naar hem toe. 'Hoe heet je?'

'Jens', zei de jongen.

'En verder?'

'Jens Davidsson.'

'Goed', zei de man. Hij aarzelde even en voegde er toen aan toe: 'Ik heet Nils.'

'En verder?' vroeg Jens.

Het was net een spel. De man lachte even. 'Ik heet Nils Kant', zei hij en toen deed hij nog een stap naar hem toe.

Jens bleef staan, maar hij keek niet meer om zich heen. Er waren alleen gras en stenen en struiken in de mist. En de vreemde man, Nils Kant, die nu tegen hem begon te glimlachen alsof ze vrienden waren.

De mist was overal, er was geen geluid te horen. Niet eens vogelgezang.

'Er is niets aan de hand', zei Nils Kant terwijl hij zijn hand uitstak.

Nu stonden ze heel dicht bij elkaar.

Jens dacht dat Nils Kant de grootste handen had die hij ooit had gezien, en hij begreep dat het te laat was om weg te rennen.

I

Doordat Julia's vader Gerlof op een maandagavond in oktober belde, voor het eerst sinds bijna een jaar, moest ze weer denken aan botten die op een rotsig strand waren aangespoeld.

Botten, wit als parelmoer en glanzend geslepen door de golven, bijna lichtgevend tussen de grijze stenen aan de waterkant.

Stukken bot.

Julia wist niet of ze op het strand lagen, maar ze had er meer dan twintig jaar op gewacht ze te zien.

Eerder die dag had Julia een lang gesprek met de Sociale Dienst gehad, dat net zo slecht was verlopen als alles deze herfst, dit jaar.

Zoals gewoonlijk had ze het contact zo lang mogelijk voor zich uit geschoven om niet te hoeven luisteren naar hun zuchten, en toen ze eindelijk belde, kreeg ze een monotone machine die haar identiteitsnummer vroeg. Toen ze alle cijfers had ingetoetst werd ze doorverbonden in het telefoonlabyrint, wat hetzelfde was als doorverbonden worden in de leegte. Ze stond in de keuken terwijl ze uit het raam keek en naar het ruisen in de hoorn luisterde, een nauwelijks hoorbaar ruisen, als water dat ver weg stroomt.

Als Julia haar adem inhield en de telefoon dicht tegen haar oor drukte, hoorde ze af en toe stemmen in de verte echoën. Soms waren ze dof en fluisterend, soms schel en vertwijfeld. Ze was gevangen in de spookwereld van het telenetwerk, met smekende stemmen die ze soms zelfs hoorde als ze bij de afzuigkap stond te roken. Ze echoden en mompelden in de ventilatiebuizen van het flatgebouw – ze verstond bijna nooit woorden, maar luisterde toch geconcentreerd. Eén keer had ze een vrouwenstem helder en duidelijk horen zeggen: 'Ja, nu is het echt tijd.'

Ze stond bij het keukenraam, luisterde naar het geruis en keek uit over de straat. Het was koud en winderig buiten. Herfstgele berkenbladeren kwamen los van het natte, plakkerige asfalt en werden meegevoerd door de wind. Langs de stoepranden lag grijszwarte blubber, die bestond uit bladeren die waren geplet door autobanden en die de grond nooit meer zouden verlaten.

Ze vroeg zich af of ze daarbuiten iemand zou zien die ze kende. Jens kon aan het eind van het flatgebouw de hoek om komen, gekleed in een colbert met stropdas, als een echte jurist, goed geknipt en met een aktetas in zijn hand. Lange passen, blik omhoog. Hij zou haar achter het raam zien, verbaasd op de stoep blijven staan, zijn armen opheffen en glimlachend naar haar zwaaien ...

Het geruis verdween plotseling en een gejaagde stem vulde de hoorn: 'Sociale Dienst, met Inga.'

Dit was haar nieuwe contactpersoon niet, dat was Magdalena. Of was het Madeleine? Ze hadden elkaar nog nooit ontmoet.

Ze haalde diep adem.

'Met Julia Davidsson, ik wil vragen of jullie ...'

'Wat is je identiteitsnummer?'

'Dat ... Ik heb het nummer ingetoetst.'

'Dat is niet bij mij terechtgekomen. Kun je me het nummer nog een keer geven?'

Julia herhaalde het nummer en het werd stil in de hoorn. Ze hoorde het geruis zelfs nauwelijks. Was de verbinding per ongeluk verbroken?

'Julia Davidsson?' zei de contactpersoon, alsof ze niet had gehoord dat Julia haar naam had genoemd. 'Waarmee kan ik je helpen?'

'Ik wil een verlenging aanvragen.'

'Een verlenging waarvan?'

'Van mijn ziekteverlof.'

'Waar werk je?'

'In het Österziekenhuis, orthopedische afdeling', zei Julia. 'Ik ben verpleegster.'

Was ze dat nog steeds? Ze was de laatste jaren zo vaak afwezig geweest dat waarschijnlijk niemand op de afdeling orthopedie haar miste. En zij miste haar patiënten niet, die de hele tijd zeurden over hun absurde, kleine klachten zonder dat ze er enig idee van hadden wat echt onheil inhield.

'Heb je een doktersverklaring?' vroeg de contactpersoon.

'Ja.'

'Ben je vandaag bij je dokter geweest?'

'Nee, woensdag. Bij mijn psychiater.'

'En waarom heb je niet eerder gebeld?'

'Eh, ik voel me sindsdien niet goed', zei Julia terwijl ze dacht: en daarvoor ook niet. Ze voelde een permanente pijn van verlangen in haar borstkas.

'Je had ons dezelfde dag moeten bellen.'

Julia hoorde haar duidelijk ademhalen, misschien zuchtte ze.

'Nu moet ik het anders doen', ging de contactpersoon verder. 'Ik moet in het computersysteem gaan en een uitzondering voor je maken. Voor deze keer.'

'Dat zou fijn zijn', zei Julia.

'Eén moment ...'

Julia bleef bij het raam staan en keek naar de straat. Er bewoog niets.

Ja, nu kwam er iemand vanaf de brede dwarsstraat over het trottoir aanlopen, het was een man. Julia voelde hoe ijskoude vingers haar maag omklemden, tot ze zag dat de man te oud was, hij was kaal en in de vijftig en gekleed in een overall met witte verfvlekken.

'Hallo?'

Ze zag dat de man bij een flat aan de overkant van de straat stopte, een code intoetste en de deur opendeed. Hij ging naar binnen.

Het was Jens niet. Het was een gewone man van middelbare leeftijd.

'Hallo? Julia?'

Dat was de contactpersoon weer.

'Ja? Ik ben er nog.'

'Ik heb in de computer opgeslagen dat je doktersverklaring naar ons onderweg is. Dat is toch zo?'

'Fijn. Ik ...' Julia zweeg.

Ze keek weer naar de straat.

'Is er nog iets?'

'Ik denk ...' Julia omklemde de hoorn stevig. 'Ik denk dat het morgen koud wordt.'

'Ja?' zei de contactpersoon, alsof alles normaal was. 'Heb je een andere rekening, of is het nummer nog hetzelfde?'

Julia gaf geen antwoord. Ze probeerde iets te bedenken om te zeggen dat gewoner en alledaagser klonk.

'Ik praat soms met mijn zoon', zei ze ten slotte.

Het bleef even stil, toen hoorde ze de stem van de contactpersoon weer: 'Goed, ik heb zoals gezegd opgeslagen ...'

Julia legde de hoorn snel neer.

Ze bleef in de keuken staan, staarde door het raam en dacht dat de bladeren op straat een patroon vormden, een mededeling die ze niet begreep, hoelang ze ook keek, en ze verlangde er intens naar dat Jens uit school zou thuiskomen.

Nee, hij moest van zijn werk komen. Jens was al jarenlang van school af.

Wat ben je uiteindelijk geworden, Jens? Brandweerman? Advocaat? Arts?

Later die dag zat ze op haar bed voor de televisie in het kleine zitgedeelte van de eenkamerflat naar een educatief programma over adders te kijken en daarna zapte ze tot ze een kookprogramma tegenkwam waarin een vrouw en een man vlees braadden. Toen het afgelopen was, ging ze naar de keuken om te kijken of de wijnglazen in de kast afgenomen moesten worden. Ja, als ze ze voor de keukenlamp hield waren er kleine, witte stofdeeltjes op het glas te zien, en ze haalde ze een voor een uit de kast en veegde ze schoon. Julia had vierentwintig wijnglazen en ze gebruikte ze om de beurt. Ze dronk elke avond twee glazen rode wijn, en soms drie.

Toen ze die avond op haar bed bij de televisie lag, gekleed in de enige schone bloes die nog in haar kast hing, begon de telefoon in de keuken te rinkelen.

Julia knipperde met haar ogen toen hij de eerste keer overging, maar ze bewoog zich niet. Nee, ze nam niet op. Ze was niet verplicht om op te nemen.

De telefoon ging weer. Ze besloot dat ze niet thuis was, ze had een belangrijke afspraak.

Ze kon uit het raam kijken zonder haar hoofd op te tillen, zelfs al zag ze alleen de daken, de gedoofde straatlantaarns en de toppen van de bomen die boven haar uittorenden. De zon was achter de stad ondergegaan en de hemel werd langzaam donker.

De telefoon ging een derde keer.

Het schemerde. Schemertijd.

De telefoon ging een vierde keer.

Julia kwam niet overeind om op te nemen.

Hij ging een laatste keer over en toen werd het weer stil. Buiten gingen de straatlantaarns aan, ze schenen op het asfalt.

Het was een redelijk goede dag geweest.

Nee. Eigenlijk waren er geen goede dagen. Maar sommige dagen gingen sneller voorbij dan andere.

Julia was altijd alleen.

Een kind had haar kunnen helpen. Michael had een broertje of zusje voor Jens gewild, maar Julia had geweigerd. Ze had zich nooit zeker genoeg gevoeld, en Michael had het opgegeven.

Als Julia de telefoon niet opnam kreeg ze vaak een ingesproken bericht als beloning, en toen de telefoon deze avond zweeg stond ze op van het bed en luisterde in de hoorn, maar ze hoorde alleen een ruis.

Ze legde de hoorn neer en deed de kast boven de koelkast open. Daar stond de fles voor vandaag, en de fles voor vandaag was zoals altijd een fles rode wijn.

Eerlijk gezegd was het de tweede fles rode wijn voor vandaag, want bij de lunch had ze de fles waaraan ze gisteravond was begonnen leeggedronken.

De kurk maakte een dof, ploppend geluid toen ze hem opende. Ze schonk een glas in, dronk het snel leeg en schonk opnieuw in.

De warmte van de wijn verspreidde zich door haar lichaam, en nu pas kon ze zich omdraaien en uit het keukenraam kijken. Het was buiten donker geworden, de straatlantaarns verlichtten slechts een paar ronde vlekken asfalt. Niets bewoog in het schijnsel van de lantaarns. Maar wat verborg zich in de schaduwen? Dat was niet te zien.

Julia draaide haar rug naar het raam en dronk haar tweede glas leeg. Ze was nu kalmer. Na het gesprek met de Sociale Dienst was ze gespannen geweest, maar nu was het goed. Ze verdiende een derde glas wijn, maar dat zou ze langzamer drinken, in de slaapkamer. Misschien moest ze zo meteen wat muziek opzetten, Satie of zo, een slaappil nemen en voor middernacht gaan slapen.

Op dat moment ging de telefoon weer.

Na de derde keer overgaan ging ze met een gebogen hoofd op bed zitten. Bij de vijfde keer stond ze op, en na de zevende keer was ze in de keuken.

Voordat de telefoon voor de negende keer overging pakte ze de hoorn. Ze fluisterde: 'Julia Davidsson.'

Ze hoorde geen ruis, maar een zachte, duidelijke stem: 'Julia?'

Ze hoorde wie het was.

'Gerlof?' zei ze zacht.

Ze zei geen papa meer tegen hem.

'Ja ... ik ben het.'

Er viel een stilte en ze moest de hoorn dichter tegen haar oor houden om hem te verstaan.

'Ik denk ... ik weet iets meer over hoe het is gegaan.'

'Wat?' Julia staarde naar de muur. 'Hoe wat is gegaan?'

'Tja, hoe het met ... met Jens is gegaan.'

Julia staarde.

'Is hij dood?'

Het was net alsof ze rondliep met een nummer in haar hand. Op een dag werd haar nummer omgeroepen en dan moest ze naar voren komen en kreeg ze het bericht. Julia dacht aan witte stukken bot die op het strand bij Stenvik waren aangespoeld, hoewel Jens bang voor water was geweest.

'Julia, dat is hij toch ...'

'Hebben ze hem gevonden?' onderbrak ze hem.

'Nee. Maar ...'

Ze knipperde met haar ogen.

'Waarom bel je dan?'

'Niemand heeft hem gevonden. Maar ik heb ...'

'Bel me dan niet!' riep ze en ze hing op.

Ze deed haar ogen dicht en bleef bij de telefoon staan.

Een nummer, een plaats in de rij. Maar het was haar dag niet, Julia wilde niet dat het vandaag de dag was dat Jens werd gevonden.

Ze ging bij de keukentafel zitten en keek naar de duisternis achter het raam, dacht niets en keek toen weer naar de telefoon. Ze stond op, liep er weer naartoe en wachtte, maar hij bleef stil.

Ik doe het voor jou, Jens.

Julia pakte de hoorn, keek naar het briefje dat al jarenlang op de witte keukentegels boven de broodtrommel hing en toetste het nummer in.

Haar vader nam na de eerste keer overgaan op.

'Gerlof Davidsson.'

'Met mij', zei ze.

'O, ja, Julia.'

Het bleef stil. Julia nam een aanloop.

'Ik had de hoorn er niet op moeten gooien.'

'Nee ...'

'Dat helpt niet.'

'Nee', zei haar vader. 'Maar zulke dingen gebeuren.'

'Hoe is het weer op Öland?'

'Grijs en koud', zei Gerlof. 'Ik ben vandaag niet buiten geweest.'

Het werd weer stil en Julia ademde in.

'Waarom belde je?' vroeg ze. 'Is er iets gebeurd?'

Hij aarzelde met zijn antwoord.

'Ja ... Er zijn hier een paar dingen gebeurd', zei hij en hij voegde eraan toe: 'Maar ik weet niets. Niet meer dan eerst.'

Niet meer dan ik, dacht Julia. *Het spijt me, Jens.*

'Ik dacht dat je nieuws had.'

'Ik heb veel nagedacht', zei Gerlof. 'En ik denk dat er dingen zijn die we kunnen doen.'

'Doen? Waarom?'

'Om verder te komen', zei Gerlof en hij praatte snel door: 'Kun je hiernaartoe komen?'

'Wanneer?'

'Snel. Ik denk dat dat nodig is.'

'Ik kan toch niet zomaar vertrekken', zei ze. Maar zo onmogelijk was het niet – ze zat tenslotte ziek thuis. Ze ging verder: 'Je moet iets zeggen ... zeg waar het over gaat. Kun je dat niet zeggen?'

Haar vader zweeg even.

'Weet je nog wat hij die dag droeg?' vroeg hij.

Die dag.

'Ja.' Ze had Jens die ochtend zelf geholpen met aankleden en achteraf beseft dat hij voor de zomer was gekleed, hoewel het herfst was. 'Hij droeg een gele korte broek en een rode katoenen trui', zei ze. 'Met Batman erop. Hij had hem van zijn neefje gekregen, met zo'n sticker die je er zelf met een strijkbout op kunt strijken, van dun plastic ...'

'Weet je nog welke schoenen hij droeg?' vroeg Gerlof.

'Sandalen', zei Julia. 'Hij droeg bruine leren sandalen met zwarte rubberzolen. Het riempje bij de teen aan de rechterkant was afgebroken, en aan de linkerkant zaten een paar riempjes los. Dat gebeurde altijd aan het eind van de zomer, maar ik had het vastgenaaid ...'

'Met wit draad?'

'Ja', zei Julia snel. Daarna dacht ze erover na. 'Ja, ik denk dat het wit was. Waarom?'

Het bleef een paar seconden stil. Toen antwoordde Gerlof: 'Er ligt een oude rechtersandaal op mijn bureau. Genaaid met wit draad. Hij ziet eruit alsof hij een vijfjarige past. Ik zit er op dit moment naar te kijken.'

Julia wankelde en leunde tegen het aanrecht.

Gerlof zei nog iets, maar ze duwde hard op de haak en het werd stil in de hoorn.

Het nummer – dit was het nummer dat ze had gekregen, en haar naam zou al snel worden omgeroepen.

Ze was weer kalm. Na tien minuten haalde ze haar hand van de haak en koos Gerlofs nummer. Hij antwoordde na één keer overgaan, alsof hij op haar had gewacht.

'Waar heb je hem gevonden?' vroeg ze. 'Waar, Gerlof?'

'Dat is nogal ingewikkeld', zei Gerlof. 'Je weet dat ... dat ik me niet zo gemakkelijk kan bewegen, Julia. Het wordt steeds moeilijker. Daarom wil ik graag dat je komt.'

'Ik weet het niet.' Julia deed haar ogen dicht en hoorde alleen de ruis in de telefoon. 'Ik weet niet of ik het kan.' Ze zag zichzelf op het strand, ze zag zichzelf tussen de stenen rondlopen, terwijl ze voorzichtig alle kleine skeletdelen die ze kon vinden oppakte en stevig tegen zich aan drukte. 'Misschien.'

'Wat herinner je je?' vroeg Gerlof.

'Hoezo?'

'Van die dag. Herinner je je iets speciaals?' vroeg hij. 'Ik wil graag dat je daarover nadenkt.'

'Ik herinner me dat Jens verdween. Hij ...'

'Ik heb het nu niet over Jens', zei Gerlof. 'Wat weet je nog meer?'

'Wat bedoel je? Ik begrijp niet ...'

'Herinner je je de mist waarin Stenvik gehuld was?'

Julia zweeg. 'Ja', zei ze daarna. 'De mist ...'

'Denk daaraan', zei Gerlof. 'Probeer je de mist te herinneren.'

Mist ... mist was een deel van alle herinneringen aan Öland.

Julia herinnerde zich de mist. Op Noord-Öland kwam niet

vaak dichte mist voor, maar soms dreef die in de herfst vanaf de zeestraat binnen. Koud en vochtig.

Wat was er die dag in de mist gebeurd?

Wat is er gebeurd, Jens?

Öland, juli 1936

De man die later zo veel verdriet en angst op Öland zou verspreiden, is in het midden van de jaren dertig een tienjarige jongen. Hij bezit een strand vol stenen en een grote zee.

De jongen heet Nils Kant en hij is zongebruind. Hij draagt een korte broek en zit in de zomerwarmte op een grote, ronde steen in de zon onder de zomerhuizen en de boothuizen van Stenvik. En hij denkt: Dit is allemaal van mij.

En dat is waar, want Nils' familie is eigenaar van het strand. Ze bezitten grote stukken grond in Noord-Öland, het geslacht Kant bezit al eeuwenlang grond, en sinds de vader van Nils drie jaar geleden is gestorven, heeft Nils het gevoel dat hij ervoor moet zorgen. Nils mist zijn vader niet, hij herinnert zich hem alleen als een lange, zwijgzame, strenge man die soms gewelddadig was, en Nils denkt dat het goed is dat alleen zijn moeder Vera in de houten villa boven het strand op hem wacht.

Hij heeft niemand anders nodig. Hij heeft geen vrienden nodig, hij weet dat er kinderen van alle leeftijden in de dorpen langs de kust wonen en dat de oudere jongens uit zijn eigen dorp al in de steengroeve werken – maar dit stuk strand is alleen van hem. De molenaars in de molens en de vissers die in de botenhuizen boven op de klip aan het werk zijn, vormen geen bedreiging.

Nils laat zich van de steen glijden. Hij wil nog een keer zwemmen voordat hij naar huis gaat.

'Nils!' roept een hoge jongensstem.

Nils draait zijn hoofd niet om, maar hij hoort hoe grind en kleine stenen op de steile helling naar het strand losraken en naar beneden rollen en daarna snelle voetstappen die dichterbij komen.

'Nils! Ik heb toffees van mama gekregen, ik ook! Heel veel toffees!'

Het is zijn broertje. Axel is drie jaar jonger dan Nils en een en al beweging. Hij heeft een grijs bundeltje in zijn hand.

'Kijk!'

Axel komt snel dichterbij en gaat naast hem bij de grote steen staan, hij kijkt ijverig naar Nils op, vouwt het bundeltje open en spreidt de inhoud uit op de lap stof.

Er zit een klein zakmes in en toffees, donkere, glanzende toffees.

Nils telt acht toffees. Hij heeft er maar vijf van zijn moeder gekregen toen hij wegging, maar die zijn op en zijn hart bonkt plotseling hard van boosheid.

Axel pakt een van de toffees, stopt hem in zijn mond en kijkt uit over het glinsterende water. Hij kauwt tevreden en langzaam, alsof niet alleen de toffees van hem zijn, maar het strand en het water en de hemel erboven ook.

Nils kijkt weg. 'Ik ga zwemmen', zegt hij met zijn ogen op het water gericht. Hij trekt zijn korte broek uit en legt hem op de steen.

Hij draait zijn rug naar Axel toe en begint de golven in te lopen, met zijn voeten balancerend op de stenen, die glad zijn van de algen. Kleine slierten bruin zeewier blijven tussen zijn tenen vastzitten.

Het water is verwarmd door de zon en vliegt schuimend opzij als Nils zich zo'n tien passen van het strand laat vallen. Hij heeft deze zomer geleerd onder water te zwemmen. Hij haalt adem, duikt onder water, kronkelt naar de rotsbodem, draait en schiet weer omhoog in de zon.

Axel is bij de waterrand gaan staan.

Nils zwemt rondjes in het water, spettert en maakt koprollen, zodat de luchtbellen rond zijn hoofd bruisen. Hij zwemt een paar meter uit de kust, zo ver dat de bodem onder hem verdwijnt en hij er niet meer met zijn voeten bij kan.

Hier ligt een groot rotsblok, een zwerfkei die als een sluimerend zeedier helemaal onder water ligt. Nils klimt op zijn rug, staat met zijn voeten net onder het wateroppervlak en laat zich dan weer in het water vallen. Hij kan hier niet staan. Hij drijft, trapt met zijn voeten en ziet dat Axel nog op het strand staat.

'Kun je nog niet zwemmen?' roept hij.

Hij weet dat Axel dat niet kan.

Axel geeft geen antwoord, maar hij kijkt naar de grond en het gezicht onder de pony betrekt, zowel van schaamte als van boosheid. Hij trekt zijn korte broek uit en legt hem op de steen naast de lap stof.

Nils zwemt kalm om de springsteen heen, eerst op zijn buik, dan op zijn rug, om te laten zien hoe gemakkelijk het is als je het kunt. Hij schopt met zijn benen en klimt weer op de steen.

'Ik help je!' roept hij tegen Axel, en hij denkt heel even dat hij dat ook echt gaat doen; de grote broer zijn en Axel leren zwemmen. Maar dat zou te veel tijd kosten.

Hij gebaart alleen.

'Kom!'

Axel doet een onzekere stap het water in, voelt met zijn voeten aan de stenen voor zich en zwaait met zijn handen alsof hij boven een afgrond balanceert. Nils kijkt zwijgend naar de onzekere wandeling van zijn broertje bij het strand vandaan.

Na vier stappen komt het water tot boven Axels dijbenen en hij kijkt met een starre blik naar Nils.

'Durf je niet?' vraagt Nils.

Het is een grapje, hij houdt zijn broertje een beetje voor de gek.

Axel schudt zijn hoofd. Nils duikt snel van de steen en zwemt naar het strand.

'Het kan geen kwaad', zegt hij. 'Je kunt bijna het hele stuk over de bodem lopen.'

Axel leunt naar voren en probeert hem vast te pakken. Nils gaat achteruit en zijn broertje doet een onvrijwillige stap naar voren.

'Goed zo', zegt Nils. Het water komt nu tot zijn middel. 'Nog een stap.'

Axel doet wat hij zegt, doet een stap naar voren en kijkt dan met een zenuwachtig lachje naar Nils op. Nils glimlacht terug en knikt, en Axel doet nog een stap naar voren.

Nils laat zich langzaam met uitgestrekte armen naar achteren vallen, om te laten zien hoe zacht het water is.

'Iedereen kan zwemmen, Axel', zegt hij. 'Ik heb het mezelf geleerd.'

Hij zwemt langzaam de zee in, naar de springsteen. Axel volgt hem, maar zijn voeten houden contact met de bodem. Het water komt nu tot zijn borstkas.

Nils springt weer op de steen.

'Nog drie stappen!' zegt hij.

Dat is niet helemaal waar, het zijn er zeven of acht. Maar Axel doet een stap, twee stappen, drie stappen, en moet dan zijn nek uitstrekken om zijn mond boven water te houden, en het is nog drie meter naar de springsteen.

'Je moet ademhalen', zegt Nils.

Axel haalt hijgend adem. Nils gaat op de steen zitten en strekt zijn handen kalm naar hem uit.

Zijn broertje laat zich voorover vallen. Maar het is net alsof hij meteen van gedachten verandert, want hij haalt adem en zijn mond en keel stromen vol koud water, hij slaat met zijn armen om zich heen en staart naar Nils. De steen is net buiten zijn bereik.

Nils kijkt een seconde naar Axels gevecht in het water, steekt dan snel zijn hand uit en trekt zijn broertje naar de veiligheid van de steen.

Axel klampt zich aan hem vast en hoest en haalt met korte stoten adem. Nils gaat naast hem staan en zegt wat hij de hele tijd al in gedachten heeft: 'Het strand is van mij.'

Dan duikt hij kaarsrecht van de steen, komt een paar meter verder boven water en zwemt met lange, zekere slagen tot zijn handen de stenen bij het strand raken. Zijn grap is voltooid. Nu kan hij ervan genieten. Hij schudt zijn hoofd om het water uit zijn oren te krijgen en loopt naar de kei waar Axel de lap stof heeft uitgevouwen.

De kleine korte broek die Axel heeft uitgetrokken ligt er ook.

Nils pakt hem op, denkt dat hij een vlo langs een naad ziet kruipen en gooit hem op het strand.

Dan buigt hij zich over de stof. Daar liggen de toffees, glanzend in de zon, en Nils pakt er een en stopt hem langzaam in zijn mond.

Er klinkt een boze uitroep van de springsteen, maar hij trekt zich er niets van aan. Hij kauwt zorgvuldig, slikt en pakt nog een toffee.

Er klinkt gespetter en Nils kijkt op; zijn broertje is van de steen in het water gesprongen.

Nils begint net op te drogen in de zon, en hij weerstaat zijn eerste impuls om naar Axel toe te zwemmen. In plaats daarvan pakt hij een derde toffee van de lap stof op de steen.

Het gespetter gaat door, en Nils kijkt ernaar. Axel kan natuurlijk niet bij de bodem komen en hij probeert vertwijfeld om weer op de springsteen te klimmen. Maar zijn handen glijden steeds weg.

Nils kauwt op de toffee. Je moet vaart hebben om op de steen te klimmen.

Axel heeft geen vaart en hij draait zich om naar het strand. Hij slaat zo hard met zijn armen dat het water rondom hem schuimt, maar hij komt niet vooruit. Hij kijkt met opengesperde ogen naar Nils.

Nils kijkt terug, slikt de toffee door en pakt een nieuwe.

Het gespetter wordt snel zwakker. Zijn broertje schreeuwt iets, maar Nils hoort niet wat het is. Dan sluiten de golven zich boven Axels hoofd.

Nu doet Nils een stap naar het water toe.

Axels hoofd duikt op, maar minder hoog dan daarnet. Nils ziet eigenlijk alleen zijn natte haren. Daarna zakt hij weer onder water. Luchtbellen borrelen omhoog, maar een kleine golf spoelt ze weg.

Nils heeft nu haast, hij springt het water in. Zijn benen spatten schuim op en hij vecht met zijn armen, zijn blik is op de springsteen gericht. Maar hij ziet Axel niet meer.

Nils zwemt snel naar de steen en als hij er bijna is duikt hij, maar hij kan zijn ogen onder water niet goed openhouden. Hij doet ze dicht en tast met zijn handen in de koude duisternis, voelt niets en duikt weer op in de zon. Hij legt zijn handen op de springsteen, hoest en trekt zich omhoog.

Er is alleen water rondom hem, waar hij ook kijkt. Het geglinster van de zon op de golven verbergt alles wat zich onder de oppervlakte bevindt.

Axel is weg.

Nils blijft in de wind wachten, maar er gebeurt niets en ten slotte, als hij het koud begint te krijgen, duikt hij en zwemt langzaam terug naar het strand. Hij kan niets meer doen. Hij loopt het water uit, komt op adem en leunt tegen de grote steen op het strand.

Nils blijft een hele tijd in de zon staan. Hij wacht op gespetter, op de vertrouwde stem van Axel, maar hij hoort niets.

Alles is stil. Het is moeilijk om dat te begrijpen.

Er liggen nog vier toffees op Axels doek, en Nils kijkt ernaar.

Hij denkt aan de vragen die op hem wachten, van zijn moeder en de anderen, en hij bedenkt wat hij moet zeggen. Daarna denkt hij aan de dood van zijn vader en hoe somber alles was tijdens de langdurige begrafenis in de kerk van Marnäs. Iedereen was in het zwart en zong psalmen over de dood.

Nils snikt. Dat klinkt goed. Hij moet naar zijn moeder gaan en snikken en vertellen dat Axel nog op het strand is. Axel wilde blijven, maar Nils wilde naar huis. En als iedereen naar Axel gaat zoeken, kan hij aan de verdrietige orgelmuziek bij zijn vaders begrafenis denken en samen met zijn moeder huilen.

Nils gaat zo meteen naar huis, en hij weet wat hij moet vertellen en niet vertellen als hij daar aankomt.

Maar eerst eet hij Axels toffees op.

2

Gerlof Davidsson zat in zijn kamer in het bejaardentehuis in Marnäs en zag de zon achter het raam ondergaan. De etensbel was daarnet voor de eerste keer gegaan en hij wist dat het bijna tijd was voor het avondeten. Hij zou opstaan en naar de eetzaal gaan. Zijn leven was nog niet voorbij.

Als hij nog in Stenvik had gewoond, het visserdorp waar hij vandaan kwam, zou hij op het strand kunnen zitten om de zon langzaam in de Kalmarsund te zien zakken. Maar Marnäs lag aan de oostkust en daarom zag hij de zon elke avond achter een groep berken verdwijnen, tussen het bejaardentehuis en de kerk van Marnäs in het westen. Nu was het oktober en de takken van de berken waren bijna bladloos en leken op dunne armen die zich naar de dalende geelrode schijf uitstrekten.

Het schemeruur was begonnen – de tijd van de griezelverhalen.

Toen hij als kind in Stenvik woonde, was dat de tijd dat het werk op de akkers en in de botenhuizen voor die dag werd neergelegd. Alle mensen kwamen bij elkaar in hun huizen omdat het avond werd, maar de petroleumlampen werden nog niet aangestoken. De ouderen zaten in de schemering, praatten over wat ze die dag hadden gedaan en wat er in de andere boerderijen in het dorp was gebeurd. En soms vertelden ze verhalen aan de kinderen in huis.

Gerlof vond de griezelverhalen altijd het fijnst. Verhalen over spoken, gedaanten, trollen en plotselinge dood in de Ölandse wildernis. Of verhalen over scheepswrakken die naar de kust dreven en stuksloegen op de rotsen.

De etensbel ging voor de tweede keer.

Een schipper die vastzat in een storm en te dicht naar het land was gedreven zou vroeg of laat de rotsbodem tegen de kiel horen slaan, steeds harder, en dat was het begin van het einde. Misschien was er soms iemand handig en fortuinlijk genoeg om het anker uit te gooien en zich langzaam tegen de wind in naar het open water te trekken, maar de meeste schepen konden geen meter bewegen als ze aan de grond waren gelopen. Meestal moesten de schippers het vaartuig snel verlaten om zichzelf en hun bemanning te redden en proberen door de brekende golven levend aan land te komen, om daarna nat en ijskoud op het strand te staan en toe te kijken hoe de storm hun schip steeds harder tegen de bodem beukte en hoe de golven het begonnen te breken.

Een schip aan de grond was als een kapotte doodskist die in de openlucht was achtergelaten.

De etensbel ging voor de laatste keer en Gerlof pakte de houten rand van zijn bureau vast en kwam overeind. Hij voelde de Sjögren in zijn gewrichten tot leven komen. Hij voelde het en het deed pijn. Hij keek nadenkend naar de rolstoel die bij het voeteneind van zijn bed stond, maar hij had hem nog nooit binnenshuis gebruikt en hij was dat ook nu niet van plan. Hij pakte zijn stok in zijn rechterhand en hield hem stevig vast terwijl hij naar de hal liep, waar zijn jassen op hangers hingen en zijn schoenen in een rij stonden. Hij stond stil, steunde op zijn stok en deed daarna de deur naar de gang open. Hij liep naar buiten en keek om zich heen.

Er klonken sloffende voetstappen in de gang en hij zag ze een voor een aan komen lopen: de andere bewoners. Ze liepen langzaam, met behulp van een stok of een rollator. De bewoners van het Marnästehuis verzamelden zich voor het avondeten.

Sommigen begroetten elkaar zachtjes, anderen keken de hele tijd naar de vloer.

Zo veel kennis die hier loopt, dacht Gerlof toen hij zich bij de vermoeide groep voegde die op weg was naar de eetzaal.

'Ga lekker zitten!' zei Boel, het afdelingshoofd, die glimlachend tussen de karren met eten voor de keuken stond.

Iedereen ging voorzichtig op zijn gebruikelijke plaats aan tafel zitten.

Zoveel kennis. Bij Gerlof zaten een schoenmaker, een koster en een boer, met ervaring en kennis waar niemand nog naar vroeg. En hijzelf dan, hij kon nog steeds met gesloten ogen binnen een paar seconden een paalsteek leggen, hoewel dat geen enkel nut had.

'Het gaat vannacht misschien vriezen, Gerlof', zei Maja Nyman.

'Ja, de wind komt uit het noorden', zei Gerlof.

Maja zat naast hem, klein en gerimpeld en mager, maar kwieker dan alle anderen op de afdeling. Ze glimlachte naar Gerlof en hij glimlachte terug. Ze was een van de weinigen die zijn naam goed uitsprak, als *Jerlof*, en niet anders.

Maja kwam uit Stenvik, maar was getrouwd geweest met boer Helge Nyman, en woonde in de jaren vijftig ten noordoosten van Marnäs; Gerlof verhuisde naar Borgholm toen hij schipper werd. Toen Maja en hij elkaar in het bejaardentehuis weer tegenkwamen, hadden ze elkaar bijna veertig jaar niet gezien.

Gerlof pakte een schijf knäckebröd en begon te eten, zoals altijd dankbaar dat hij kon kauwen. Geen haar, slechte ogen, geen energie en pijnlijke spieren – maar zijn eigen tanden had hij in elk geval nog.

De geur van kool verspreidde zich uit de keuken. Er stond vandaag koolsoep op het menu en Gerlof pakte zijn lepel en wachtte tot de etenswagen kwam aanrollen.

Als het eten op was zouden de meesten voor de televisie gaan zitten en de rest van de avond kijken.

Het waren nieuwe tijden. Er strandden geen schepen meer voor de kust van Öland en niemand vertelde nog verhalen in het schemeruur.

Het avondeten was achter de rug en Gerlof was terug op zijn kamer.

Hij zette zijn stok bij de boekenkast en ging weer achter zijn bureau zitten. Nu was het avond achter het raam. Als hij over het tafelblad leunde tot zijn neus het raam bijna raakte, zag hij een glimp van de akkers ten noorden van Marnäs en daarachter de stranden en de donkere zee. De Oostzee, zijn voormalige werkgebied. Maar hij kon dat soort gymnastische oefeningen niet meer uitvoeren, en hij moest genoegen nemen met kijken naar de berken achter het bejaardentehuis.

Ze noemden het niet meer het 'oudemannengesticht', maar dat was het natuurlijk wel. Ze probeerden altijd nieuwe woorden te vinden die beter moesten klinken, maar het ging nog steeds om oudjes die bij elkaar werden gezet en veel te vaak alleen op de dood zaten te wachten.

Een zwart notitieboek lag naast een stapel kranten op het bureau en hij strekte zijn hand ernaar uit. Nadat hij de eerste week alleen uit het raam had zitten staren, had Gerlof zich vermand en was hij naar het dorp gegaan om een notitieboek in de kleine supermarkt te kopen. Daarna was hij begonnen met schrijven.

In het notitieboek stonden gedachten en aansporingen. Hij schreef dingen op die gedaan moesten worden en streepte ze door als ze waren gedaan, en vermaningen zoals SCHEREN!, dat boven aan de eerste bladzijde stond en nooit werd doorgestreept, omdat het een dagelijkse bezigheid was. Scheren was nodig en hij had er eerder die dag aan gedacht om het te doen.

Dit was de eerste gedachte in het boek: 'Wie geduldig is, overtreft de dapperste soldaat; wie zichzelf beheerst, is groter dan wie een stad beheerst.'

Het was een gedenkwaardige spreuk van Salomon, zestiende hoofdstuk. Gerlof was de Bijbel al gaan lezen toen hij klein was en hij was er nooit mee gestopt.

Aan het eind van het boek stonden drie regels die niet waren doorgestreept:

DE MAANDELIJKSE REKENINGEN BETALEN.

JULIA KOMT DINSDAGAVOND.

MEER MET ERNST PRATEN.

De rekeningen voor de telefoon, de krant, het verblijf in het Marnästehuis en de verzorging van het graf van zijn vrouw Ella op het kerkhof hoefde hij pas volgende week te betalen.

En Julia was op weg, ze had uiteindelijk beloofd te komen. Dat mocht hij niet vergeten. Hij hoopte dat Julia een tijdje op Öland bleef. Na al die jaren was ze nog steeds vervuld van verdriet, en hij wilde haar daaruit halen.

De laatste aansporing was net zo belangrijk en had ook met Julia te maken. Ernst was steenhouwer in Stenvik, een van de weinigen die daar het hele jaar woonden. Hij en Gerlof en hun gemeenschappelijke vriend John praatten elke week over de telefoon. Soms zaten ze zelfs in de schemering en vertelden elkaar oude verhalen, iets wat Gerlof op prijs stelde, hoe vaak hij ze ook had gehoord.

Maar op een avond een paar maanden geleden was Ernst met een nieuw verhaal naar het Marnästehuis gekomen, over de moord op Gerlofs kleinzoon Jens.

Gerlof was er helemaal niet op voorbereid het verhaal te moeten aanhoren – hij wilde eigenlijk niet aan de kleine Jens denken – maar Ernst zat op zijn bed en stond erop het te vertellen.

'Ik heb erover nagedacht hoe het is gegaan', zei Ernst zacht.

'O', zei Gerlof, die aan zijn bureau zat.

'Ik geloof niet dat je kleinzoon naar de zee is gegaan en is verdronken', had Ernst gezegd. 'Ik denk dat hij in de mist de alvaret is op gegaan. En ik denk dat hij daar tussen de jeneverbesstruiken zijn moordenaar heeft ontmoet.'

'Zijn moordenaar?' vroeg Gerlof.

Ernst zweeg, zijn eeltige handen lagen verstrengeld op zijn schoot.

'Wie dan?' had Gerlof gevraagd.

'Nils Kant', zei Ernst. 'Ik denk dat hij Nils Kant in de mist is tegengekomen.'

Gerlof had hem alleen aangestaard, maar de ogen van Ernst waren serieus geweest.

'Ik denk echt dat het zo was', zei hij. 'Ik geloof dat Nils Kant terugkwam van zee, of waar hij ook was geweest, en dat hij nog meer ellende heeft veroorzaakt.'

Meer had hij die keer eigenlijk niet gezegd. Een kort verhaal in de schemering, maar Gerlof had het niet kunnen vergeten.

Hij hoopte dat Ernst snel zou terugkomen en meer zou vertellen.

Gerlof bladerde verder in het notitieboek. Hij had veel minder gedachten dan herinneringen opgeschreven en hij was al snel klaar.

Hij deed het boek dicht. Hij kon niet veel meer doen aan het bureau, maar hij bleef toch zitten en keek naar de zwaaiende berken in de duisternis. Ze deden een beetje denken aan zeilen in de harde wind, en vanaf die gedachte was het niet ver naar de herinnering hoe hij zelf in zulke herfstwinden op het dek had gestaan en de kust van Öland langzaam voorbij had zien glijden, met de rotsen en de zomerhuizen vlakbij of als een donkere streep aan de horizon – en net toen hij dat beeld had opgeroepen ging de telefoon op zijn bureau plotseling.

Het signaal klonk hard en schril in de stille kamer. Gerlof liet hem nog een keer overgaan. Vaak had hij van tevoren een vermoeden wie de beller was, maar deze keer wist hij het niet zeker.

Hij pakte de hoorn na het derde signaal.

'Davidsson.'

Niemand antwoordde.

De lijn was open en er klonk een voortdurend ruisen, van elektronen of iets anders wat in de telefoonkabels rondzwierf, maar degene die aan de telefoon was zei geen woord.

Gerlof dacht dat hij toch wist wat de beller wilde.

'Met Gerlof', zei hij in de hoorn. 'Ik heb hem gekregen. Als je tenminste over de sandaal belt.'

Stilte.

'Ik denk dat jij hem hebt gestuurd', zei Gerlof. 'Waarom heb je dat gedaan?'

Nog steeds stilte.

'Waar heb je hem gevonden?'

Het enige wat hij hoorde was geruis. Toen Gerlof de telefoon lang genoeg tegen zijn oor had gedrukt, kreeg hij het gevoel dat hij eenzaam in het universum zat en naar de stilte van de zwarte ruimte luisterde. Of naar de zee.

Na dertig seconden hoestte iemand zacht.

Daarna hoorde hij een klik. De telefoon was neergelegd aan de andere kant.

3

Julia's zus Lena Lundqvist hield de sleutels stevig vast en keek naar de auto, bijna alleen naar de auto. Ze wierp een snelle blik op Julia, maar keek toen weer naar hun gemeenschappelijke bezit.

Het was een rode, kleine Ford. Niet nieuw, maar nog steeds met glanzende lak en goede zomerbanden. Hij stond in de straat in Torslanda geparkeerd, naast de oprit van de grote stenen villa van Lena en haar man Richard, met een groot stuk grond dat geen uitzicht op zee had maar toch zo dicht bij zee lag dat Julia dacht dat ze de geur van het zoute water kon ruiken. Julia hoorde een schrille lach achter het raam dat op een kier stond en begreep dat de kinderen thuis waren.

'Eigenlijk moeten we hem niet uitlenen ... Wanneer heb je voor het laatst gereden?' vroeg Lena.

Ze hield de sleutels nog steeds in haar hand en had haar armen stevig over elkaar geslagen.

'Afgelopen zomer', zei Julia en ze voegde er bij wijze van herinnering snel aan toe: 'Maar het is míjn auto ... voor de helft.'

Een koude, vochtige wind trok vanaf de zee door de straat. Lena droeg alleen een dun vest en een rok, maar ze vroeg Julia niet binnen in de warmte van het huis en praatte door – en zelfs als ze dat had gedaan, was Julia niet mee naar binnen gegaan. Richard was thuis en ze wilde hem en hun tienerkinderen niet zien.

Richard had een goede baan bij Volvo, Julia dacht dat hij directeur was. Hij had natuurlijk een auto van de zaak, net als Lena, die rector op een basisschool in Hisingen was. Ze waren heel succesvol.

'Je hebt hem niet nodig', voegde Julia er met vaste stem aan toe. 'Je had hem alleen toen ik ... toen ik niet wilde rijden.'

Lena keek weer naar de auto.

'Ja, maar Richard heeft zijn dochter hier om het weekend, en zij wil ...'

'Ik betaal alle benzine', onderbrak Julia haar.

Ze was niet bang voor haar zus, dat was ze nooit geweest, en nu had ze besloten om naar Öland te rijden.

'Natuurlijk, dat is het niet', zei Lena. 'Maar het voelt gewoon niet goed. En we zitten met de verzekering. Richard zegt dat ...'

'Ik rij er alleen mee naar Öland', zei Julia. 'En daarna weer naar Göteborg.'

Lena keek naar de villa waar achter de gordijnen uit bijna alle ramen licht scheen.

'Gerlof wil dat ik kom', ging Julia verder. 'Ik heb gisteren met hem gepraat.'

'Maar waarom wil hij dat nú?' vroeg Lena en ze ging verder zonder het antwoord af te wachten: 'En waar ga je slapen? Je kunt niet in het bejaardentehuis slapen, voorzover ik weet zijn daar geen logeerkamers. En het zomerhuis in Stenvik is klaargemaakt voor de winter, we hebben de stroom en het water afgesloten en ...'

'Het komt goed', zei Julia snel, hoewel ze op dat moment besefte dat ze zelf ook niet wist waar ze moest slapen. Ze had er nog niet over nagedacht. 'Kan ik hem meenemen?'

Ze voelde dat haar zus op het punt stond om toe te geven en ze wilde een snel antwoord, voordat Richard naar buiten kwam om zijn vrouw te helpen bij het vertragen van het uitlenen van de auto.

'Goed', zei Lena. 'Neem hem maar. Ik haal er alleen een paar spullen uit.'

Ze liep naar de auto, deed hem open en haalde er wat papieren, een zonnebril en een halve Marabou chocoladecake uit.

Ze liep terug naar Julia, stak haar hand uit en liet de sleutelbos los. Julia pakte hem aan en toen gaf Lena haar nog iets.

'Neem deze ook maar. Dan kunnen we je bereiken', zei ze. 'Ik heb net een nieuwe van mijn werk gekregen.'

Het was een mobiel, een zwarte. Misschien niet het allerkleinste model, maar klein genoeg.

'Ik kan niet met die dingen overweg', zei Julia.

'Het is heel gemakkelijk. Je toetst eerst een code in ... Kijk.' Lena schreef de code en het telefoonnummer op een stukje papier. 'Als je belt toets je gewoon het hele nummer in, ook het netnummer, en dan druk je op deze groene knop. Er staat nog wat geld op, daarna moet je zelf een kaart kopen.'

'Goed.' Julia pakte de telefoon. 'Dank je.'

'Ja ... rij alsjeblieft voorzichtig', zei Lena. 'En doe papa de groeten.'

Julia knikte en liep naar de auto. Ze ging erin zitten, rook de geur van haar zusters parfum, startte de motor en reed weg.

Het schemerde al en toen ze over Hisingen reed, twintig kilometer langzamer dan de snelheidslimiet, dacht ze erover na waarom Lena en zij nooit langer dan een paar seconden per keer naar elkaar konden kijken. Vroeger waren ze goede vrienden geweest – Lena was tenslotte ooit de reden geweest dat Julia naar Göteborg was verhuisd – maar nu was het andersom. En het was zo slecht sinds die vrijdag een paar jaar geleden, toen Julia voor het laatst bij Lena en Richard was geweest, voor een etentje zonder kinderen dat ermee was geëindigd dat Richard zijn wijnglas had neergezet en van de tafel was opgestaan met de vraag: 'Moeten we altijd maar doorzeuren over die nare gebeurtenis van twintig jaar geleden? Dat vraag ik me af. Moeten we dat?'

Hij was boos en een beetje aangeschoten en zijn stem was hees – terwijl Julia de verdwijning van Jens alleen terloops had genoemd, om aan te geven waarom ze zich voelde zoals ze zich voelde.

Lena's stem was kalm toen ze meteen daarna naar Julia keek en de opmerking maakte die ervoor had gezorgd dat Julia twee jaar later had geweigerd met haar zus mee naar Öland te gaan om Gerlof van het huis in Stenvik naar het bejaardentehuis in Marnäs te helpen verhuizen. 'Hij komt nooit meer terug', had

Lena gezegd. 'Iedereen weet het ... Jens is dood, Julia. Dat begrijp je toch wel?'

Het had niet geholpen dat ze van de eettafel was opgestaan en hysterisch tegen haar had gekrijst, maar Julia had het toch gedaan.

Julia kwam thuis, parkeerde de auto in de straat en ging naar binnen om in te pakken. Toen ze kleren voor een verblijf van tien dagen, wat toiletartikelen en een paar boeken (en twee flessen rode wijn en wat slaappillen) had gepakt, at ze een boterham en dronk ze water in plaats van wijn. Daarna was het avond en tijd om naar bed te gaan.

Maar in bed lag ze op haar kussen in de duisternis te staren en kon ze niet slapen. Ze stond op en ging naar de badkamer, nam een slaappil en ging weer liggen.

De schoen van een kleine jongen. Een sandaal.

Toen ze haar ogen dichtdeed, zag ze zichzelf als een jonge moeder de sandalen van Jens aantrekken. De herinnering drukte zwart en zwaar op haar borstkas en veroorzaakte een intense onzekerheid, waardoor Julia ondanks het dekbed huiverde.

Jens' kleine schoen, na meer dan twintig jaar zonder een enkel spoor van hem. Na al het zoeken op Öland, al het gepieker tijdens de slapeloze nachten.

De slaappil begon langzaam te werken.

Alsjeblieft geen duisternis meer, dacht ze in half slapende toestand. Help ons hem te vinden.

Het duurde lang voordat het ochtend werd en het was buiten nog steeds donker toen Julia wakker werd en opstond. Ze ontbeet en waste daarna af, deed de voordeur op slot en ging in de auto zitten. Toen de motor aansloeg, zette ze de ruitenwissers aan om de gevallen bladeren weg te vegen, en daarna reed ze eindelijk – in de zonsopgang en het ochtendverkeer – de straat waar ze woonde en de stad uit. Het laatste verkeerslicht sprong op groen en ze draaide de snelweg naar het oosten op, weg van Göteborg, naar het platteland.

De eerste kilometers reed ze met het zijraam open en liet ze de koude ochtendlucht elk spoortje van haar zusters parfum uit de auto verdrijven.

Jens, ik rij, dacht ze. *Ik rij echt en niemand kan me tegenhouden.*

Ze wist dat ze niet met hem moest praten, niet eens in zichzelf. Dat was onevenwichtig, maar sinds Jens verdwenen was, deed ze het af en toe.

Na Borås stopte de snelweg en werden de huizen kleiner en armoediger. Smålands dichte sparrenbossen verdrongen zich langs de weg. Ze zou een afslag met een onbekend doel kunnen nemen, maar de wegen die het bos in liepen zagen er heel verlaten uit. Ze reed rechtdoor, dwars door het land naar de oostkust, en probeerde blijdschap te voelen omdat ze zelfstandig een langere reis maakte dan ze jarenlang had gedaan.

Ze stopte op een parkeerplaats een paar kilometer voor de kust en at een paar happen harde, kleverige pyttipanna die het geld niet waard was, en daarna ging ze verder.

Ze was op weg naar de Ölandbrug, die ten noorden van Kalmar naar het eiland liep, hij was twintig jaar geleden gebouwd en was geopend in dezelfde herfst als ... die dag.

Ze moest er niet meer aan denken voordat ze er was.

De Ölandbrug stond hoog en stevig boven de zeestraat op brede betonnen pilaren en bewoog geen millimeter door de windstoten die aan de auto rukten. Hij was breed en kaarsrecht, afgezien van een boog vlak bij het vasteland, waar de grote schepen onderdoor konden varen. De boog was een uitkijkpunt en ze kon het vlakke eiland nu zien. Het strekte zich aan de horizon uit, van noord naar zuid.

Ze zag de alvaret, de met gras en jeneverbesstruiken begroeide vlakte die grote delen van Öland bedekte. Lage, donkere wolken gleden als lange zeppelins over het landschap.

Zowel toeristen als eilandbewoners hielden ervan om er lange wandelingen te maken en naar vogels te kijken, maar Julia hield niet van de alvaret. Hij was te groot – en er was niets om onder te schuilen als de machtige hemel naar beneden zou storten.

Na de brug reed ze in noordelijke richting, naar Borgholm. Het was een nagenoeg kaarsrechte, tientallen kilometers lange weg langs de westkust, met weinig tegemoetkomende auto's nu het toeristenseizoen was afgelopen. Julia keek recht voor zich uit om niet naar de verlaten alvaret en het grote water aan de andere kant van haar te hoeven kijken en probeerde niet te denken aan een kleine sandaal met een genaaide riem.

Het betekende niets, het hoefde niets te betekenen.

De rit naar Borgholm duurde vanaf de brug bijna een half uur. Bij de enige kruising met een verkeerslicht besloot ze rechtsaf te slaan, naar de kleine stad bij het water.

Ze stopte bij een banketbakkerij aan het begin van Storgatan en ontweek op die manier de haven en het plein met de stads- kerk; de kerk waarachter zij en haar ouders hadden gewoond toen Gerlof zijn eigen schip had en hij dicht bij de haven wilde wonen. In Borgholm was haar jeugd. Julia wilde zichzelf niet door de straten rond het plein zien rennen als een dun wicht, een meisje van acht of negen jaar met haar hele leven voor zich. Ze wilde geen jonge mannen ontmoeten die op straat met grote stappen langs haar liepen en haar aan Jens deden denken. Zulke herinneringen had ze in Göteborg genoeg.

De bel boven de deur van de kleine banketbakkerij rinkelde.

'Hallo.'

Het meisje achter de toonbank was blond en knap en leek dodelijk verveeld. Ze luisterde met een lege blik in haar ogen naar Julia toen die twee kaneelbroodjes en twee met gelei be- dekte slagroomgebakjes met aardbeien voor haarzelf en Gerlof bestelde.

Dit meisje kon ze dertig jaar terug zelf zijn geweest, maar Ju- lia was al van het eiland vertrokken toen ze achttien was en had voordat ze tweeëntwintig was zowel in Kalmar als in Göteborg gewoond en gewerkt. In Göteborg had ze Michael ontmoet en na een paar weken was ze al zwanger geworden van Jens, en daarna was veel van haar rusteloosheid verdwenen en nooit meer teruggekeerd – niet eens na de scheiding.

'Er zijn op dit moment niet veel mensen', zei ze toen het meisje de gebakjes uit de vitrine pakte. 'Nu het herfst is, bedoel ik.'

'Nee', zei het meisje zonder te glimlachen.

'Heb je het hier naar je zin?' vroeg Julia.

Het meisje haalde haar schouders op.

'Soms. Maar er is hier niets te doen. Borgholm leeft alleen in de zomer.'

'Wie vindt dat?'

'Iedereen vindt dat', zei het meisje. 'De Stockholmers vinden dat in elk geval.' Ze vouwde de doos met de gebakjes dicht en gaf hem aan haar. 'Ik ga binnenkort naar Kalmar verhuizen', zei ze. 'Was dat alles?'

Julia knikte. Ze had kunnen zeggen dat ze als tiener ook in Borgholm had gewerkt, in een café bij de haven, en dat ze zich ook doodverveelde en erop wachtte tot het leven zou beginnen. Daarna wilde ze plotseling over Jens vertellen, over haar verdriet en de hoop waardoor ze was teruggekomen. Een kleine sandaal in een envelop.

Ze zei niets. Een ventilator suisde, verder was het doodstil in de banketbakkerij.

'Ben je een toerist?' vroeg het meisje.

'Ja ... nee', zei Julia. 'Ik ga een paar dagen naar Stenvik. Mijn familie heeft daar een zomerhuis.'

'Daarboven is het nu net Norrland', zei het meisje terwijl ze het wisselgeld aan Julia gaf. 'Bijna alle huizen staan leeg. Niemand ziet je daar, wat je ook doet.'

Het was half vier 's middags toen Julia de banketbakkerij uit kwam en op straat om zich heen keek. Borgholm was een verlaten stad. Er liepen een stuk of tien mensen buiten en er reden een paar auto's zo langzaam mogelijk door de straten van de stad; veel meer was er niet. De grote kasteelruïne waakte met zijn donkere venstergaten hoog boven de stad.

Een koude wind trok door de straten toen Julia naar de auto terugliep. Het was bijna griezelig stil.

Ze passeerde een groot aanplakbord met posters die als een lappendeken over elkaar waren geplakt: Amerikaanse actiefilms in de bioscoop van Borgholm, rockconcerten in de kasteelruïne en verschillende soorten avondcursussen. De posters waren verbleekt in de zon en de hoeken waren stukgescheurd door de wind.

Het was de eerste keer dat Julia het eiland als volwassene zo laat in het jaar bezocht. Tijdens het laagseizoen, als Öland tot rust kwam.

Ik kom eraan, Jens.

Ten noorden van de stad liep de droge grasvlakte van de alvaret aan beide kanten van de weg verder. De weg liep langzaam van de kust het land in en lag kaarsrecht in het vlakke landschap, waar ronde, met korstmos bedekte grijze stenen uit de akkers waren gehaald en tot lange, lage muren waren gestapeld. De muren vormden een reusachtig patroon op de alvaret.

Julia voelde een lichte pleinvrees onder de grote hemel en verlangde steeds meer naar een glas rode wijn – een verlangen dat sterker werd naarmate ze dichter bij Stenvik kwam. Thuis probeerde ze elke dag te stoppen met drinken en ze dronk nooit als ze reed, maar in deze verlatenheid leken de flessen wijn in haar tas het enige interessante gezelschap. Ze wilde zich ergens opsluiten en ervan drinken tot ze leeg waren.

Op weg naar het noorden kwam ze maar twee voertuigen tegen, een bus en een tractor. Ze reed langs gele borden met namen van kleine dorpen en boerderijen die langs de weg lagen, namen die ze zich herinnerde van eerdere reizen. Ze kon ze blindelings opdreunen, als een kinderrijmpje. Het waren plaatsen waar ze elk jaar langs was gereden. Voor haar vader en moeder had in de zomer alleen Stenvik bestaan, en het zomerhuis dat ze daar aan het eind van de jaren veertig hadden gebouwd – jaren voordat de toeristen het dorp hadden ontdekt. In de herfst, de winter en het voorjaar woonden ze in Borgholm, maar de zomer was voor Julia altijd Stenvik geweest. En voordat ze naar Gerlof in Marnäs reed, wilde ze het dorp terugzien. Ze had er slechte herinneringen aan, maar ook veel goede. Herinneringen aan lange, warme zomerdagen.

Ze zag het gele bordje op grote afstand: STENVIK 1 en daaronder de tekst CAMPING, met een kruis van zwart plakband eroverheen geplakt. Ze remde en draaide de weg naar het dorp op, van de alvaret af en naar de zeestraat toe.

Na vijfhonderd meter zag ze het eerste groepje zomerhuizen; allemaal afgesloten voor de winter, met neergelaten witte rolgordijnen voor de ramen. Daarachter lag de kiosk, die in de zomer een verzamelplek voor de dorpsbewoners was. Op de voorkant hingen nu geen aanplakbiljetten en reclame en vlaggen, en voor de ramen zaten houten luiken. Ernaast stond een bord dat in zuidelijke richting wees, naar de camping en de minigolfbaan. De camping werd gedreven door een vriend van Gerlof, herinnerde ze zich.

De dorpsweg liep verder naar het water, boog op de klip boven het strand naar rechts en liep daarna naar het noorden, waar nog meer afgesloten zomerhuizen op een rij langs de oostkant van de weg stonden. Aan de andere kant was het met stenen bedekte strand, en kleine golven rimpelden het wateroppervlak van de zeestraat.

Julia reed langzaam langs de oude windmolen, die op zijn dikke houten poten boven het water uittorende. De molen had, zolang Julia zich dat kon herinneren, verlaten op de klip gestaan, zo'n tien meter van het strand, maar hij was grijs geworden en was bijna al zijn rode verf kwijt, en van de wieken was alleen een kruis van gebarsten houten balken over.

Honderd meter achter de molen lag het botenhuis van de familie Davidsson. Het zag er goed verzorgd uit met rode houten muren, witte ramen en een gitzwart dak. Iemand had het pas geschilderd. Lena of Richard?

Julia zag voor zich hoe Gerlof 's zomers op een krukje voor het botenhuis zijn lange netten zat te repareren en hoe zij en Lena en hun neefjes en nichtjes naar het strand renden met de scherpe geur van teer in hun neus.

Gerlof was die dag bij het botenhuis geweest en had de platvisnetten schoongemaakt. Sindsdien had Julia niets meer met zijn vissen te maken willen hebben.

Nu was er niemand bij het botenhuis. Droog gras zwaaide

in de wind. Een groengeschilderde houten roeiboot lag op één kant in het gras naast het huis – het was Gerlofs oude boot, de romp was zo uitgedroogd dat Julia de lichte strepen van de hemel tussen de bovenste planken kon zien.

Ze zette de motor af, maar ging de auto niet uit. Ze droeg geen schoenen en kleren die geschikt waren voor de Ölandse herfstwind en ze zag bovendien een dwarslat met een groot hangslot op de deur van het botenhuis. De rolgordijnen achter de kleine ramen waren naar beneden getrokken, net als bij de rest van de zomerhuizen in het dorp.

Stenvik was leeg. Coulissen, het waren allemaal coulissen voor het zomertheater. Een somber stuk, in elk geval wat Julia betrof.

Tja, dan resteerde haar alleen om naar Gerlofs huis te kijken, hun zomerhuis. Gerlof had het zelf op een oud stuk familiegrond gebouwd. Ze startte de auto en reed verder over de dorpsweg tot deze zich splitste. Daar nam ze de rechter weg, terug naar het eiland. Hier stonden groepjes lage bomen die bescherming boden aan de paar huizen die 's winters werden bewoond, alle bomen enigszins van het strand af leunend, bedwongen door de voortdurende wind.

In een grote tuin rechts van de dorpsweg stond een hoog, geel, vervallen houten huis achter hoge struiken. De verf bladderde van de muren en de dakpannen waren gebarsten en met mos bekleed. Julia wist niet van wie het huis was geweest, maar ze kon zich niet herinneren dat de tuin ooit mooi en goed verzorgd was geweest.

Tussen de bomen aan de rechterkant sloeg een kleine weg af, smal en met een strook kniehoog vergeeld gras in het midden. Julia herkende de inrit, reed erop en stopte de auto. Daarna trok ze haar jas aan en stapte de auto uit, in de koude lucht die fris en vol zuurstof was.

Het was niet helemaal stil buiten, want de wind ruiste in de droge bladeren van de bomen en daarachter klonk het zwaardere gebruis van de golven op het strand. Maar verder was er niets te horen: geen vogels, geen stemmen, geen verkeer.

Het meisje in de banketbakkerij had gelijk: het was alsof ze in de bergen van Norrland was terechtgekomen.

Het pad naar Gerlofs huis was kort en stopte bij een laag ijzeren hek in een stenen muur. Julia deed het hek open, het piepte zacht, en ze liep de tuin in.

Ik ben er, Jens.

Het bruingeschilderde kleine huis met de witte hoeken zag er niet zo afgesloten uit als veel andere huizen in Stenvik. Maar als Gerlof er nog had gewoond, had hij het gras nooit zo hoog laten groeien en lagen er geen gele naalden en droge bladeren in de tuin. Haar vader was precies en werkte altijd stil en methodisch tot alles klaar was.

Ze waren een hardwerkend stel geweest, Julia's moeder en hij. Vooral Ella, die haar hele leven huisvrouw was geweest, had soms een bezoeker uit de negentiende eeuw geleken, uit een arm tijdperk waarin geen tijd of energie was geweest om te lachen of te dromen en elk stukje keukenpapier werd gedroogd om het verschillende keren te gebruiken. Ella was klein en zwijgzaam en verbeten geweest, met de keuken als haar koninkrijk. Julia en Lena hadden af en toe een aai over hun wang gekregen van hun moeder, maar nooit een knuffel. En Gerlof was in hun jeugd meestal op zee geweest.

Niets bewoog in de tuin. Midden op het grasveld had een waterpomp gestaan toen Julia klein was, een groengeschilderde pomp van een meter hoog, met een grote kraan en een mooi gebogen handvat, maar die was nu weg. Er lag alleen nog een betonnen brondeksel.

Ten oosten van het zomerhuis stond een stenen muur en daarachter begon de alvaret, die helemaal tot de horizon in het oosten liep. Als de bomen niet in de weg hadden gestaan, had Julia de kerk van Marnäs als een zwarte pijl aan de hemel kunnen zien staan; daar was ze gedoopt toen ze een paar maanden oud was.

Julia draaide de alvaret haar rug toe en liep naar het zomerhuis. Ze liep om een latwerk met wilde wijnranken heen en beklom de roze kalkstenen trap die in haar jeugd zo enorm groot had geleken. De trap kwam uit bij een kleine veranda met een gesloten houten deur.

Julia drukte de kruk naar beneden, maar de deur zat op slot. Zoals verwacht.

Het was zowel het begin als het eind van haar reis.

Het was merkwaardig dat het zomerhuis er nog steeds stond, dacht Julia, want er was zo veel in de wereld gebeurd sinds Jens was verdwenen. Nieuwe landen waren gevormd en andere landen hadden opgehouden te bestaan. Stenvik had grote delen van het jaar nauwelijks bewoners – maar dit zomerhuis, dat Jens die dag achter zich had gelaten, stond er nog steeds.

Julia ging op de trap zitten en zuchtte.

Ik ben moe, Jens.

Ze staarde naar de kleine verzameling stenen die Gerlof voor het zomerhuis had opgestapeld. Bovenop lag een gerimpelde grijszwarte steen waarvan hij beweerde dat hij op een dag als een fluitende bal uit de hemel was gevallen en een krater in de steengroeve had geslagen, toen Gerlofs vader en zijn opa daar aan het eind van de negentiende eeuw werkten. De oeroude bezoeker van het hemelruim was witgestreept van de vogelpoep.

Jens was die dag langs de ruimtesteen gelopen. Hij had zijn sandalen aangetrokken, was het huis uit gelopen waar zijn oma lag te slapen en was de trap af gelopen en de tuin in gegaan. Dat was het enige wat heel zeker was. Wat hij daarna had gedaan en waarom wist niemand.

Toen ze die avond van het vasteland thuiskwam had ze verwacht dat Jens het zomerhuis uit zou rennen. In plaats daarvan wachtten er twee politieagenten op haar, en een huilende Ella en een verbeten Gerlof.

Julia wilde een fles rode wijn pakken. Ze wilde op de trap zitten en drinken en wegdromen tot de duisternis kwam – maar ze bedwong de impuls.

Coulissen. Deze lege tuin leek in een toneelstuk thuis te horen, net als de rest van het dorp, maar het stuk was jaren geleden afgelopen, iedereen was naar huis en Julia voelde een verlammende eenzaamheid.

Ze zat een paar minuten rusteloos op de trap, tot een nieuw geluid zich mengde met het gebruis van de zee. Een motor.

Het was een auto, een oude, vermoeide auto, die langzaam over de dorpsweg in haar richting reed.

Het geluid verdween niet. Het bleef, naderde en daarna werd de motor vlak bij de tuin afgezet.

Julia kwam overeind, leunde naar voren en zag een bolvormige auto tussen de bomen. Het was een oude Volvo PV.

Het hek bij de dorpsweg knarste toen iemand het opendeed. Ze trok haar jas recht, streek automatisch met haar vingers door haar futloze haren en wachtte.

De stappen door de dode bladeren waren kort en zwaar.

Kort en zwaar was ook de oude man die zwijgend dichterbij kwam en onder aan de trap met een grimmige blik naar Julia opkeek. Hij deed enigszins aan haar vader denken, maar ze kon niet zeggen waarom, misschien was het de pet, die hem samen met de flodderbroek en de ivoorwitte wollen trui een geloofwaardig schippersuiterlijk gaf. Maar hij was kleiner dan Gerlof, en de stok waarop hij leunde duidde erop dat hij al lang niet had gevaren. Zijn handen hadden zwarte vlekken van de oude en nieuwe schaafwonden.

Julia herinnerde zich vaag dat ze de man jaren geleden had ontmoet. Hij was een van Stenviks vaste bewoners. Hoeveel waren er nog over?

'Hallo', zei ze en ze vertrok haar lippen tot een glimlach.

'Hallo'.

De man knikte. Hij nam zijn pet af en Julia zag grijze haarlokken die in dunne lijnen over zijn kale hoofd waren gekamd.

'Ik wilde even kijken', zei ze.

'Tja ... het moet in de gaten worden gehouden', zei hij in het sterkste Ölands dat Julia ooit had gehoord, een stroef en rustig dialect. 'Dat wil hij.'

Julia knikte.

'Het ziet er goed uit.'

Het bleef stil.

'Ik ben Julia', zei ze en ze voegde er met een knikje naar het huis snel aan toe: 'Gerlof Davidssons dochter. Uit Göteborg.'

De man knikte alsof dat vanzelfsprekend was.

'Jazeker, dat is bekend', zei hij. 'Ik ben Ernst Adolfsson. Ik woon verderop.' Hij wees achter zich, schuin naar het noorden. 'Gerlof en ik kennen elkaar. We praten soms.'

Ineens wist Julia het weer. Dit was Ernst, de steenhouwer. Toen ze jong was liep hij al in het dorp rond als een museumstuk.

'Is de steengroeve nu open?' vroeg ze.

Ernst keek naar beneden en schudde zijn hoofd.

'Nee. Nee, er wordt daar niet gewerkt. De mensen halen er soms steenafval ... maar er worden geen nieuwe stenen gewonnen.'

'Maar jij werkt daar?' vroeg Julia.

'Ik maak kunst', zei Ernst. 'Steenhouwkunst. Je kunt langskomen om het te kopen. Vanavond heb ik helaas visite, maar morgen kan het.'

'Ja. Misschien doe ik dat wel', zei Julia.

Ze had geen geld om iets te kopen, niet met haar lage ziekengeld, maar ze kon de stenen altijd bekijken.

Ernst knikte en draaide zich langzaam om, met kleine, wankele passen. Julia begreep pas dat het gesprek voorbij was toen hij helemaal met zijn rug naar haar toe stond. Maar ze was nog niet klaar met praten en ze haalde adem: 'Ernst', zei ze, 'jij woonde twintig jaar geleden toch in Stenvik?'

De man stopte en draaide zich weer half naar haar toe.

'Ik woon hier al vijftig jaar', zei hij.

'Ik dacht alleen ...' Julia zweeg, ze had er helemaal niet over nagedacht. Ze wilde een vraag stellen, maar ze wist niet welke ze moest kiezen.

'Mijn kind is toen verdwenen', ging ze met grote moeite verder, het was alsof ze zich schaamde voor haar verdriet. 'Mijn zoon, Jens. Weet je dat nog?'

'Jazeker.' Ernst knikte kort zonder inlevingsvermogen. 'En we zijn ermee bezig. Gerlof en ik, we werken eraan.'

'Maar ...'

'Als je Gerlof ziet, moet je iets tegen hem zeggen', zei Ernst.

'Wat dan?'

'Zeg tegen hem dat de duim het belangrijkst is', zei Ernst. 'Niet alleen de hand.'

Julia staarde hem aan. Ze begreep er niets van, maar Ernst ging verder.

'We gaan dit oplossen. Het is een oud verhaal, nog van de oorlog, maar we lossen het op.'

Toen draaide hij zich met korte wankele passen weer om.

'Oorlog?' vroeg Julia achter hem. 'Welke oorlog?'

Maar Ernst Adolfsson liep weg zonder antwoord te geven.

Öland, juni 1940

Als de houten kar voor de laatste keer bij het strand is gelost wordt hij door het paard de heuvel naar de steengroeve op getrokken en begint het inschepen van de uitgehouwen en glad gepolijste kalkstenen. Het is enorm zwaar werk, en sinds een half jaar wordt het met de hand gedaan omdat de twee vrachtwagens van de steengroeve door de staat zijn gevorderd en als militaire voertuigen worden gebruikt.

Het is de Tweede Wereldoorlog, maar op Öland moet het dagelijkse werk doorgaan zoals altijd. De stenen moeten uit de berg en naar de schepen.

'Laden!' roept stuwadoorsbaas Lass-Jan Augustsson.

Hij coördineert het werk vanaf het dek van de Vind en zwaait naar de sjouwers met brede handen die droog en gesprongen zijn van de ruwe blokken. Naast hem staan de stuwadoors te wachten tot ze de stenen aan boord kunnen halen.

De Vind ligt honderd meter uit de kust voor anker, op veilige afstand van het strand voor het geval er plotseling een storm aan de Ölandse kust zou opsteken. In Stenvik is geen havenhoofd om achter te schuilen, en schepen die te dicht bij de kust komen lopen het risico dat de bodem wordt verpulverd door de ondiepe rotsachtige zeebodem.

De stenen worden naar buiten gevaren in twee open eentonsboten. Bij de stuurboordroeispaan zit bootsman Johan Almqvist, die zeventien jaar is en sinds een paar jaar als steenhouwer en roeier werkt.

Aan bakboordzijde zit nieuweling Nils Kant. Hij is nu vijftien jaar en bijna volwassen.

Nils is door zijn moeder in de steengroeve van de familie aan

49

het werk gezet omdat hij zijn schoolexamen niet heeft gehaald. Vera Kant heeft besloten dat hij ondanks zijn jonge leeftijd bootsman moet worden en Nils weet dat hij mettertijd de leiding over de steengroeve zal overnemen van zijn oom. Hij weet dat hij diepe littekens in de berg gaat aanbrengen. Hij wil heel Stenvik uitgraven.

Soms droomt Nils 's nachts dat hij door het zwarte water naar beneden zakt, maar overdag denkt hij zelden aan zijn verdronken broertje Axel. Het was geen moord, wat de roddels in het dorp ook beweren. Het was een ongeluk. Axels lichaam is nooit gevonden, hij is meegesleurd naar de bodem van de zeestraat, zoals veel andere drenkelingen, en hij is nooit meer boven gekomen. Het was een ongeluk.

De enige herinnering aan Axel is een ingelijste foto van hem op het bureau van zijn moeder. Nils en zijn moeder hebben een veel hechtere band sinds Axel is verdronken. Vera zegt altijd dat hij alles is wat ze nog heeft, en dan begrijpt Nils hoe belangrijk hij is.

De roeiboten liggen op hun last te wachten bij een provisorische houten steiger die een meter of tien in zee steekt, en de stenen worden daar vanaf de stapels op het strand in een onafgebroken kringloop door de inwoners van Stenvik naartoe gedragen: jongeren, vrouwen, oudere mannen en de paar mannen in hun beste jaren die niet zijn opgeroepen voor militaire dienst. Er zijn ook meisjes bij; Nils ziet Maja Nyman in een roodgeruite jurk op de steiger lopen. Hij weet dat ze weet dat hij soms naar haar kijkt.

De wereldoorlog hangt als een schaduw over Öland. De Duitsers zijn een maand geleden zonder veel moeite Noorwegen en Denemarken binnengevallen. De radio geeft elke dag extra nieuwsuitzendingen. Is Zweden echt voldoende bewapend om een aanval af te slaan? Er zijn buitenlandse pantserschepen in de zeestraat gezien en in Stenvik heeft verschillende keren het gerucht de ronde gedaan dat het zuiden van Öland was veroverd.

Als de Duitsers komen, weten de Ölanders dat ze zichzelf moeten zien te redden, want hulp van het vasteland hebben ze nog nooit op tijd gekregen als er in vroegere eeuwen vijandelijke legers op Öland aan land gingen. Nog nooit.

Er wordt gezegd dat militairen delen van Noord-Öland onder water gaan zetten om een invasie van het eiland te verhinderen, wat een wrange grap zou zijn nu de grote overstromingen van het voorjaar op de alvaret eindelijk zijn verdampt door de zon.

Toen er vanochtend in de verte motorgedreun boven het water klonk, stopte het lossen van de stenen en staarde iedereen ongerust naar de bewolkte hemel. Iedereen behalve Nils, die zich afvraagt hoe een echt bombardement zal zijn. Met fluitende bommen die vuur en rook en gehuil en gegil en chaos veroorzaken.

Maar er verschijnt geen vliegtuig boven het eiland en het laden gaat verder.

Nils haat het om te roeien. Stenen slepen is misschien niet beter, maar hij krijgt onmiddellijk hoofdpijn van het mechanische roeien. Hij kan niet denken als hij de zware boot met zijn roeispaan moet sturen, en hij wordt de hele tijd in de gaten gehouden. Lass-Jan volgt de tocht van de boten met zijn schipperspet tot aan zijn wenkbrauwen naar beneden getrokken en stuurt het werk met zijn stembanden.

'Aanpakken, Kant!' buldert hij over het water als de laatste steen bij de steiger is ingeladen.

'Langzaam, Kant, let op de steiger!' roept hij zodra Nils te hard terug roeit als de boot leeg en licht is.

'Opschieten, Kant!' roept Lass-Jan.

Nils kijkt woedend naar hem terwijl hij naar het schip roeit. Nils is de eigenaar van de steengroeve. Of liever gezegd, zijn moeder en oom zijn de eigenaars, maar toch behandelt Lass-Jan hem als een slaaf.

'Laden!' roept Lass-Jan.

Toen het laden vanochtend begon, praatten en lachten de mensen met elkaar, en er heerste een bijna feestelijke stemming, maar de zware stenen met de ruwe randen hebben hen onverbiddelijk stil gekregen. De mensen dragen ze nu verbeten en met gebogen ruggen, ze dragen ze met slepende schoenen en kleren die zijn bedekt met grijs kalksteenstof.

Nils heeft niets tegen de stilte, hij praat toch nooit met anderen als dat niet hoeft. Maar af en toe kijkt hij naar Maja Nyman op de steiger.

'Hij is vol!' roept Lass-Jan als de stenen in de boot waarin Nils zit een meter hoog liggen opgestapeld en het zeewater bijna over de rand klotst.

Twee sjouwers klimmen in de boot en gaan op de stapel stenen zitten, boven een kleine negenjarige jongen die bang naar Nils gluurt voordat hij zijn emmer pakt en water van de lekke bodem begint te hozen.

Nils zet zich schrap met zijn voeten en trekt aan de roeispaan. De boot glijdt langzaam naar het vrachtschip, waar de andere roeiboot net is gelost.

Heen en terug met de roeispaan, heen en terug, zonder onderbreking. Nils' handen schrijnen en de spieren in zijn armen en rug trekken. Hij verlangt er nu naar om het gedreun van de Duitse bommenwerpers te horen.

De roeiboot stoot uiteindelijk met een doffe klap tegen de scheepsromp. De twee sjouwers buigen voorover, pakken de stenen en tillen ze over de reling van de Vind.

'Aanpakken!' roept Lass-Jan op het dek met zijn vlekkerige hemd en uitpuilende buik.

De stenen worden over de reling getild, naar het open luik gedragen en glijden daar langs een brede plank het ruim in.

Nils heeft als taak om te helpen met lossen. Hij tilt een paar stenen uit de boot, aarzelt dan een seconde te lang met een dikke steen bij de reling en laat hem weer in de boot vallen. Hij belandt op de tenen van zijn linkervoet en dat doet verdomd veel pijn.

In blinde woede tilt hij de steen weer op en smijt hem over de rand zonder te kijken waar hij terechtkomt.

'Het kan me niet schelen!' mompelt hij tegen de zee en de hemel en daarna gaat hij bij zijn roeispaan zitten.

Hij maakt zijn veter los, voelt aan zijn pijnlijke tenen en wrijft er voorzichtig met zijn hand over. Misschien zijn ze gebroken.

Naast hem wordt de laatste steen uit de boot gelost, en de sjouwers springen over de reling om de vracht in het ruim van de Vind te verdelen.

Roeier Johan Almqvist volgt ze. Nils blijft met de kleine hoosjongen in de boot zitten.

'Kant!' Lass-Jan hangt over de reling. 'Kom naar boven en help mee!'

'Ik ben gewond', zegt Nils. Hij is verbaasd dat hij zo kalm klinkt, hoewel een heel eskader bommenwerpers als boze bijen in zijn hoofd rondzoemt. Net zo kalm legt hij zijn handen op de roeispaan. 'Ik heb mijn tenen gebroken.'

'Ga staan.'

Nils gaat staan. Het doet eigenlijk niet zo veel pijn en Lass-Jan schudt zijn hoofd.

'Kom boven en help sjouwen, Kant.'

Nils schudt zijn hoofd en legt zijn handen om de roeispaan. In zijn hoofd vallen de bommen fluitend naar beneden.

Hij maakt de roeipen los en tilt de roeispaan een decimeter op.

Dan zwaait hij hem langzaam naar achteren.

'Zijn tenen gebroken.' Een van de sjouwers, een gedrongen, breedgeschouderde man van wie Nils zich de naam niet herinnert, leunt naast Lass-Jan over de reling. 'Ren maar gauw naar je mammie!' zegt hij spottend.

'Ik handel dit af', zegt de stuwadoorsbaas met zijn hoofd naar de man naast hem gedraaid.

Dat is een vergissing. Lass-Jan ziet de roeispaan van Nils niet door de lucht zwaaien.

Het brede blad raakt hem tegen zijn achterhoofd. Lass-Jan uit een langgerekte 'Huuuuuuh' en zijn knieën vouwen dubbel.

'Ik ben de baas over je!' schreeuwt Nils.

Hij balanceert met één voet op de rand van de boot en zwaait nog een keer met de roeispaan. Nu raakt Nils de stuwadoorsbaas op zijn rug en hij ziet hem als een zak meel over de reling slaan.

'Verdomme!' roept iemand aan boord van het vrachtschip, en

dan klinkt er een enorme plons als Lass-Jan op zijn rug in het water tussen de roeiboot en de romp van het vrachtschip valt.

Op het land wordt geschreeuwd, maar daar trekt Nils zich niets van aan. Hij gaat Lass-Jan vermoorden! Hij tilt de roeispaan op, slaat ermee in het water en raakt de uitgestrekte hand van Lass-Jan. De vingers breken met een dor gekraak, zijn hoofd slaat achterover en verdwijnt onder water.

Nils laat de roeispaan weer zakken. Lass-Jans lichaam zakt naar beneden in een stroom van wervelende witte luchtbellen. Nils tilt de roeispaan op om nog een keer te slaan.

Iets suist langs het oor van Nils en raakt zijn linkerhand; zijn vingers verpletteren al voordat de pijn zijn hand bijna gevoelloos maakt. Nils wankelt, hij kan de roeispaan niet langer vasthouden en laat hem in de boot vallen.

Hij doet zijn ogen stijf dicht en kijkt daarna omhoog. De sjouwer die hem daarnet belachelijk maakte staat bij de reling met een lange bootshaak in zijn handen. Hij kijkt bang maar vastbesloten naar Nils.

De sjouwer tilt de bootshaak weer op, maar dan is het Nils gelukt om zich met de roeispaan tegen de scheepsromp af te zetten en de roeiboot een duw naar het land te geven.

Hij laat de sjouwers achter op het schip en Lass-Jan op weg naar de zeebodem en haakt de bakboordroeispaan weer in de roeidol.

Dan roeit hij naar het land, terwijl de gebroken vingers van zijn linkerhand kloppen en pijn doen. De kleine hoosjongen zit als een trillend boegbeeld voor in de boot in elkaar gedoken.

'Haal hem eruit!' roept iemand achter hem.

Er klinkt een plons bij het schip en geschreeuw schalt over het water als het slappe lichaam van Lass-Jan over de reling van de Vind in veiligheid wordt getild. Het water wordt uit zijn longen gedrukt en hij wordt terug naar het leven geschud. Hij heeft geluk gehad, want hij kan niet zwemmen. Nils is een van de weinigen in het dorp die dat kan.

Nils blik is op de verte gericht, op de rechte horizon. De zon heeft gaten in het wolkendek gevonden, schijnt op het water en laat het stralen als een zilveren vloer.

Alles voelt nu goed, ondanks de pijn in zijn linkerhand. Nils heeft iedereen laten zien wie de baas is in Stenvik. Hij zal al snel de baas over heel Noord-Öland zijn en dat met zijn leven verdedigen als de Duitsers komen.

De boot schraapt over de bodem en Nils pakt de bakboordroeispaan en springt aan land. Hij is er klaar voor, maar niemand valt hem aan.

De sjouwers, vrouwen en mannen en kinderen, staan als versteend op de steiger. Ze kijken zwijgend en met bange ogen naar hem. Maja Nyman ziet eruit alsof ze gaat huilen.

'Loop naar de hel!' brult Nils Kant naar ze en hij gooit de roeispaan voor zich op de stenen.

Daarna draait hij zich om en rent terug naar het dorp, naar zijn moeder Vera in de grote, gele villa.

Maar niemand, ook zij niet, weet wat Nils weet. Hij is voorbestemd voor grote dingen, groter dan Stenvik, net zo groot als de oorlog. Op een dag zal hij bekend zijn en wordt er op heel Öland over hem gepraat. Hij voelt het.

4

Gerlof Davidsson wachtte in zijn kamer in het bejaardentehuis op zijn dochter.

De *Ölands-Posten* van die dag lag voor hem op het bureau, en daarin las hij dat een tachtigjarige demente man bij Kastlösa op Zuid-Öland was verdwenen. De man was de dag ervoor zijn kleine pachtboerderijtje uit gelopen en was spoorloos verdwenen, en nu werd hij door de politie en vrijwilligers op de alvaret gezocht – er was zelfs een helikopter ingezet. Maar de nacht was koud geweest en het was niet zeker dat hij levend zou worden aangetroffen.

Dement en tachtig jaar oud. Gerlof was maar een jaar jonger, zijn tachtigste verjaardag was in zicht. Tachtig was niet oud, maar dat bejaarden spoorloos verdwenen was natuurlijk begrijpelijker dan dat een kind dat deed. Hij sloeg de krant dicht en keek naar de klok. Kwart over drie.

'Ik ben blij dat je er bent', zei hij tegen zichzelf. Hij wachtte even, hoestte en ging verder: 'Je bent net zo mooi als in mijn herinnering, Julia. Nu je hier op Öland bent, zijn er een paar dingen die we moeten doen. Je moet zelf ook een paar dingen regelen. En we kunnen praten. Ik weet dat ik niet altijd een goede vader voor je ben geweest, ik was vaak weg en jij en je zus bleven alleen met Ella in Borgholm terwijl ik op zee was. Het was mijn werk om schipper te zijn en vrachten over de Oostzee te vervoeren, ver weg van mijn gezin ... Maar nu ben ik hier en vaar ik nergens meer naartoe.'

Hij zweeg en staarde naar het bureau. Hij had zijn gesprek met Julia in zijn notitieboek opgeschreven. Vanaf het moment dat ze had verteld op welke dag ze naar het eiland zou komen had hij geprobeerd de tekst in te studeren – en het klónk ook ingestudeerd. Hij moest het laten klinken als een vader die heel gewoon met zijn kind praat.

'Ik ben blij dat je er bent', zei Gerlof weer. 'Je bent net zo mooi als in mijn herinnering.'

Of knap? Knap was waarschijnlijk een betere omschrijving voor een verloren dochter.

Ten slotte, toen het bijna vier uur was en het nog maar een uur zou duren voordat het avondeten werd geserveerd, werd er op de deur van zijn kamer geklopt.

'Kom binnen', zei hij en de deur ging open.

Boel stak haar hoofd om de deur.

'Ja, hij is er', zei ze zacht tegen iemand achter haar en daarna harder: 'Je hebt bezoek, Gerlof.'

'Dank je', zei hij, en Boel glimlachte en deed een stap naar achteren.

Een andere vrouw liep een paar stappen de hal in en Gerlof haalde adem om van wal te steken. 'Ik ben blij dat je er bent ...' begon hij.

Toen zweeg hij. Hij zag een vrouw van middelbare leeftijd in een gekreukte jas met vermoeide ogen en rimpels in haar voorhoofd in de hal naar hem kijken. Na een paar seconden ontweek ze zijn ogen. Ze had haar armen bij wijze van bescherming rond haar bruine schoudertas geklemd terwijl ze een paar stappen de kamer in liep.

Gerlof herkende zijn dochter langzaam in het gerimpelde en ernstige gezicht van de vrouw, maar Julia zag er veel vermoeider uit dan hij had verwacht. Vermoeider en veel magerder. Ze deed hem aan bitterheid en zelfmedelijden denken.

Zijn dochter was oud geworden. Hoe oud was hij dan zelf wel niet?

'Hallo, Gerlof', zei Julia. 'Tja, hier ben ik dan.'

Gerlof knikte en het viel hem op dat ze hem zelfs in zijn gezicht geen papa noemde. Ze zei Gerlof op een toon alsof ze tegen een ver familielid praatte.

'Heb je een goede reis gehad?' vroeg hij.

'Ja.'

Ze knoopte haar jas open, hing hem aan een haakje in de hal en zette haar tas op de grond. Het viel Gerlof op dat ze langzaam bewoog, zonder energie. Hij wilde vragen hoe ze zich voelde, maar dat was misschien te vroeg.

'Zo.' Weer stilte. 'Ja, dat is een tijd geleden.'

'Vier jaar, denk ik', zei Julia. 'Meer dan vier jaar.'

'Maar we hebben elkaar af en toe gebeld.'

'Ja. Ik wilde komen helpen toen je van Stenvik hiernaartoe verhuisde, maar het was niet ...'

Julia stopte en Gerlof knikte.

'Het ging toch goed', zei hij. 'Ik heb veel hulp gehad.'

'Mooi', zei Julia. Ze was nu halverwege de kamer, liep naar het opgemaakte bed en ging erop zitten.

Gerlof herinnerde zich plotseling het kleine toespraakje waarop hij had geoefend.

'Nu je hier bent,' zei hij, 'zijn er een paar dingen die we moeten ...'

Maar Julia onderbrak hem: 'Waar heb je hem?'

'Wat?'

'Je weet wel', zei Julia. 'De sandaal.'

'O. Die ligt in mijn bureau.' Gerlof keek haar aan. 'Maar ik dacht dat we eerst konden ...'

'Mag ik hem zien?' onderbrak Julia hem. 'Dat wil ik graag.'

'Misschien ben je teleurgesteld', zei Gerlof. 'Het is maar een schoen. Het is geen ... geen echt antwoord.'

'Ik wil hem zien, Gerlof.'

Julia kwam overeind. Tot nu toe had ze niet één keer geglimlacht, en nu keek ze zo intens naar hem dat Gerlof begon te denken dat dit allemaal een vergissing was. Hij had haar misschien niet moeten bellen. Maar het was al in gang gezet en hij kon het niet terugdraaien. Toch probeerde hij alles zo lang mogelijk uit te stellen.

'Heb je niemand meegenomen?' vroeg hij.

'Wie zou dat moeten zijn?'

'De vader van Jens misschien', zei Gerlof. 'Mats ... heette hij zo?'

'Michael', zei Julia. 'Nee, die woont in Malmö. We hebben bijna geen contact meer.'

'Niet?' zei Gerlof.

Het werd weer stil. Julia deed een paar stappen naar voren, maar Gerlof bedacht iets anders.

'Heb je gedaan wat ik aan de telefoon zei?' vroeg hij.

'Wat bedoel je?'

'Heb je erover nagedacht hoe dik de mist die dag was?'

'Ja ... misschien wel.' Julia knikte kort. 'Wat is er met de mist?'

'Ik denk ...' Gerlof koos zijn woorden voorzichtig. 'Ik denk niet dat er iets had kunnen gebeuren ... dat het zo ernstig was afgelopen als het niet had gemist. En hoe vaak mist het op Öland?'

'Niet vaak', zei Julia.

'Nee. Drie of vier keer per jaar misschien. Zo dicht als het die dag was in elk geval. En veel mensen wisten dat het zou gaan misten, het was op het weerbericht geweest.'

'Hoe weet je dat?'

'Ik heb met het smhi gebeld', zei Gerlof. 'Ze bewaren hun weerberichten.'

'Was de mist zo belangrijk?' vroeg Julia.

'Ja, ik denk ... dat iemand gebruik heeft gemaakt van de mist', zei Gerlof. 'Iemand die niet gezien wilde worden.'

'Iemand die die dag niet gezien wilde worden, bedoel je?'

'Die helemaal niet gezien wilde worden', zei Gerlof.

'Dus iemand heeft gebruikgemaakt van de mist om ... Jens te ontvoeren?'

'Ik weet het niet', zei Gerlof. 'Maar ik vraag me af wat het doel was. Wie wist dat hij die dag naar buiten zou gaan? Niemand. Jens wist het zelf waarschijnlijk niet eens, hij ... greep gewoon zijn kans toen die zich voordeed.' Gerlof zag dat Julia haar lippen op elkaar perste toen ze over de verdwijning van haar zoon praatten, en hij ging snel verder: 'Maar de mist van die dag was voorspeld.'

Julia zei niets. Ze keek naar het bureau.

'We moeten erover nadenken', zei Gerlof. 'We moeten bedenken wie die dag het meeste profijt had van de mist.'

'Mag ik hem nu zien?' vroeg Julia.

Gerlof wist dat hij het niet langer kon uitstellen. Hij knikte en draaide zijn stoel naar het bureau.

'Ik heb hem hier', zei hij. Toen trok hij de bovenste bureaula open, stak zijn hand erin en haalde er voorzichtig een klein voorwerp uit. Het leek niet meer te wegen dan enkele tientallen grammen en was verpakt in wit zijdepapier.

5

Julia liep langzaam naar Gerlof toe, die het kleine pakje op het bureau uitpakte. Ze keek naar zijn handen, waaraan de ouderdom zichtbaar was door de rimpels en de levervlekken en de blauwzwarte aderen. Zijn vingers trilden en hij frunnikte onhandig aan het zijdepapier. Voor Julia was het geritsel oorverdovend.

'Heb je hulp nodig?' vroeg ze.

'Nee, het lukt wel.'

Het kostte hem een paar minuten om het pakje open te maken – of misschien leek dat alleen maar zo. Eindelijk vouwden zijn handen de laatste papierlaag weg en zag Julia wat het verborgen had gehouden. Ze zag de zwarte rubberzool en de bruine leren riempjes, droog en gebarsten van ouderdom.

Een sandaal, een versleten, kleine jongenssandaal.

'Ik weet niet of het de goede schoen is', zei Gerlof. 'Ik denk dat hij eruitzag als deze, maar het kan een ...'

'Het is de sandaal van Jens', onderbrak Julia hem met een dikke stem.

'Dat weten we niet zeker', zei Gerlof. 'Het is niet goed om te zeker te zijn. Denk je niet?'

Julia gaf geen antwoord. Ze veegde met haar hand de tranen van haar wangen en pakte de plastic zak daarna voorzichtig op.

'Ik heb hem zodra ik hem kreeg in die zak gestopt', zei Gerlof. 'Er kunnen vingerafdrukken ...'

'Ik weet het', zei Julia.

Hij was zo licht, zo licht. Als je als moeder je zoontje zo'n sandaal zou aantrekken, pakte je hem bij de voordeur van de vloer zonder erbij na te denken dat hij bijna niets woog. Daarna ging je naast hem zitten en boog je je rug, je voelde de warmte van zijn lichaam en pakte zijn voet terwijl hij zich met zijn handen aan je trui vasthield en stil was of iets zei, kinderlijk gebabbel waarnaar je maar half luisterde omdat je ergens anders aan dacht. Aan rekeningen die moesten worden betaald. Aan boodschappen doen. Aan afwezige mannen.

'Ik heb Jens geleerd om zelf zijn sandalen aan te trekken', zei Julia. 'Het duurde de hele zomer, maar toen hij in de herfst naar school ging kon hij het.' Ze hield het schoentje nog steeds vast. 'En daarom kon hij die dag alleen op stap gaan, kon hij ervandoor gaan ... Hij had zijn schoenen zelf aangetrokken. Als ik hem dat niet had geleerd ...'

'Zo mag je niet denken.'

'Wat ik bedoel is ... dat ik het hem alleen heb geleerd om tijd te besparen', zei Julia. 'Voor mezelf.'

'Maak jezelf geen verwijten, Julia', zei Gerlof.

'Bedankt voor het advies', zei ze zonder hem aan te kijken. 'Maar dat doe ik al twintig jaar.'

Ze zwegen allebei en Julia besefte dat ze geen kleine stukken bot op het strand van Stenvik meer zag. Ze zag haar zoon nu levend voor zich, terwijl hij zich vooroverboog om met uiterste concentratie zijn sandalen aan te trekken, met kleine vingers die moeilijk te sturen waren.

'Wie heeft hem gevonden?' vroeg ze terwijl ze naar Gerlof keek.

'Ik weet het niet. Ik kreeg hem via de post.'

'Van wie?'

'Er stond geen afzender op', zei Gerlof. 'Het was een bruine envelop met een onduidelijk poststempel. Maar ik denk dat hij van Öland kwam.'

'Geen brief?'

'Nee', zei Gerlof.

'En je weet niet wie hem heeft gestuurd?'

'Nee', zei Gerlof, maar nu keek hij niet langer naar Julia, hij keek naar het bureau en zei niets meer. Misschien vermoedde hij meer dan hij wilde vertellen.

Julia zuchtte.

'We hebben dingen te doen', ging Gerlof snel verder.

'Zoals wat?' zei Julia.

'Tja ...'

Gerlof knipperde met zijn ogen zonder antwoord te geven en keek naar haar alsof hij al vergeten was waarom hij haar had gevraagd hiernaartoe te komen.

Maar Julia had er ook geen idee van wat ze nu moesten doen. Ze besefte plotseling dat ze niet goed om zich heen had gekeken in haar vaders kamer; ze was helemaal gefixeerd geweest op de sandaal, om hem in haar handen te mogen houden.

Nu keek ze om zich heen. Als verpleegster noteerde ze snel waar de alarmknoppen op de muren zaten, en als dochter zag ze dat Gerlof zijn herinneringen van de zee uit zijn huis had meegenomen. De drie naamborden in gelakt hout van zijn schepen, Vågryttaren, Vind en Nore, hingen boven ingelijste zwart-witfoto's van de schepen. Aan een andere muur hingen ingelijste vaarbewijzen met stempels en zegels. In de boekenkast naast het bureau stonden Gerlofs met leer beklede logboeken op een rij, naast een paar decimeterlange scheepsmodellen die hun eigen fles waren binnengevaren.

Alles was net zo keurig geordend als in een zeevaartmuseum, afgestoft en glanzend, en Julia besefte dat ze jaloers was op haar vader, die met zijn herinneringen in zijn kamer kon blijven en de echte wereld niet in hoefde, waar je iets moest bereiken en net moest doen of je jong en scherp was en je de hele tijd moest proberen te bewijzen wat je waard was.

Op het tafeltje naast Gerlofs bed zag ze een zwarte bijbel en een half dozijn pillendoosjes. Julia keek weer naar het bureau.

'Je hebt niet gevraagd hoe ik me voel, Gerlof', zei ze zacht.

Gerlof knikte.

'En jij hebt me geen papa genoemd', zei hij.

Het bleef stil.

'Hoe voel je je?' vroeg hij.

'Goed', zei Julia kort.

'Werk je nog steeds in het ziekenhuis?'

'Ja', zei ze, zonder te vertellen dat ze al een tijdlang ziek thuis was. In plaats daarvan zei ze: 'Ik ben door Stenvik gereden voordat ik hiernaartoe kwam. Ik ben bij het zomerhuis geweest.'

'Mooi. Hoe zag het eruit?'

'Zoals altijd. Het was afgesloten.'

'Waren alle ramen heel?'

'Ja,' zei Julia, 'maar er was daar een man. Of liever gezegd, hij kwam naar het huis toen ik er was.'

'Dat was John waarschijnlijk', zei Gerlof. 'Of Ernst.'

'Hij heet Ernst Adolfsson. Kennen jullie elkaar?'

Gerlof knikte.

'Hij is beeldhouwer. Een oude steenhouwer. Hij komt eigenlijk uit Småland, maar ...'

'Maar toch is het een goeie vent, wil je dat zeggen?' zei Julia snel.

'Hij woont hier al heel lang', zei Gerlof.

'Ja, ik herinner me hem vaag van vroeger. Hij zei iets vreemds voordat hij wegging, iets over de oorlog. Had hij het over de Tweede Wereldoorlog?'

'Hij houdt een oogje op het huis', zei Gerlof. 'Ernst woont bij de steengroeve en verwerkt de stukken steen die zijn overgebleven. Vroeger werkten er vijftig man, maar nu is alleen Ernst er nog ... Hij helpt me om het uit te zoeken.'

'Wat? Bedoel je wat er met Jens is gebeurd?'

'Ja. We hebben erover gepraat en wat gespeculeerd', zei Gerlof en daarna vroeg hij: 'Hoelang blijf je?'

'Tja ...' Julia was niet voorbereid op die vraag. 'Ik weet het niet.'

'Blijf een paar weken. Dat zou fijn zijn.'

'Dat is te lang', zei Julia snel. 'Ik moet naar huis.'

'Moet je?' zei Gerlof, alsof het een verrassing voor hem was.

Hij keek naar de sandaal op het bureau en Julia volgde zijn blik.

'Ik blijf een tijdje', zei ze snel. 'Ik zal je helpen.'

'Waarmee?'

'Met ... wat we moeten doen. Om verder te komen.'

'Goed', zei Gerlof.

'Wat wil je doen?' vroeg ze.

'We gaan met mensen praten ... naar hun verhalen luisteren. Zoals dat vroeger gebeurde.'

'Bedoel je ... met meerdere mensen?' vroeg Julia. 'Zijn er meerderen die het gedaan hebben?'

Gerlof keek naar de sandaal.

'Ik wil met bepaalde mensen op Öland praten', zei hij. 'Ik denk dat ze dingen weten.'

Opnieuw had hij geen rechtstreeks antwoord op Julia's vragen gegeven. Ze begon het zat te worden en wilde eigenlijk gewoon weggaan, maar ze was nu hier en ze had zelfs gebak bij zich.

Ik blijf, Jens, dacht ze. *Een paar dagen, voor jou.*

'Kunnen we hier koffie krijgen?' vroeg ze.

'Dat is meestal geen probleem', zei Gerlof.

'Dan kunnen we koffiedrinken en gebak eten', zei Julia, en hoewel het haar een onbehaaglijk gevoel gaf dat ze net zo klonk als haar altijd vooruitziende grote zus, vroeg ze: 'Waar kan ik vannacht slapen? Heb jij een idee?'

Gerlof strekte zijn hand langzaam uit naar het bureau. Hij trok een kleine la open, zocht er met zijn vingers in en haalde een rammelende sleutelbos tevoorschijn.

'Hier', zei hij terwijl hij zijn hand naar Julia uitstrekte. 'Slaap vannacht maar in het botenhuis. Er is daar elektriciteit.'

'Maar ik kan toch niet ...'

Julia bleef bij het bed staan en keek naar Gerlof. Hij leek alles wat er gebeurde gepland te hebben.

'Liggen er daar geen visnetten en zo?' vroeg ze. 'En vlotters en stenen en blikken met teer?'

'Alles is weg, ik vis niet meer', zei Gerlof. 'Niemand vist nog in Stenvik.'

Julia pakte de sleutelbos aan.

'Je kon vroeger nauwelijks naar binnen, er lagen zo veel spullen', zei ze. 'Ik weet nog dat ...'

'Het is er nu opgeruimd', zei Gerlof. 'Je zus heeft het botenhuis opgeknapt.'

'Dus ik moet in Stenvik slapen?' vroeg ze. 'Alleen?'
'Het dorp is niet verlaten. Dat lijkt alleen zo.'

Een half uur nadat ze haar bezoek bij Gerlof had afgesloten was Julia terug in Stenvik en stond ze bij het donkere water. De hemel was net zo bewolkt als die middag en vol schaduwen. Het begon te schemeren en Julia verlangde naar een glas rode wijn, en daarna nog een. Wijn of een slaappil.

Het was de schuld van de golven. De golven, die vanavond kalm over het grind en de kleine stenen van het strand rolden, maar die bij harde storm manshoog werden en met langgerekt gebulder naar het strand rolden. Ze konden van alles met zich meevoeren van de bodem van de zeestraat – wrakstukken, dode vissen of stukken bot.

Julia wilde niet al te precies kijken naar wat er tussen de stenen op het strand lag. Ze had sinds die dag nooit meer gezwommen in Stenvik.

Ze draaide zich om en keek naar het botenhuis. Het stond klein en eenzaam boven het strand.

Zo dicht bij je, Jens.

Julia wist niet waarom ze de sleutels had aangepakt en ermee had ingestemd daar te slapen, maar één nacht zou haar wel lukken. Ze was nooit echt bang geweest in het donker en ze was eraan gewend om alleen te zijn. Een of misschien twee dagen, dat zou wel gaan. Daarna ging ze naar huis.

Julia had haar schoudertas en een koffer bij zich toen ze het hangslot van de witte deur van het botenhuis openmaakte. Een laatste koude luchtstoot vanaf de zeestraat duwde haar naar binnen, de duisternis in.

Toen de deur dichtsloeg stopte het gehuil van de herfstwind abrupt. Het was stil tussen de muren.

Ze deed de plafondlamp aan en bleef aan de binnenkant van de deur staan.

Gerlof had gelijk gehad. Het botenhuis was niet zoals ze zich het herinnerde.

Het was niet langer een werkplaats voor een visser, gevuld

met stinkende netten en gebarsten vlotters en vergeelde exemplaren van de *Ölands-Posten* in stapels op de grond. Nadat Julia hier voor het laatst was geweest, had haar zus het botenhuis laten renoveren en het ingericht als een klein vakantiehuisje, met gepolijste houten panelen op de muren en een gelakte grenenhouten vloer. Ze zag een kleine koelkast, een elektrische radiator en een kookplaat bij het raam dat uitkeek over het strand. Onder het raam dat over het land uitkeek stond een tafel met daarop een groot kompas van brons en gepolijst messing; nog een van Gerlofs herinneringen aan de jaren op zee.

De lucht in het botenhuis was droog. Het rook nog maar vaag naar teer en zou nog frisser ruiken als Julia de rolgordijnen optrok en de kleine ramen opendeed. Ze zou hier probleemloos kunnen overnachten, afgezien van de absolute eenzaamheid.

Waarschijnlijk was Ernst Adolfsson bij de steengroeve haar dichtstbijzijnde buurman. Ze wilde Ernst met zijn oude Volvo PV nu heel graag op de dorpsweg zien rijden, maar toen ze door het raam boven het kompas naar buiten keek bewoog er niets, alleen het dunne gras op de klip in de wind. Zelfs de meeuwen waren weg.

Er stonden twee smalle bedden in het botenhuis. Op een ervan pakte ze haar bagage uit: kleren, toilettas, extra schoenen en een stapel liefdesromannetjes die ze onderin haar tas had gestopt en die ze alleen stiekem las. Ze legde de boeken op het tafeltje naast het bed.

Aan de muur naast de deur hing een kleine spiegel met een gelakte houten lijst, en Julia bestudeerde haar gezicht erin. Ze zag er gerimpeld en moe uit, maar haar huid was minder grauw dan in Göteborg. De harde wind op het eiland had haar wangen een beetje kleur gegeven.

Wat moest ze nu doen? Ze had na haar bezoek aan Gerlof in de kleine snackbar naast het bejaardentehuis een grillworst gekocht die nergens naar smaakte, dus had ze geen honger.

Lezen? Nee.

De wijn drinken die ze bij zich had? Nee, nog niet.

Ze besloot op ontdekkingstocht te gaan.

Julia stapte het botenhuis uit en liep langzaam naar het strand en daarna in zuidelijke richting langs het water. Naarmate ze wat van het evenwichtsgevoel terugkreeg dat ze als klein schoolmeisje in Stenvik had gehad, toen ze hele dagen bij de zee rondrende zonder te struikelen, viel het haar steeds gemakkelijker om vooruit te komen over de stenen.

Schuin onder het botenhuis lag Grijsoog nog steeds, maar hij was langzaam verder in zee geschoven door de golven en het winterijs. Grijsoog was een lang, smal rotsblok van een meter hoog, dat op een paardenrug leek. Het was ooit Julia's eigen steen geweest en ze gaf er een klein tikje tegen toen ze er langsliep. Hij leek gedurende de jaren in de grond te zijn gezakt.

De molen leek ook kleiner. De oude windmolen die een paar honderd meter ten zuiden van het botenhuis op de steile klip stond was het hoogste gebouw in Stenvik. Maar toen Julia ernaartoe wilde bleek de rots te steil om naar boven te klimmen.

Ten zuiden van de molen stonden meerdere botenhuizen, in het midden van de baai waar Stenviks lange zwemsteiger 's zomers werd opgebouwd. Er was geen levende ziel te bekennen.

Julia liep naar de dorpsweg en daarna in noordelijke richting langs Gerlofs botenhuis. Ze stopte en keek uit over het water, naar het vasteland. Småland was een smalle grijze streep aan de horizon. Er voeren geen boten op zee.

Julia draaide zich langzaam om en nam de hele omgeving in zich op, alsof het kustlandschap een raadsel was dat ze kon oplossen als ze de details zag.

Als gebeurd was waarvoor iedereen bang was geweest, als het Jens was gelukt om naar het water te gaan, dan had hij die avond hier in de mist gelopen. Ze kon naar sporen van hem zoeken, maar dat was natuurlijk al gebeurd. Zij had gezocht, de politie had gezocht, iedereen in Stenvik had gezocht.

Ze begon weer te lopen en na een wandeling van een paar honderd meter was ze bij de steengroeve.

Die was natuurlijk dicht. Niemand hakte nog stenen uit de berg. Ze zag de tekst STE NG OEVE STEN IK BV op een houten bord, dat schilferig van de afbladderende verf bij de kustweg stond. Een zijweg liep naar de alvaret, maar die verdween, net als het bruingele landschap, plotseling in een brede kuil. Julia liep dichter naar de rand toe, die in een rechte hoek steil naar beneden liep.

De steengroeve was hoogstens vier of vijf meter diep, maar meerdere voetbalvelden groot. De bewoners van Öland hadden er eeuwenlang stenen gewonnen, ze hadden zich in de oerberg naar beneden gegraven – maar voor Julia leek het alsof iedereen op een dag plotseling was gestopt en voor altijd naar huis was gegaan. De uitgehakte stenen lagen nog steeds op een rij in het gruis.

Aan de andere kant van de steengroeve zag ze hoge, lichte figuren op de alvaret staan: het was te donker en te ver weg om details te zien, maar na een tijdje begreep Julia dat het beelden waren. Het was een rij stenen kunstwerken van allerlei formaten. Helemaal aan de rand van de steengroeve stond een manshoge steen, die een spitse top had en op een middeleeuwse kerktoren leek. Misschien was het een kopie van de kerk van Marnäs.

Julia begreep dat ze Ernst Adolfssons steenkunst had gevonden.

Achter de rij stenen stond een houten huis, als een donkerrood vierkant op de alvaret, tussen lage bomen en jeneverbesstruiken, en daarnaast stond de bolvormige Volvo van Ernst geparkeerd. Er scheen licht uit de ramen van het huis.

Ze besloot om de volgende ochtend voordat ze uit Stenvik wegreed Ernst Adolfssons kunst nauwkeuriger te bekijken.

Hiervandaan kon ze ook Blå Jungfrun als een kleine blauwgrijze heuvel aan de horizon zien. Blåkulla was een andere naam voor het eiland, waar de heksen volgens de legende naartoe gingen om feest te vieren met de duivel. Er woonde niemand, Blå Jungfrun was een nationaal park, maar je kon er een dagtrip met een boot naartoe maken. Julia was er toen ze klein was op een zonnige dag met Lena en Gerlof en Ella geweest.

Er lagen daar heel veel mooie ronde stenen op het strand, maar Gerlof had haar gewaarschuwd dat ze die niet mee mocht nemen. Dat bracht ongeluk, en ze had het niet gedaan, maar ze had toch ongeluk in haar leven gekregen.

Julia keerde het hekseneiland de rug toe en liep terug naar het botenhuis.

Twintig minuten later zat ze op het bed in het botenhuis naar de wind te luisteren, ze was niet moe. Om tien uur probeerde ze in een van de liefdesromannetjes die ze had meegenomen te lezen, met de titel *Geheim van het landhuis*, maar het ging moeizaam. Ze deed het boek dicht en keek naar het oude kompas op de tafel naast de voordeur.

Ze had nu in Göteborg kunnen zijn, waar ze met een glas rode wijn aan de keukentafel zou zitten en naar de straatlantaarns zou kijken die de lege straat verlichtten.

In Stenvik was het aardedonker. Ze ging naar buiten om te plassen, gleed uit op de stenen en verdwaalde een paar meter van het botenhuis bijna in het donker. Ze zag het water onder zich niet meer, ze hoorde alleen het gebruis van de golven en het geritsel van het grind als ze het strand raakten. Aan de zwarte hemel boven haar zag ze de snelle bewegingen van de dikke regenwolken, die als boosaardige geesten over het eiland trokken.

Toen ze in het donker op haar hurken zat met haar blote billen in de wind, begon Julia zonder dat ze dat wilde te denken aan het spook dat hier op het strand was gezien tijdens een nacht aan het begin van de twintigste eeuw.

Het was een van haar oma Sara's verhalen in de schemering geweest, over haar man en haar broers die tijdens een winderige avond naar beneden waren gegaan om hun kleine vissersboten buiten het bereik van de opgezwiepte golven te trekken.

Toen ze bij het schuimende water stonden en aan de houten boten rukten en trokken, was er plotseling een gestalte uit de duisternis gekomen, een man gekleed in een dik oliepak, die een van de boten naar de zee terug begon te trekken. Overgrootvader begon tegen hem te schreeuwen, en de gestalte schreeuwde terug in heel gebroken Zweeds en herhaalde de hele tijd één woord. 'Saaremaa!' riep hij. 'Saaremaa!'

De vissers hielden de boot stevig vast, en de gestalte draaide zich plotseling om en rende de razende golven in. Hij verdween in de storm zonder een spoor achter te laten.

Julia plaste snel op het pad voor het botenhuis, haastte zich terug naar de warmte en deed de deur achter zich op slot. Nu herinnerde ze zich dat er hier geen stromend water was, ze zou naar het zomerhuis moeten gaan om een kan water te halen.

Drie dagen na de zware storm kwam er nieuws van Ölands noordpunt: bij Böda was drie dagen eerder een boot aan de grond gelopen en stukgeslagen in de golven. Het schip was afkomstig van het Estlandse eiland Saaremaa. Alle bemanningsleden waren verdronken in de storm, dus de zeeman met wie de vissers in Stenvik hadden gepraat was op dat moment dood. Dood en verdronken.

Oma had in de schemering naar Julia geknikt.

Een strandspook.

Julia geloofde het verhaal; het was een mooi verhaal en ze geloofde alle oude verhalen die ze in de schemering te horen kreeg. Ergens langs de kust dwaalde de verdronken zeeman nog steeds, eenzaam en verdwaald.

Julia wilde vanavond niet meer naar buiten. Ze ging geen water halen en ze zag af van tandenpoetsen.

Er stonden dikke rode kaarsen voor het raam van het botenhuis. Ze stak er een met haar aansteker aan, ging liggen en liet hem een tijd branden.

Een kaars voor Jens. En voor zijn moeder.

In het schijnsel van de vlam nam ze een besluit: vanavond nam ze geen wijn of slaappillen. Ze zou tegen het verdriet vechten. Het was toch overal, niet alleen in Stenvik. Zodra ze een kleine jongen op straat zag, werd Julia nog steeds overspoeld door een golf van verdriet.

Toen ze haar adresboekje naast Lena's oude mobieltje op bed zag liggen, pakte ze het in een plotselinge impuls op, zocht het nummer in het boekje en toetste het in op de telefoon.

Hij deed het. Hij ging twee keer over, toen een derde en een vierde keer, voordat ze een zware mannenstem hoorde.

'Hallo?'

Het was half elf en een gewone doordeweekse dag. Julia belde te laat maar kon nu niet meer terug.

'Michael?'

'Ja?'

'Met Julia.'

'O ... Hallo, Julia.'

Hij klonk eerder moe dan verrast. Ze probeerde te bedenken hoe Michael er nu uitzag, maar ze kreeg geen beeld in haar hoofd.

'Ik ben op Öland. In Stenvik.'

'Juist ja ... Ik ben in Malmö, zoals gewoonlijk. Ik lag te slapen.'

'Ik weet dat het laat is', zei ze. 'Ik wilde je alleen vertellen dat er een nieuw spoor is.'

'Een spoor?'

'Van onze zoon', legde ze uit. 'Van Jens.'

Het bleef een paar seconden stil.

'Zo', zei hij toen.

'Dus ben ik hiernaartoe gegaan ... Ik dacht dat je het zou willen weten. Het is waarschijnlijk geen belangrijk spoor, maar misschien kan het ...'

'Hoe voel je je, Julia?'

'Goed ... Ik kan het je laten weten als er meer gebeurt.'

'Doe dat', zei hij. 'Je lijkt mijn nummer nog te hebben. Maar bel de volgende keer alsjeblieft vroeger.'

'Goed', zei ze snel.

'Tot ziens.'

Michael hing op en het werd stil. Julia bleef met de mobiel in haar hand zitten. Goed. Ze had hem geprobeerd en hij werkte, maar ze wist dat ze de verkeerde persoon had gebeld.

Michael was langgeleden verder gegaan, al voordat ze scheidden. Hij was vanaf het begin overtuigd geweest dat Jens naar het water was gegaan en was verdronken. Soms had ze hem daarom gehaat, soms was ze alleen krampachtig jaloers geweest.

Toen Julia een paar minuten later het licht had uitgedaan en in bed lag, nog steeds gekleed in haar broek en trui, kwam de zware regen die de hele avond in de lucht had gehangen.

Het begon ineens, als een snel en woest gekletter op het platte dak van het botenhuis. Julia lag in de duisternis en hoorde hoe kleine beekjes langs de steile helling naar beneden begonnen te stromen. Ze wist dat het botenhuis zou blijven staan, het had alle stormen tot nu toe overleefd, en ze deed haar ogen dicht en viel in slaap.

Ze hoorde niet dat de regen een half uur later stopte. Ze hoorde de voetstappen in de duisternis bij de steengroeve niet, ze hoorde niets.

Öland, mei 1943

Nils bezat het strand, hij bezat Stenvik, en nu bezit hij ook de hele alvaret die rond het dorp ligt. Als zijn moeder geen hulp in huis of in de tuin nodig heeft, zwerft hij er elke dag met grote stappen rond. Dan loopt hij in het gele zonlicht over de Ölandse steppe met een rugzak op zijn schouders en zijn jachtgeweer in zijn handen.

De hazen zitten altijd verscholen in het struikgewas tot ze denken dat ze ontdekt zijn; dan rennen ze in volle vaart weg en moet hij zijn buks snel tegen zijn schouder leggen. Nils is altijd paraat als hij op jacht is.

Thuis en de alvaret zijn de enige werelden die hij heeft sinds zijn moeder na de ruzie met Lass-Jan een paar jaar geleden heeft verteld dat hij niet meer in de steengroeve mocht werken. Geen van de andere steenhouwers wilde hem daar nog hebben. En dat kan Nils niet schelen, hij was toch niet van plan om terug te gaan, en hij was ook niet van plan om zijn verontschuldigingen aan te bieden. Het enige irritante was dat zijn moeder het salaris van Lass-Jan moest doorbetalen in de weken dat de stuwadoorsbaas niet kon werken omdat zijn gebroken vingers moesten genezen.

Verdomme. Het was allemaal de schuld van Lass-Jan!

Nils heeft ook een aandenken aan de ruzie overgehouden: twee gebroken vingers aan zijn linkerhand. Hij weigerde ondanks de pijn naar de dokter in Marnäs te gaan en zijn vingers zijn slecht genezen, ze staan krom naar binnen en hij kan ze moeilijk buigen. Maar dat maakt hem niet uit, hij is rechtshandig en kan zijn geweer toch vasthouden.

De mensen in het dorp ontwijken Nils nu, maar dat maakt hem ook niet uit. Maja Nyman stond een paar keer bij de dorpsweg als hij naar de alvaret ging, maar ze keek alleen naar hem, net zo zwijgzaam als iedereen. Maja heeft grote blauwe ogen, maar Nils heeft haar niet nodig.

Nils heeft het dubbelloops Husqvarna-geweer van zijn moeder gekregen. En hij geeft haar alle hazen die hij ermee schiet, zodat ze niet naar het dorp hoeft om te duur vlees te kopen bij de boeren die haar proberen af te zetten.

Nils ziet de witte kerktoren van Marnäs in het oosten aan de horizon, maar hij heeft geen richtpunten nodig. Hij heeft geleerd om de weg te vinden in het labyrint van lange stenen muren, rotsblokken, struiken en oneindige grasvlakten.

Schuin voor zich ziet hij de oude offerplaats: een lage stapel stenen ter herinnering aan de krankzinnige boerenknecht die een priester of een bisschop heeft doodgeslagen, een paar eeuwen voordat Nils werd geboren. Mensen die er langskomen, leggen er soms nog kleine stenen neer. Nils doet dat nooit, maar het is een goede plek voor hem om te rusten en zijn lunch te eten.

Nu hij stilstaat, merkt hij dat hij honger heeft. Hij loopt naar de offerplaats, haalt een paar stompe stenen weg en gaat daarna zitten, met zijn jachtgeweer vlak naast zich en zijn rugzak op schoot.

Hij doet hem open en vindt twee boterhammen met kaas en twee boterhammen met worst, verpakt in vetvrij papier, en een beslagen flesje melk. Dat heeft zijn moeder erin gestopt; en Nils heeft zonder het haar te vragen de platte koperen zakflacon in zijn vestzak gevuld met de cognac die ze helemaal achteraan op de bodem van de voorraadkast bewaart.

Hij begint zijn lunch met het openen van de zakflacon en neemt een flinke slok, die een weldadige warmte in zijn keel verspreidt, en daarna eet hij zijn brood. Hij eet en drinkt met gesloten ogen en laat zijn gedachten de vrije loop.

Nils denkt aan de jacht. Hij heeft vandaag nog geen haas geschoten, maar daar heeft hij de hele middag nog voor.

Daarna denkt hij aan de oorlog, die nog steeds alle nieuws-uitzendingen op de radio domineert.

Zweden is niet aangevallen, zelfs al zijn drie Duitse torpedo-bootjagers in de zomer van 1941 per ongeluk in een mijnenveld voor Zuid-Öland terechtgekomen en in de lucht gevlogen. Meer dan honderd van Hitlers soldaten kwamen in het water terecht en verdronken of stierven in de brandende olievlek. En veel Ölanders dachten dat de oorlog definitief was gekomen toen een Duitse bommenwerper de zomer daarna om de een of andere reden acht bommen had laten vallen op het kustbos buiten Borgholm.

De explosies waren helemaal tot in Stenvik te horen geweest. Nils was wakker geworden van het zware gedreun en staarde met een bonkend hart door het donkere raam naar buiten; hij durfde te zweren dat hij de motoren van een vliegtuig hoorde toen dat van het eiland wegvloog. Misschien een Messerschmitt. Hij had geluisterd en had meer explosies willen horen, een bommenregen rond Stenvik.

Maar er kwam geen Duitse invasie, en nu is het te laat voor Hitler om iets te doen. Nils heeft in de *Ölands-Posten* gelezen over de grote capitulatie in Stalingrad tijdens de bitter koude winter eerder dat jaar. Hitler blijkt dus toch een verliezer te zijn.

Nils hoort een paard achter zich hinniken.

Hij doet zijn ogen open en draait zijn hoofd om. Er staan vier paarden achter hem. De jonge dieren in wit en bruin zijn achter de offerplaats vandaan gekomen, en draven nu in een rij in een flauwe boog langs hem, met gebogen hoofden en dunne stofwolken rond hun benen. De hoeven stampen bijna geluidloos in het gras.

Paarden, ze lopen waar ze willen op de alvaret. Een paar keer, als Nils meer naar de hazen keek dan naar de grond voor hem, is hij met zijn laarzen in hun uitwerpselen getrapt, die overal als kleine, bruine offerstapels liggen.

Deze kleine kudde lijkt op weg naar een bepaalde bestemming, maar als Nils kort op zijn vingers fluit en zijn linkerhand in zijn rugzak stopt, mindert de leider vaart en draait zijn hoofd naar Nils. Een van de paarden buigt zijn hoofd om aan het gele gras te snuffelen, maar hij eet er niet van. Ze wachten op de lekkere hapjes.

Nils houdt zijn hand in zijn rugzak en ritselt met het vetvrije papier, terwijl zijn rechterhand rustig op de stenen van de offerstapel ligt.

De paarden aarzelen, snuiven en schrapen met hun hoeven. Nils ritselt weer met het papier, en dan doet de donkerbruine leider voorzichtig een stap naar Nils toe. De anderen volgen hem langzaam met licht trillende neusgaten.

De leider stopt weer, op vijf meter afstand.

'Kom je eten dan halen', zegt Nils met een gespannen glimlach.

Hazen kun je op deze manier niet lokken, alleen paarden.

De leider schudt zijn grote hoofd, snuift en hinnikt zacht.

Dan doet hij een paar stappen naar voren, en Nils' rechterhand schiet van de offerstapel omhoog en gooit de eerste steen.

Het is een voltreffer! De stompe kalksteen treft het dier vlak boven zijn snuit, en het deinst terug alsof het een elektrische schok heeft gekregen. Het loopt angstig achteruit, stoot tegen het paard achter zich en draait zich in blinde paniek om als Nils snel overeind komt en de tweede steen gooit. Deze is platter en scherper en vliegt als een zaagblad door de lucht.

Hij treft de leider in zijn zij. Het paard hinnikt hard en bang en alle paarden beseffen het gevaar nu. Ze draaien zich om en rennen in volle galop over de alvaret, hun hoeven roffelen op de grond en ze verdwijnen tussen de struiken.

Nils krijgt haast en de derde steen vliegt te ver naar links. Jammer. Hij bukt zich snel, maar de vierde gooit hij te dichtbij.

Het laatste wat hij van de leider ziet is een bloedrode, glanzende streep op zijn rechterflank. De wond is diep, die zal de komende dagen niet genezen. Nils moet proberen de steen te vinden waarmee hij het paard heeft geraakt voordat hij naar huis gaat, hij wil kijken of er bloed op zit.

Het gedreun van de vluchtende paarden sterft weg. De stilte

is terug op de alvaret. Nils ademt uit, gaat weer op de offerstapel zitten en glimlacht als hij eraan denkt hoe raar de leider keek toen de eerste steen hem raakte.

Stomme paarden.

Nils heeft ze laten zien wie de baas is op de alvaret rond Stenvik. Hij glimlacht en pakt zijn rugzak weer. Heeft zijn moeder een paar toffees voor hem ingepakt?

6

Het was avond in het Marnästehuis. Gerlof zat bij zijn bureau met het notitieboek voor zich. Hij had een balpen vast, maar schreef niets op.

Als Gerlof bij zijn bureau zat, kon hij zichzelf gemakkelijk aanpraten dat hij niet zo oud was en dat hij nog voldoende kracht had; zo meteen zou hij opstaan, zich uitrekken en op krachtige benen weglopen.

Naar buiten. Naar het strand van Stenvik, waar hij de roeiboot in het water zou duwen en naar zijn schip zou roeien dat in het diepere water op hem wachtte. Hij zou het anker lichten, de zeilen hijsen en de wereld in trekken.

Het had Gerlof altijd gefascineerd dat een schipper vanaf het Ölandse water elke kust die hij wilde kon bereiken. Met een beetje geluk, voldoende bekwaamheid, de juiste uitrusting en veel proviand aan boord kon hij vanaf Öland naar elke haven ter wereld zeilen en daarna weer naar huis terugkeren. Fantastisch. Wat een vrijheid.

Een minuut later ging de bel voor het avondeten in de gang, en Gerlof was terug in zijn krachteloze lichaam. Zijn benen waren stijf, zijn armen zouden nooit meer een zeil kunnen hijsen.

Het was snel gegaan, de jaren op zee. En eigenlijk waren het er niet zo veel geweest. Gerlof voer aan het eind van de jaren twintig als stuurman op zijn vaders galjas Ingrid Maria en vijf jaar later, toen zijn vader aan land ging om scheepsmakelaar te worden, had hij het schip overgenomen; hij had het omgedoopt tot Vind en had er hout van Småland naar Öland mee vervoerd. Op zijn tweeëntwintigste was hij zeekapitein geweest.

Tijdens de Tweede Wereldoorlog had hij dienstgedaan als

loods voor Öland en had hij twee keer een schip met man en muis zien vergaan, omdat de schipper dacht dat hij een veiligere weg door de mijnenvelden wist dan de loodsboot.

Gerlof leefde in die tijd in voortdurende angst voor zeemijnen. In een nachtmerrie, waaruit hij sommige nachten nog steeds badend in koud zweet wakker werd, stond hij in de zonsondergang aan de reling van de loodsboot boven de glanzende zee naar beneden te kijken – en plotseling zag hij een grote, zwarte mijn vlak onder het wateroppervlak. Oud en roestig en bedekt met zwevend zeewier, maar met pinnen die maar een paar seconden later tegen het schip zouden stoten en de springlading zouden ontsteken.

Het schip kon niet stoppen, het gleed stil steeds dichter naar de pennen toe ... en vlak voordat de romp tegen de mijn stootte werd Gerlof altijd wakker.

Na de oorlog had hij een ander schip gekocht, de Vågryttaren, en was hij tussen de twee holmen gaan zeilen, Borgholm en Stockholm, via het Södertäljekanaal. Hij vervoerde marmer van Öland, rode kalksteen voor nieuwbouw in de hoofdstad dus, en op de terugreis vaak motorbrandstof, stukgoederen of kalk voor de Centralföreningen in Borgholm. In de havens langs de route lagen altijd bekende schepen, en wie hulp nodig had kreeg dat van zijn collegaschippers.

Er was geen rivaliteit in die tijd, en Gerlof had veel hulp gekregen toen de Vågryttaren op een decembernacht in 1951 in brand stond toen hij bij Ängsö voor anker lag. De lading lijnolie had vlam gevat, en Gerlof en zijn stuurman John Hagman waren amper aan dek toen het hele schip al in brand stond. Ze konden geen van beiden zwemmen, maar een schip uit Oskarshamn, dat vlakbij lag, nam Gerlof en John aan boord. Ze kregen alle steun die ze nodig hadden, maar voor de Vågryttaren bleef er niets anders over dan het ankertouw door te kappen en hem in de nacht weg te laten drijven.

Voor Gerlof was het brandende en zinkende schip in de winternacht een gepast symbool voor de Ölandse zeevaart, zelfs al zag hij het op dat moment niet zo. Hij had kunnen stoppen nadat hij de scheepsverklaring had getekend, maar hij had uit pure koppigheid een nieuwe motorboot van het verzekeringsgeld gekocht en hij was nog negen jaar schipper gebleven. Dit schip, de Nore, was zijn laatste en mooiste geweest, slank en met een mooie achterkant en een fantastisch lopende zuigermotor. Hij hoorde de motor van de Nore nog weleens in zijn hoofd dreunen, vlak voordat hij in slaap viel.

In 1960 had hij de Nore verkocht en was hij aan land gegaan. Hij was op het gemeentehuis in Borgholm gaan werken en daar was zijn stilzittende bureauleven begonnen. Het voordeel was natuurlijk dat hij elke avond naar huis kon. Hij had een groot deel van de jeugd van zijn dochters gemist, maar nu kon hij ze in elk geval als tieners meemaken. En toen zijn jongste dochter Julia aan het eind van de jaren zestig zwanger raakte, kon het Gerlof niet schelen dat ze niet getrouwd was – hij had van dat kleine jochie gehouden. Van zijn kleinkind.

Jens Gerlof Davidsson.

En toen kwam die dag.

Het was herfst, maar Julia volgde een parttime verpleegstersopleiding en ze kon langer dan anders met Jens in Stenvik blijven. Jens' vader Michael was op het vasteland gebleven, en Julia had haar zoon na de lunch bij Ella en Gerlof achtergelaten en was over de pas gebouwde brug naar Kalmar gereden. Na de koffie had Gerlof zonder te aarzelen, en zonder een naar voorgevoel, Jens en zijn vrouw achtergelaten en was naar de zee gegaan om een paar visnetten te ontwarren die hij de volgende ochtend in het water wilde leggen.

Bij het botenhuis had hij de mist uit de Kalmarsund zien opkomen; de dikste mist die hij in jaren op zee had gezien. Toen de mist het strand op dreef, voelde het als een kille doek op zijn huid, en hij had gerild alsof hij in de kou op een scheepsdek stond. Een paar minuten later was de wereld rondom hem een witte waas, waardoor niets te zien was.

Hij had toen naar huis moeten gaan, naar Ella en Jens. En hij had erover gedacht om dat te doen. Maar hij was bij het botenhuis gebleven en had nog een uur aan de netten gewerkt.

Zo was het. Maar omdat hij bij het botenhuis was gebleven en omdat zijn gehoor goed was, wist hij iets waarvan hij anderen nooit had kunnen overtuigen, behalve Julia misschien: Jens was die dag niet naar de zee gegaan. Dan had Gerlof hem gehoord. Het geluid werd gedempt door de mist, maar verdween niet helemaal. Jens was niet verdronken, zoals de politie dacht, en zijn lichaam was niet meegezogen en naar de bodem van de Kalmarsund gezakt.

Jens was niet naar het water gegaan.

Gerlof leunde over het bureau en schreef een zin op: DE ALVARET IS NET EEN ZEE.

Ja. Er kon daar van alles ongestoord gebeuren.

Hij legde zijn pen op het bureau en deed het boek dicht, en toen hij de bureaula opentrok zag hij de sandaal in zijdepapier weer, en ernaast een dun boekje dat eerder dat jaar was gepubliceerd.

Dat boekje had Ernst hem twee weken geleden geleend, de laatste keer dat hij bij Gerlof op bezoek was geweest.

'Dit kan iets zijn', had hij gezegd. 'Kijk op bladzijde achttien.'

Nu pakte Gerlof het boekje, sloeg het open en bladerde naar de bewuste bladzijde. Onder de tekst stond een kleine zwartwitfoto, die hij al heel vaak had bestudeerd.

De foto was oud. Hij toonde een stenen pier in een kleine haven, op de pier lag een partij lange planken opgestapeld. Schuin achter de stapel hout was de zwarte achterkant van een kleinere zeilboot zichtbaar, die leek op degene waarmee Gerlof had gezeild, en naast de stapel stond een rij mannen in donkere werkkleren en met schipperspetten op. Twee mannen stonden wijdbeens voor de anderen, de een met zijn hand vriendschappelijk op de schouder van de ander.

Gerlof staarde naar de mannen en ze staarden terug.

Er werd op de deur geklopt.

'Koffie, Gerlof', zei Boel.

'Ik kom eraan', antwoordde Gerlof en hij schoof zijn stoel achteruit.

Hij kwam moeizaam achter zijn bureau overeind.

Maar hij vond het moeilijk om zijn ogen van de mannen op de foto in het jubileumboek af te wenden.

Geen van de mannen glimlachte, en Gerlof glimlachte ook niet naar ze, want na het laatste gesprek met Ernst was hij er vrij zeker van dat een van de mannen op de oude foto de dood van zijn kleinkind Jens op zijn geweten had, en dat hij het lichaam daarna voor altijd had verstopt.

Hij wist alleen niet wie van hen dit had gedaan.

Met een stille zucht sloot hij het jubileumboek en stopte het in de bureaula terug. Daarna pakte hij zijn stok en liep hij langzaam naar buiten om koffie te drinken.

7

Op Öland verschijnt de dageraad als een stil gedimd licht aan de vlakke horizon, maar Julia sliep deze oktoberochtend door de zonsopgang heen.

Voor alle drie de ramen van Gerlofs botenhuis hingen kleine rolgordijnen die ooit donkerrood waren geweest, maar die langzaam door de zon naar zachtroze waren verbleekt. Vlak voor half negen schoot het rolgordijn dat het dichtst bij Julia's bed hing los en rolde zichzelf op met een knal die als een donderslag in de stilte klonk.

Julia deed haar ogen open. Ze was niet wakker geworden door de knal, maar door de zon die plotseling aan de oostkant door het raam scheen. Ze knipperde met haar ogen en hief haar hoofd van het warme kussen. Ze zag het herfstgele gras achter het raam buigen in de wind en ze wist weer waar ze was. Harde wind en lichte lucht.

Stenvik, dacht ze.

Ze knipperde weer en probeerde haar hoofd omhoog te houden, maar ze zakte al snel terug in de kuil van het kussen. Ze kwam 's ochtends altijd moeilijk op gang, dat was haar hele leven al zo, en de afgelopen twintig jaar was de vergetelheid van de slaap vaak heel verleidelijk geweest. De depressies na die dag hadden ervoor gezorgd dat ze veel meer van haar volwassen leven had verslapen dan ze had moeten doen. Maar het was moeilijk om 's ochtends op te staan als er geen reden voor was.

Opstaan in Stenvik was nog moeilijker omdat er geen verwarmde badkamer was om naartoe te wankelen. Voor het botenhuis lag alleen een strand met stenen en ijskoud water.

Julia had een vage herinnering aan het gekletter van de stortregen die nacht, maar nu hoorde ze alleen de golven onder het botenhuis. Door het ritmische geruis kreeg ze zin om snel op te staan, haar kleren uit te trekken, naar beneden te rennen en zich in zee te laten vallen, maar dat ging voorbij.

Ze bleef nog een paar minuten in het smalle bed liggen en stond toen op.

De lucht was vochtig en koud en er stond nog steeds een stevige wind, maar het Stenvik dat ze zag toen ze de deur van het botenhuis opendeed, was niet hetzelfde spooklandschap als de avond ervoor.

De stortregen van die nacht had alle grauwheid weggespoeld; nu scheen de zon weer en de Ölandse rotskust was schoon en sober en mooi. De baai waaraan het dorp zijn naam ontleende was niet diep, het was een zacht glooiende inham, uitgesleten door het glinsterende water van de zeestraat. Een paar honderd meter van het strand gleden meeuwen met uitgestrekte vleugels boven de golven, terwijl ze in de wind naar elkaar schreeuwden of schel krijsten.

De stralende zon maakte haar verdrietig, omdat niet alles zo mooi was als het eruitzag, maar Julia probeerde dat gevoel te onderdrukken. Ze wilde zich vanochtend goed voelen en niet denken aan stukken bot of met Jens praten.

Ze hoorde een hond vrolijk blaffen. Toen ze haar hoofd naar de kustweg draaide zag ze een vrouw met wit haar in een rode gewatteerde jas met een kleine lichtbruine hond die zonder riem heen en weer rende en aan de weg snuffelde. Met haar rug naar Julia gekeerd sloeg ze af en liep met snelle passen naar een van de huizen aan de andere kant van de weg.

Ernst was niet de enige vaste bewoner van Stenvik, besefte Julia.

De slaperigheid verdween langzamerhand en ze voelde zich energiek worden. Ze pakte een plastic jerrycan en liep snel naar Gerlofs huis om hem te vullen met drinkwater uit de kraan in de tuin. In de zon zag het huis er heel uitnodigend uit, ondanks het hoge gras rondom, maar Gerlof had haar geen sleutel gegeven, dus kon ze niet naar binnen om de slaapkamer van haar jeugd te bekijken.

Terwijl ze het kletterende water opving bedacht ze dat ze langer dan één dag op Öland kon blijven. Als er iets zinnigs te doen was – als Gerlof zich zou concentreren en met voorstellen zou komen over wat ze kon doen of waar ze naar kon zoeken – zou ze nog twee of drie dagen kunnen blijven.

Ze keek in de lege tuin om zich heen en nam toen een besluit. Nee. Ze ging vandaag terug naar Göteborg, maar pas later op de dag.

Op de terugweg naar het botenhuis, met de jerrycan stevig in haar hand, bleef ze staan om te kijken naar de gele villa achter de meidoornhaag die onder het zomerhuis lag. Hij was omgeven door hoog opgegroeide essen en ze zag er niet meer dan een glimp van achter de haag, maar wat ze zag was niet mooi. Het huis stond niet alleen leeg, het was helemaal verwaarloosd. Wilde wingerd kroop over de muren en begon de gebarsten ramen te bedekken.

Julia herinnerde zich vaag dat er een oude vrouw had gewoond, een vrouw die nooit buiten kwam en met niemand in het dorp omging.

Het was merkwaardig dat het huis zo vervallen was, onder alle scheuren was het tenslotte een statige villa. En iemand zou de tuin moeten opknappen.

Julia liep verder naar het botenhuis om thee te zetten en ontbijt te maken.

Drie kwartier later deed ze het botenhuis op slot, met een tas over haar schouder en de koffer in haar hand. Ze had het bed opgemaakt, de hoofdschakelaar was uit en de rolgordijnen waren naar beneden getrokken. Het botenhuis was weer leeg.

Julia liep over de klip naar de auto, keek om zich heen zonder iemand bij de kust te zien en stapte in haar auto. Ze startte de motor en keek een laatste keer naar het botenhuis. Ze keek naar de klip, naar de vervallen windmolen en het glinsterende water onder zich en voelde het verdriet terugkomen.

Snel draaide ze haar auto de dorpsweg op.

Ze reed langs boerderijen die nu zomerhuizen waren, langs de gele verwaarloosde villa en langs het hek naar Gerlofs zomerhuis. Vaarwel, vaarwel.

Vaarwel, Jens.

Links van de dorpsweg liep een pad naar een groepje zomerhuizen, met een vierkante ingegraven kalksteen met de tekst STEENKUNST I KM in wit erop geschilderd. Op een ijzeren paal hing een bord met het symbool voor een doodlopende weg.

Julia zag het bord en herinnerde zich wat ze vanochtend wilde doen voordat ze naar Gerlof reed om afscheid te nemen: stoppen bij de gesloten steengroeve en naar de steensculpturen van Ernst Adolfsson kijken.

Ze had eigenlijk geen geld om steenkunst te kopen, maar ze wilde het graag zien. En misschien kon ze een paar vragen over Jens stellen, of Ernst zich nog herinnerde dat hij verdwenen was en of hij misschien kon vertellen waar hij die dag was geweest. Het kon nooit kwaad.

Ze draaide de smalle weg op en de kleine Ford begon meteen te springen en te wiebelen. Het was de ergste weg waarop Julia tot nu toe op Öland had gereden, en dat kwam voornamelijk door de stortregen. Het regenwater lag in langwerpige plassen in de wielsporen: ze remde en reed verder in de eerste versnelling, maar toch slipte de auto in de modderige kuilen.

Ze liet de zomerhuisjes achter zich en reed langs de rand van de alvaret. De weg boog langzaam af naar de steengroeve en liep verder naar Ernst Adolfssons lage huis. Hij eindigde in een cirkelvormige keerplaats op het erf voor het huis, waar Ernsts oude witte Volvo PV nog steeds geparkeerd stond.

Er was geen beweging te zien, maar in het midden van de keerplaats stond een platte gepolijste steen met een zwarte tekst: STEENKUNST — WELKOM.

Julia parkeerde haar auto achter de Volvo. Ze stapte uit en haalde haar dunne portemonnee uit haar tas.

De wind ruiste in het lage gras, en het landschap was bijna helemaal boomloos. Eén kant van de tuin grensde aan de enorme wond in de berg, de steengroeve, aan de andere kant zag ze gras en uitstekende jeneverbesstruiken zo ver het oog reikte. De alvaret.

Ze draaide zich om en keek naar het huis. Het was gesloten en stil.

'Hallo?' riep ze.

De wind dempte haar stem en niemand gaf antwoord.

Een breed pad van tot schilfers vermalen kalksteen leidde naar de voordeur aan de korte kant van het huis, en daar zag ze een bel.

Julia liep ernaartoe en belde aan.

Ze hoorde nog steeds niets. Maar de auto stond er, dus waar was Ernst?

Ze belde weer aan, een langgerekt signaal. Er gebeurde niets.

In een impuls voelde ze aan de deur. Die was niet op slot en schoof uitnodigend een stukje open.

Ze stak haar hoofd naar binnen.

'Hallo?'

Geen antwoord. Het licht was uit en de hal was donker. Ze luisterde naar het geluid van zware voetstappen en een stok die op de grond werd gezet, maar het bleef stil.

Hij is niet thuis – rij nu naar Gerlof, zei een innerlijke stem. Maar ze was te nieuwsgierig. Deed je de deuren op Öland niet op slot als je wegging? Vertrouwden de mensen elkaar nog steeds zo?

welkom, las ze op de groene plastic mat bij de deur. Julia veegde haar voeten een paar keer en liep naar binnen.

'Hallo?' zei ze. 'Ernst? Ik ben het, Julia. Gerlofs dochter ...'

Aan de zolder in de hal hing een mobile met kleine houten boten die rondjes zeilden in de tocht. Rechts was de keuken, schoon en met een afgeruimde kleine eettafel en twee windsor-stoelen. Links was een slaapkamer met een smal, opgemaakt bed.

De hal eindigde in een zitkamer met een bank, een televisie en een panoramaraam met uitzicht op de steengroeve en de blauwe zeestraat erachter. Er lagen stapels kranten en boeken op het midden van de tafel, maar ook de zitkamer was leeg. Aan een muur hing een zeshoekige klok, gemaakt van geslepen kalksteen, met stukken leisteen als wijzers.

Het was opmerkelijk dat de klok de enige steenkunst in huis leek te zijn. Vond Ernst het voldoende om zijn kunst buiten te hebben?

Ze liep terug naar de hal en keek een paar keer om zich heen, alsof een onbekende aanvaller uit een scheur in de muur tevoorschijn zou springen. Ze kwam weer bij de trap en deed de deur voorzichtig achter zich dicht.

Julia stond roerloos in de zon, onzeker over wat ze nu moest doen. Ernst Adolfsson was waarschijnlijk weggegaan en was vergeten de deur op slot te doen.

Ze keek naar de steensculpturen aan de rand van de steengroeve. Ernaast stond een kleine, roodgeschilderde werkschuur die was omgeven door lage berken, en voor de schuur lagen nog meer rotsblokken en stenen van verschillende afmetingen. Ze hadden slijpsporen maar zagen er niet afgemaakt uit. Een paar leken op mismaakte mensen, dacht Julia. Ze zag misvormde gezichten en zwarte oogholten; ze deden haar denken aan de trollen die mensenkinderen ontvoerden en voor altijd meenamen naar de bergen. Gerlof had verteld dat ze altijd de schuld aan de trollen gaven als er in de steengroeve gereedschap van de arbeiders verdween. Dat een collega iets had gestolen was ondenkbaar.

Ze keek opnieuw naar de steenkunst op de steile kliprand van de steengroeve. Kleine vuurtorens, ronde putdeksels, grote zonnewijzers en een paar brede grafstenen. De naamplaten van de grafstenen waren nog leeg.

Ineens zag Julia dat er iets ontbrak. Er was een grote, lege plek in de lange rij sculpturen. De kerktoren die leek op de toren van Marnäs en die ze gisteravond aan de andere kant van de steengroeve had gezien, was weg. Julia liep ernaartoe en zag een ondiep gat in het gruis bij de kliprand.

Julia liep langzaam tussen de steenkunst door en de steengroeve opende zich voor haar als een enorm bassin zonder water.

De groeve was maar een paar meter diep, maar de wand liep loodrecht naar beneden. Ze stond bij de rand, keek stil over het schrale steenlandschap uit en zag de hoge kerktoren plotseling onder zich liggen. Hij was van de rand gevallen, recht naar beneden in de steengroeve, en lag op zijn kant. De kerktoren was niet stuk en wees in westelijke richting, naar het water.

Onder het langwerpige beeld lag Ernst Adolfsson. Hij staarde vanaf de bodem van de steengroeve naar de hemel, met een bloedende mond en een verbrijzeld lichaam.

Öland, mei 1945

Alles is veranderd. Er staan grote dingen te gebeuren, zowel in de wereld als in het leven van Nils Kant. Dat voelt hij aan de wind.

De zon schijnt krachtiger dan ooit boven de alvaret, de Ölandse winden zijn frisser, de lucht is helderder en de bloemen staan in volle bloei. Het gras is groen en nog niet verschroeid door de hoogzomerzon. Wazige en trillende kleine strepen in de hemel groeien uit tot zwaluwen die een paar seconden lang als zwarte pijlen boven het vlakke land naar beneden schieten, vaart maken met hun vleugels en plotseling weer hoog aan de hemel staan.

Het voorjaar is nu echt naar Öland gekomen en Nils Kant voelt de veranderingen in de lucht. Hij is nu bijna twintig jaar, eindelijk volwassen en helemaal vrij. Het leven ligt voor hem en er staan grote dingen te gebeuren. Dat voelt hij in zijn hele lichaam.

Nils begint te oud te worden om hier buiten in de stilte rond te zwerven en op hazen te jagen. Hij heeft andere plannen. Hij wil de wereld in nu de oorlog voorbij is, het maakt niet uit waarnaartoe. Hij zou Maja Nyman willen meenemen, het meisje dat in een huisje bij de klip in Stenvik woont. Hij herinnert zich hoe ze eruitziet en hij denkt tamelijk vaak aan haar. Maar ze hebben eigenlijk nooit met elkaar gepraat, alleen gegroet als ze elkaar tegenkwamen, als ze niet met iemand anders was. Als hij niet snel een kans krijgt om fatsoenlijk met haar te praten moet hij alleen vertrekken.

Vandaag is hij verder dan anders bij Stenvik vandaan, bijna aan de oostkant van het eiland. Voordat hij de landweg overstak heeft hij twee hazen geschoten, die hij onder het struikgewas heeft achtergelaten en die hij op de terugweg zal ophalen. Hij wil nog een of twee hazen schieten voordat hij naar zijn moeder gaat, en op weg naar huis misschien een paar zwaluwen voor de lol.

Het smeltwater van het pak sneeuw van de afgelopen winter ligt nog in grote plassen op de alvaret, en het lijkt een beetje alsof hij rondloopt in een moslandschap vol kleine meren. Het water droogt snel in de zon. Nils draagt hoge, zware laarzen en kan er dwars doorheen waden als hij dat wil. Dat doet hij soms, en soms loopt hij om de plassen heen. Hij is helemaal vrij en bezit de hele wereld.

Adolf Hitler heeft geprobeerd de wereld te bezitten. Nu is hij dood, hij heeft zich een week geleden in Berlijn door het hoofd geschoten. Daarna was het afgelopen met Duitsland. Niemand wilde of kon nog langer tegen de Russen en de Amerikanen vechten.

Nils baggert door een plas water en loopt tussen een groep jeneverbesstruiken door. Hij herinnert zich dat hij Hitler graag mocht toen hij jonger was, hij had in elk geval veel respect voor zijn sterke wil.

Hij heeft aandachtig naar fragmenten van Hitlers gebrulde toespraken in Duitsland geluisterd, als zijn moeder de radio in de zitkamer aan had, en hij heeft er jaren op gewacht tot de Duitse bommenwerpers boven Öland zouden verschijnen, tot de oorlog eindelijk zou komen, maar nu is Hitler weg en het machtige Duitsland is vernietigd door de bommen van de Engelse vliegtuigen.

Duitsland lijkt niet meer zo interessant. Engeland is daarentegen een aantrekkelijk land om te bezoeken. Ook Amerika lijkt groots en veelbelovend, maar daar zijn veel te veel Ölanders naartoe gegaan die nooit zijn teruggekomen, duizenden zijn er in de negentiende eeuw spoorloos verdwenen. Nils wil door de wereld trekken en daarna als een keizer naar Stenvik terugkeren.

Er is geen haas te zien en toch heeft Nils het gevoel dat hij ...

Hij is niet alleen.

Er is iemand.

Hij heeft iets in de wind gehoord, een kort geluid dat niet klonk als vogelgezang of gezoem van insecten of gehinnik van paarden. Hij heeft jarenlang over de alvaret rondgelopen, hij weet wanneer de dingen zijn zoals ze moeten zijn en wanneer ze dat niet zijn. Op dit moment klopt er iets niet. Hij voelt huiveringen van onraad langs zijn nek en zijn rug lopen.

Het is geen haas, het is iets anders.

Wolven? De oma van Nils, die al lang dood is, vertelde verhalen over wolven op de alvaret. Er zijn hier wolven geweest, maar nu niet meer.

Mensen?

Besluipt iemand hem?

Nils haalt het Husqvarna-geweer langzaam tevoorschijn, houdt het schietklaar met twee handen tegen zijn schouder en ontgrendelt het met zijn duim. Twee hagelpatronen van Gyttorps patroonfabriek liggen klaar om de loop uit te vliegen.

Hij kijkt om zich heen: de jeneverbesstruiken groeien hier bijna overal, de meeste zijn verwrongen en beteugeld door de wind en niet meer dan een meter hoog, maar toch zijn ze dicht en het is onmogelijk erdoorheen te kijken. Als Nils overeind komt kan hij eroverheen kijken en kilometers ver zien, dan kan niemand hem besluipen, maar als hij op zijn hurken gaat zitten lijkt het alsof de struiken groeien en zich over hem heen buigen.

Nu hoort hij geen geluid meer – áls hij iets heeft gehoord. Misschien zat het alleen in zijn hoofd, dat is eerder gebeurd in de eenzaamheid.

Nils staat helemaal bewegingloos in het gras te wachten. Hij ademt kalm en heeft alle tijd van de wereld. De hazen komen altijd tevoorschijn als hij wacht, hun zenuwen laten ze uiteindelijk in de steek, en dan komen ze uit hun verstopplek en rennen blind weg van de jager. Dan hoeft hij alleen het geweer kalm naar zijn schouder te brengen, op de bruine gedaanten te richten en af te drukken. En daarna kan hij naar ze toe lopen om de licht schokkende lichamen op te halen.

Nils houdt zijn adem in. Hij luistert.

Hij hoort niets, maar het waait, en plotseling krijgt hij een duidelijke geur van oud zweet en vettige stof in zijn neus. Een scherpe geur van een mensenlichaam, of verschillende lichamen, wordt door de wind naar hem toe gedragen.

Het is een mens, heel dichtbij.

Nils draait naar rechts, met zijn vinger op de trekker.

Bange ogen staren naar hem onder een jeneverbesstruik, maar een paar meter bij hem vandaan.

De ogen van een mens ontmoeten zijn ogen.

In het donker onder de dichte struik krijgt het gezicht van een man vorm, een gezicht dat grauw ziet van het vuil en omringd is door samengeklit haar. Achter het hoofd bevindt zich een lichaam dat dicht tegen de grond gedrukt ligt, gekleed in flodderige, groene kleren. Een uniform, ziet Nils.

De man is een soldaat. Een vreemde soldaat zonder helm of wapen.

Nils houdt het geweer voor zich en voelt zijn hart tot in zijn vingertoppen keihard slaan. Hij duwt de loop een stukje omhoog.

'Kom hiernaartoe', zegt hij met een harde stem.

De soldaat doet zijn mond open en zegt iets. Het is geen Zweeds, in elk geval niet het Zweeds dat Nils kent. Het is een vreemde taal. Het klinkt als Duits.

'Wat?' zegt Nils snel. 'Wat zeg je?'

De soldaat steekt zijn handen langzaam uit, hij heeft smerige, gebarsten handen – en tegelijkertijd ziet Nils dat hij niet alleen is. Schuin achter hem onder de struiken ligt nog een starende man in een smerig uniform in het gras. Beiden zien er opgejaagd uit, alsof ze op de vlucht zijn voor gruwelijke herinneringen.

Bitte nicht schiessen', fluistert de soldaat die het dichtst bij Nils staat.

8

Julia had Gerlof met de telefoon van Ernst Adolfsson gebeld en verteld wat er was gebeurd – dat ze Ernst had gevonden, waar hij lag en dat hij dood was.

Gerlof had begrepen wat ze vertelde, en toch was het hem gelukt om niet te veel te denken of te voelen, maar zich bijna uitsluitend te concentreren op het luisteren naar haar stem. Die klonk natuurlijk gespannen, maar niet zwak. Julia had zichzelf onder controle.

'Dus Ernst is dood', zei Gerlof.

Het bleef stil.

'Weet je het zeker?' vroeg hij.

'Ik ben verpleegster', zei Julia.

'Heb je de politie gebeld?' vroeg hij.

'Ik heb de alarmcentrale gebeld', zei ze. 'Ze zouden iemand sturen. Maar Ernst heeft geen ambulance nodig ... Het is te laat.' Ze zweeg even. 'De politie komt natuurlijk ook, al is het een ongeluk. Hij heeft ...'

'Ik kom naar je toe', zei Gerlof. Hij nam het besluit op hetzelfde moment dat hij de woorden uitsprak. 'De politie is er vast snel, maar ik kom ook. Ga op de bank van Ernst zitten en wacht daar op ze.'

'Ja. Ik zal wachten', zei Julia. 'Ik wacht op je.'

Ze klonk nog steeds kalm.

Ze hing op en Gerlof bleef nog een minuut bij zijn bureau zitten om kracht te verzamelen.

Ernst. Ernst was dood. Gerlof liet het feit bezinken. Daarnet had hij twee goede vrienden in zijn leven gehad, John en Ernst. Nu had hij er nog maar een.

Hij pakte zijn stok en stond op. Nu was hij alleen nog besluitvaardig, hoewel de reuma en het verdriet het moeilijker dan ooit maakten om zich te bewegen. Hij liep de gang in, hoorde iemand in de keuken lachen en liep ernaartoe.

Boel was er met een jong meisje, ze kreeg blijkbaar instructies over het bedienen van de afwasmachine. Ze ontdekten Gerlof en Boel glimlachte tegen hem, maar toen ze zijn gezicht zag werd ze ernstig.

'Boel, ik moet naar Stenvik. Er is een ongeluk gebeurd. Mijn beste vriend is dood', zei Gerlof met een vastbesloten stem. 'Iemand moet me ernaartoe brengen.'

Hij bleef haar aankijken en ten slotte knikte Boel. Ze hield er niet van om van haar routine af te wijken, maar deze keer bracht ze dat niet ter sprake.

'Als je twee minuten wacht, rij ik je ernaartoe', zei ze alleen.

Toen de noordelijke afslag naar Stenvik, die naar de steengroeve leidde, zichtbaar werd, gebaarde Gerlof in de passagiersstoel met zijn arm. 'We nemen de zuidelijke afslag', zei hij.

'Waarom?' zei Boel. 'Je wilt toch naar ...'

'Ik heb twee vrienden in Stenvik', zei Gerlof. 'Een daarvan was Ernst. De andere moet weten wat er is gebeurd.'

Het was geen lange omweg naar de zuidelijke afslag met het afgeplakte campingbord, waaruit bleek dat de camping van Stenvik op dit moment gesloten was. Dat was het werk van John Hagman, hoewel het risico klein was dat iemand hier in oktober met een tent of een caravan zou opduiken.

Links zag hij de gesloten kiosk, daarachter de minigolfbaan waar een man van middelbare leeftijd in een groen trainingspak met vermoeide gebaren de banen veegde. Hij keek schuchter naar de auto toen ze langsreden. Het was Anders Hagman, Johns enige zoon. Hij was vrijgezel en zwijgzaam, en Gerlof had hem bijna nooit in iets anders gekleed gezien dan in dat versleten trainingspak – misschien had hij er een paar.

'Hier is het', zei Gerlof. 'Het is dat huis.' Hij wees naar een klein huis naast de oprit naar de camping, een laag gebouw met kleine, smalle ramen, dat eruitzag als een bewakershuisje. Voor de deur stond een roestige oude groene vw Passat geparkeerd, dus John was thuis.

Boel remde en stopte. Gerlof deed het portier open en stapte uit, en bijna tegelijkertijd ging de deur van het kleine huis open. Een kleine man in een donkerblauwe werkoverall, met zijn grijze haren naar achteren gekamd en in een kleine knot in zijn nek gebonden, stapte op wollen sokken naar buiten op de houten trap. Het was John Hagman, die altijd snel bij de deur was om te zien wie er op bezoek kwam.

John en Anders Hagman runden de camping van Stenvik 's zomers samen. Anders woonde 's winters meestal in Borgholm.

John bleef het hele jaar in Stenvik, hij deed het dagelijkse onderhoud van de camping als Anders er niet was. Het was ploeteren voor een oude man – Gerlof zou hem geholpen hebben als hij zelf niet nog ouder was geweest.

Gerlof knikte naar John, en John knikte terug en stapte in een paar zwarte rubberlaarzen die op de trap stonden.

'Zo zo', zei John toen Gerlof naar hem toe kwam. 'Dat is onverwacht.'

'Ja. Er is een ongeluk gebeurd', zei Gerlof.

'Waar dan?'

'In de steengroeve.'

'Ernst?' vroeg John zacht.

Gerlof knikte.

'Is hij gewond?'

'Ja. Het is ernstig', zei Gerlof. 'Heel ernstig.'

John kende hem bijna vijftig jaar, ze hadden altijd contact gehouden na de jaren samen op zee. Hij leek in Gerlofs ogen precies te kunnen lezen hoe ernstig het was.

'Is er daar iemand?' vroeg hij.

'Die moeten er nu zijn', zei Gerlof. 'Mijn dochter Julia heeft gebeld. Zij is er nu. Ze is gisteren uit Göteborg hiernaartoe gekomen.'

'O.' John liep zijn huis in en toen hij weer naar buiten kwam had hij een donsjack en een sleutelbos in zijn hand. 'We kunnen met mijn auto gaan', zei hij. 'Ik zeg even dat ik ga.'

Gerlof knikte, dat was een goed idee. Boel wilde natuurlijk terug naar de afdeling en hij kon beter met John praten als ze alleen waren.

John ging naar Anders, bleef voor hem staan, wees naar de golfbaan en zei iets. Anders schudde zijn hoofd. John wees naar hem en Gerlof hoorde dat hij harder ging praten. Vader en zoon Hagman hadden een gespannen relatie, wist Gerlof – ze waren te afhankelijk van elkaar.

Ten slotte knikte Anders, en John schudde zijn hoofd en draaide hem zijn rug toe. Ze waren klaar met ruziemaken.

Terwijl John zijn auto opendeed, liep Gerlof langzaam naar Boel toe om haar te bedanken voor de lift.

'Ernst is dus dood', zei John achter het stuur.

'Dat zei Julia', zei Gerlof terwijl hij uitkeek over het strand en het glinsterende water onder de kustweg.

'Hij heeft dus een steen op zich gekregen', zei John.

'Een grote steen, volgens Julia', zei Gerlof.

Er had meer dan zestig jaar geen ernstig ongeluk plaatsgevonden in de steengroeve, besefte hij, maar nu hij gesloten was had Ernst een steen op zich gekregen.

'Ik heb de reservesleutel meegenomen', zei John. 'Voor als ze al met hem weggereden zijn.'

'Heeft hij jou een sleutel gegeven?' vroeg Gerlof, die dat vertrouwen nooit van Ernst had gehad. Aan de andere kant had hij ook nooit een duplicaat van zijn huissleutel aan Ernst gegeven. Misschien hadden ze elkaar niet helemaal vertrouwd.

'Ernst wist dat ik niet zou rondsnuffelen', zei John.

'Maar nu moeten we misschien toch binnen rondkijken', zei Gerlof. 'Ik weet niet goed waar we naar moeten zoeken. Maar zoeken moeten we.'

'Inderdaad', zei John. 'Nu is het anders.'

Gerlof zei niets meer, hij keek door de voorruit, naar de ambulance die hen op de hoofdweg tegemoet reed. Gerlof had nog nooit een ambulance in Stenvik gezien.

Hij kwam langzaam aanrijden vanaf de steengroeve, de donkerblauwe lampen op het dak waren gedoofd. Dat was geen goed teken, maar dat hadden ze al verwacht. John ging langzamer rijden, de ambulance passeerde hun auto en daarna namen ze de noordelijke dorpsweg.

'Zijn steenkunst verkocht goed afgelopen zomer', zei John na een tijdje stilte. 'We maakten er grapjes over, dat Ernst meer klanten voor zijn stenen had dan ik vissen in mijn net.'

Gerlof knikte alleen, op dit moment was er niets meer te zeggen. De dood van Ernst voelde nog steeds als een grote last op zijn schouders.

John draaide de smalle weg op naar het plateau boven de steengroeve, en Gerlof zag sporen van meerdere auto's in de modder. Ja, nu zag hij de auto's van Ernst en Julia staan, en daarachter stonden twee politieauto's en nog een particuliere auto, een glanzende blauwe Volvo. Ernaast stond een man van middelbare leeftijd met een pet en een camera op zijn buik.

'Bengt Nyberg heeft weer een nieuwe auto gekocht', zei Gerlof.

'Redacteur bij een krant wordt waarschijnlijk goed betaald', zei John.

'Denk je?' zei Gerlof.

John remde ter hoogte van het bord STEENKUNST – WELKOM en zette de motor uit. Het werd stil.

Gerlof stapte met moeite uit de auto, zijn gewrichten waren zoals gewoonlijk stijf en protesteerden tegen de ongewone bewegingen. Hij zette zijn stok neer, rechtte zijn rug en knikte naar de plaatselijke redacteur van de *Ölands-Posten* op Noord-Öland, die nu met zijn hand op zijn camera naar hen toe kwam slenteren.

'De ambulance heeft hem net meegenomen', zei Nyberg.

'Dat weten we', zei Gerlof.

'Ik heb hem ook gemist. Ik heb wat foto's genomen van de politieagenten en het bloed daar beneden, maar ik denk niet dat we die kunnen afdrukken. Daar beslissen ze in Borgholm over.'

Het klonk alsof hij praatte over de foto's van een gebroken raam of van een auto die van de weg was geraakt. Bengt was altijd al ongevoelig geweest, dacht Gerlof.

'Je kunt die foto's beter niet plaatsen', zei Gerlof.

'Weten jullie wie hem heeft gevonden?' vroeg Nyberg terwijl hij op een knop op zijn camera drukte. Die begon te zoemen toen de film terugspoelde.

'Nee', zei Gerlof.

Hij begon langzaam naar de rand van de steengroeve te lopen. Waar was Julia?

'Ga naar huis en schrijf je artikel, Bengt', zei John achter Gerlof.

'Ja', zei Nyberg. 'Jullie lezen er morgen meer over.'

Toen liep hij naar zijn nieuwe auto, stapte in en startte de motor.

Gerlof liep langzaam langs het huis naar de werkschuur bij de steengroeve. Toen hij een paar meter van de rand was, kwam er een politieagent in uniform naar boven klimmen. Hij zwaaide één been over de rand, trok zich omhoog en bukte zich toen om een tweede politieagent omhoog te helpen, een jongere collega. Terwijl hij op adem kwam keek hij naar Gerlof, die geen van tweeën herkende. Ze waren uit Borgholm of van het vasteland.

'Zijn jullie familie?' vroeg de oudste politieagent.

'Oude vrienden', zei Gerlof. 'Zijn familie woont in Småland.'

De politieagent knikte.

'Er is niet veel te zien', zei hij.

'Was het een ongeluk?'

'Een arbeidsongeval', zei de politieagent.

'Hij wilde een beeld op de rand verplaatsen', zei de jongere politieagent. Hij wees naar de rand van de klip met de kleine kuil in het grind. 'Hij stond hier en hield de steen vast. En toen ...'

'Ja, hij gleed uit of struikelde en hij viel naar beneden en kreeg het beeld boven op zich', zei de oudere agent.

'Het ging waarschijnlijk snel', zei de jongere agent.

Gerlof deed nog een stap naar voren en steunde op zijn stok. Nu zag hij het.

De kerktoren, het grootste beeld van Ernst, lag in de groeve. Je zag duidelijk waar hij was terechtgekomen toen hij viel. Er zat een diepe kuil in het gruis.

Een spoor van Ernst. Gerlof keek snel weg, naar de rest van de steengroeve, maar toen hij eraan dacht hoeveel grafstenen door de jaren heen uit deze berg waren gehouwen keek hij nog verder weg, naar het strand en het water, en toen voelde hij zich eindelijk een beetje beter.

Daarna keek hij naar de rand van de groeve, waar de andere beelden op een rij stonden. Ernst had ze met een paar meter tussenruimte neergezet, maar verderop was een bredere opening. Gerlof liep ernaartoe.

Er was nog iets naar beneden gevallen, een kleiner beeld. Hij zag het in de steengroeve liggen, een rond, langwerpig voorwerp dat een soort ei of een trollenhoofd kon zijn. In tegenstelling tot de kerktoren was dit beeld in tweeën gebroken.

Hm. Gerlof draaide zich langzaam om, zodat hij zijn evenwicht niet verloor op de oneffen grindbodem, en begon naar het huis te lopen.

'Is Julia Davidsson er nog?' vroeg hij aan de politieagenten. Ze waren gestopt om in Ernsts werkschuur te kijken, waar voorhamers, karren en een oude stenenslijper zich verdrongen met nog meer beelden van verschillende afmetingen.

'Ze zit binnen met Hendriksson', zei de oudere, terwijl hij naar het huis wees.

'Dank je.'

De deur van het huis stond op een kier, dus John moest binnen zijn. Gerlof klom moeizaam de lage, houten trap op. Hij deed een paar mislukte pogingen om zijn voeten op de deurmat te vegen. Daarna duwde hij de deur open.

Verschillende schoenen stonden in de weg – Gerlof moest ze met zijn stok wegschuiven om verder te kunnen lopen. Er was geen denken aan dat hij zelf kon bukken om zijn schoenen uit te trekken, hij hield ze aan en liep verder door de smalle hal.

Ingelijste foto's van de oude steenhouwer met koevoet en schep hingen aan de muren.

Hij hoorde zachte stemmen in het huis.

John stond bij het raam in de zitkamer en keek naar buiten. Op de bank zaten Julia en een geüniformeerde politieagent, een oudere man die zijn pet beleefd had afgezet.

Gerlof knikte naar hem. 'Dag, Lennart.'

De man op de bank was de eerste politieagent ter plekke die Gerlof herkende. Lennart Henriksson was al bijna vijfendertig jaar politieagent, hij werkte op heel Noord-Öland, woonde in een huis ten noorden van Marnäs en runde een plaatselijk politiebureau bij de haven. Hij had grijze haren en was op weg naar zijn pensionering. Normaal keek hij een beetje futloos en hingen de brede schouders in het politie-uniform naar beneden, maar nu zat hij met een rechte rug naast Julia.

'Dag, schipper', zei Henriksson tegen Gerlof.

'Dag, papa', zei Julia zacht.

Het was de eerste keer in vele jaren dat ze dat woord tegen hem gebruikte, waardoor Gerlof wist dat ze uit haar evenwicht was. Hij liep langzaam naar haar toe en ging bij de tafel staan.

'Wil je zitten?' zei Lennart.

'Het is goed zo, Lennart. Ik heb soms een beetje beweging nodig.'

'Je ziet er gezond en fit uit, Gerlof.'

'Dank je.'

Het werd stil. Achter hen draaide John zich om en verliet de kamer zonder een woord te zeggen.

'Julia vertelde net dat ze je dochter is', zei Lennart.

Gerlof knikte zwijgend.

'Is de ambulance weg?' vroeg Julia terwijl ze naar Gerlof keek.

'Ja ... John en ik kwamen hem op weg hiernaartoe tegen.'

Julia knikte.

'Dan is hij dus weg.'

'Ja.' Hij keek naar Hendriksson. 'Was er een arts bij?' vroeg hij.

'Jazeker. Een jonge plaatsvervanger uit Borgholm ... ik was hem nog niet tegengekomen. Hij constateerde alleen wat er was gebeurd.'

'Zei hij dat het een ongeluk was?' vroeg Gerlof.

'Ja. Daarna is hij weer weggereden.'

'Maar hij lag vannacht in de regen', zei Gerlof.

'Ja', zei Lennart. 'Het moet gisteravond zijn gebeurd.'

'Dus er was geen bloed?' vroeg Gerlof. 'Zijn alle sporen in de regen verdwenen?'

Hij wist niet precies waarom hij deze vragen stelde of waartoe ze konden leiden, maar hij nam aan dat hij interessant wilde doen. Het verlangen om interessant te doen is misschien het laatste wat een mens kwijtraakt.

'Hij had bloed op zijn gezicht', zei Julia. 'Een beetje bloed.'

Gerlof knikte. In de gang klonken voetstappen, en de jongste van de twee onbekende politieagenten keek de kamer in.

'We zijn klaar, Lennart', zei hij. 'We gaan terug.'

'Goed. Ik denk dat ik nog even blijf.'

'Doe dat, blijf jij maar op je post.'

Er klonk respect door in de stem van de jongere politieagent, dacht Gerlof. Misschien veroorzaakten al Lennarts dienstjaren dat respect, of het feit dat zijn vader ook politieagent was geweest en tijdens zijn werk was vermoord.

'Rij voorzichtig naar Borgholm', zei Hendriksson en zijn collega knikte en verdween.

Achter hem stond John met een grote, bruine, leren portemonnee in zijn hand. Hij liet hem aan Gerlof en Julia en Hendriksson zien.

'3.285 kronen, van de beeldenverkoop', zei hij. 'Hij bewaarde hem in de onderste keukenla, onder de plastic zakken.'

'Jij moet er maar voor zorgen, John', zei Hendriksson op de bank. 'Het zou dom zijn om hier zo veel geld te laten liggen.'

'Ik kan hem meenemen totdat de erfenis door de familie wordt verdeeld', zei Gerlof en hij stak zijn hand uit naar de portemonnee.

John leek opgelucht om hem te kunnen afgeven.

Het werd weer stil in de kamer.

'Tja', zei Henriksson. Hij boog voorover en kwam met enige moeite van de bank omhoog. 'Ik moet er waarschijnlijk ook vandoor.'

'Bedankt dat je ...' Julia zat nog op de bank, ze zocht naar woorden, '... dat je de tijd hebt genomen.'

'Natuurlijk.' Hendriksson keek haar aan. 'Het is niet gemakkelijk om als eerste bij een dodelijk ongeval te zijn. Ik heb dat door de jaren heen natuurlijk een paar keer meegemaakt. Je voelt je behoorlijk ... eenzaam. Machteloos.'

Julia knikte.

'Maar ik voel me nu een stuk beter.'

'Mooi.' Henriksson pakte zijn politiepet. 'Ik heb een bureau in Marnäs. Je kunt altijd langskomen als er iets is.' Hij keek naar John en Gerlof. 'Jullie zijn natuurlijk ook welkom. Sluiten jullie hier af?'

'Dat doen we', zei Gerlof.

Lennart Henriksson knikte naar hen en liep naar buiten. Even later hoorden ze een auto starten en langzaam wegrijden.

'Wij moeten ook gaan', zei Gerlof tegen Julia. Hij stopte de portemonnee van Ernst in zijn zak en keek naar John. 'Kunnen we heel even naar buiten gaan?' vroeg hij. 'Ik wil je iets laten zien ... Iets wat me is opgevallen.'

'Zal ik meegaan?' vroeg Julia.

'Dat is niet nodig.'

John liet Gerlof voorgaan toen ze het huis uit kwamen. Steunend op zijn stok liep hij de trap af, stapte op het grind en sloeg de hoek om naar de steengroeve.

'Waar gaan we naartoe?' vroeg John.

'We gaan naar de rand, ik heb iets ontdekt voordat ik naar binnen ging ... Hier.'

Gerlof wees naar de steen in de groeve, die eruitzag als een groot ei of een misvormd hoofd en die in een groot en een klein stuk was gebroken.

'Herken je hem?' zei hij tegen John.

John knikte langzaam.

'Die noemde Ernst de "Kantsteen"', zei hij. 'Bij wijze van grap.'

'Hij is naar beneden geduwd', ging Gerlof verder. 'Denk je niet?'

'Inderdaad.' John knikte weer. 'Daar lijkt het op.'

'Hij stond afgelopen zomer achter het huis', zei Gerlof.

'Daar stond hij vorige week toen ik hier was nog', zei John. 'Dat weet ik zeker.'

'Ernst heeft hem expres naar beneden gegooid', zei Gerlof.

'Daar lijkt het inderdaad op.'

De oude vrienden keken elkaar aan.

'Wat denk jij?' vroeg John.

'Ik weet niet wat ik ervan moet denken.' Gerlof zuchtte. 'Ik weet het niet. Maar ik denk dat Nils Kant misschien terug is.'

9

Julia leende het witte porselein met de gele Ölandse zonnen van Ernst, zette koffie en maakte brood. Ze had het gevoel dat ze voor één keer iets nuttigs deed. John en Gerlof zaten op de bank gedempt over Ernst te praten.

Het waren kleine verhalen en herinneringsfragmenten, vaak zonder clou, over vergissingen die Ernst had gemaakt als nieuw aangenomen steenhouwer toen hij net naar Öland was verhuisd of over de mooie kunst die hij op latere leeftijd in zijn werkplaats maakte. Julia begreep dat Ernst, afgezien van een paar jaar als zeeman op de Oostzee tijdens de oorlog, zich zijn hele volwassen leven met het vormen van stenen had beziggehouden. Toen de steengroeve in de jaren zestig sloot, was Ernst op eigen houtje verder gegaan. Hij gebruikte het afval dat door de steenhouwers opzij was gegooid en hakte en sleep en maakte er kunst van.

'Hij hield van deze steengroeve', zei Gerlof terwijl hij uit het raam keek. 'Hij zou hem beslist van Gunnar Ljunger in Långvik hebben gekocht als hij daar geld voor had gehad, hij wilde nergens anders wonen. Hij wist precies hoe de verschillende soorten steen moesten worden gehakt en gedeeld en bewerkt.'

'Ernst maakte de mooiste grafstenen', zei John. 'Als je over het kerkhof van Marnäs of Borgholm loopt zie je dat.'

Julia zweeg en keek naar een stapel oude, regionale boeken die op de salontafel lagen. Ze luisterde naar John en Gerlof, maar ze vond het moeilijk om te vergeten hoe Ernst er had uitgezien toen ze hem vond.

De politieagent die het eerst op de plaats van het ongeluk was aangekomen, Lennart Hendriksson, had snel een deken uit zijn auto over Ernst heen gelegd en had haar meegenomen naar het huis. Hij was bij haar gebleven maar had niet zo veel gezegd, en dat was een goed gevoel geweest. Na die dag had ze veel te veel lege woorden van troost gehoord waar ze niet om had gevraagd.

'Lukt het je om me naar huis te rijden, Julia?' vroeg Gerlof toen het brood op was en de verhalen waren gestopt.

'Ja, natuurlijk.'

Ze kwam overeind en liep naar de keuken om de koffiekopjes af te wassen, bijna geïrriteerd over de vraag.

Ik heb een verbrijzelde man onder een rotsblok gevonden, dacht ze, met een bloedende mond en ogen die uit hun kassen waren gesprongen. Maar ik heb eerder bloed gezien, ik heb dode mensen gezien. Ik heb ergere dingen meegemaakt.

Tussen de malende gedachten herinnerde ze zich plotseling iets wat misschien belangrijk was en ze bleef stilstaan en draaide zich in de deuropening om naar haar vader.

'Hij had een mededeling voor je', zei ze. 'Dat was ik vergeten.'

Gerlof keek op.

'Ernst', legde ze uit. 'Ik heb hem toch bij het zomerhuis gesproken toen ik naar Stenvik kwam, en ik moest iets tegen je zeggen ... Hij zei het vlak voordat hij wegging.' Ze zweeg en probeerde het zich te herinneren. 'Iets over de duim die het belangrijkst was en niet de hand.'

'De duim die het belangrijkst was?' vroeg Gerlof.

Julia knikte. 'Weet je wat hij daarmee bedoelde?'

Gerlof schudde nadenkend zijn hoofd. Hij keek naar John. 'Weet jij het?'

'Geen idee', zei John. 'Kan het een spreekwoord zijn?'

'Dat zei hij in elk geval', zei Julia en ze liep naar de keuken.

Julia en Gerlof reden in de Ford terug naar de camping, en John volgde in zijn eigen auto. Vanaf de Kalmarsund was een grauw wolkendek over het eiland getrokken waarachter de zon nu schuilging. Het Stenvik dat tot leven was gekomen door de verhalen van de oude mannen, waar mensen woonden en het hele jaar werkten en waar elke boerderij en elk pad zijn eigen naam had, was weer ingedut. Alle huizen waren leeg en afgesloten, de wieken van de windmolen draaiden niet rond en er waren geen lange netten langs houten palen uitgezet om paling in de zeestraat te vangen.

Toen Julia was afgeslagen en naast de minigolfbaan stopte, parkeerde John zijn auto en liep naar ze toe. Gerlof draaide het zijraam naar beneden en John keek naar Julia: 'Zorg goed voor je vader.'

Het was de eerste keer dat John Hagman rechtstreeks tegen haar praatte.

Julia knikte. 'Ik zal het proberen.'

'Hou contact, John', zei Gerlof naast haar. 'Laat iets van je horen als je onbekende ... als je vreemde mensen ziet.'

Vreemde mensen, dacht Julia en ze herinnerde zich een gebeurtenis uit haar jeugd in de jaren vijftig, toen een zwarte man die breed glimlachte maar slecht Engels en geen Zweeds sprak, tijdens een zomer in Stenvik was verschenen en van huis naar huis was getrokken met een koffer in zijn hand. De mensen in het dorp hadden hun deuren op slot gedaan en weigerden voor hem open te doen – en toen iemand eindelijk durfde te vragen wat hij wilde, bleek hij geen dief te zijn, maar een christen uit Kenia die bijbels en psalmboeken verkocht. In Stenvik hielden ze niet van vreemde mensen.

'Ja, ja, we houden contact', zei John Hagman.

Julia zag hem naar het huis lopen en een bezem pakken alsof het zijn liefste bezit was. Met de bezem in zijn hand liep hij daarna naar de golfbaan en begon opnieuw tegen zijn zoon Anders te gebaren.

'John heeft de camping vijfentwintig jaar lang gerund', zei Gerlof. 'Nu is zijn zoon Anders verantwoordelijk, maar hij loopt voornamelijk te dromen. John is nog steeds degene die moet schoonmaken en schilderen en het verval op afstand moet houden. Hij zou het rustiger aan moeten doen, maar hij luistert niet naar me.'

Hij zuchtte. 'Tja, dat was het', zei hij daarna. 'Nu gaan we naar het zomerhuis.'

Julia schudde haar hoofd. 'Ik breng je naar Marnäs', zei ze.

'Ik wil graag naar het zomerhuis kijken', zei Gerlof. 'Nu ik zo'n goede chauffeur heb.'

'Het is al laat', zei Julia. 'Ik wilde vandaag naar huis rijden.'

'Dat heeft toch geen haast', zei Gerlof. 'Göteborg loopt niet weg.'

Julia herinnerde zich achteraf niet of zij of Gerlof had voorgesteld dat ze in het zomerhuis zouden overnachten.

Misschien werd dat beslist toen Gerlof zich met zijn jas aan met een diepe zucht in de enige stoel in de zitkamer liet zakken. Of misschien toen Julia naar buiten ging om de waterkraan onder het brondeksel op straat open te draaien en de hoofdschakelaar in de meterkast in de keuken aanzette. Of toen ze de plafondlampen had aangedaan, de radiator had opengedraaid en voor allebei een beker vlierbessenthee op het fornuis had gemaakt. Het was in elk geval een stilzwijgende afspraak tussen hen dat ze die nacht in Stenvik zouden blijven. Julia zette haar mobiel aan zodat Gerlof het personeel van het tehuis kon bellen en het besluit kon meedelen.

Daarna liep Gerlof een rondje over het terrein. 'Geen spoor van ratten', zei hij tevreden toen hij in huis terugkwam.

Julia keek stil en voorzichtig rond in de donkere, kleine kamers van het zomerhuis, alsof ze in een museum was. Hier bevond zich een deel van haar verleden, van haar jeugd, maar het voelde alsof het was ingekapseld in glazen vitrines.

Wat was er in het zomerhuis te zien? Niet veel. Vijf kleine kamers met meubels bedekt met witte lakens, zes smalle bedden zonder beddengoed, een kleine keuken met een raam en een vensterbank waarop dode vliegen als zwarte, sprietige letters lagen. Een zongebleekte, oude scheepskaart van Noord-Öland hing aan een muur, op een bureau stond een ingelijste zwartwitfoto uit de jaren zestig van een gespannen glimlachende Julia als tiener met haar zus Lena naast zich, en in een hoek stond een boekenkast; verder waren er net zo weinig persoonlijke bezittingen als in een huurhuis.

De houten vloer, waarop geen kleden lagen, was ijskoud. En er was bijna niets meer wat Julia zich uit haar jeugd herinnerde.

Maar er waren meer persoonlijke dingen geweest, en toen Julia de onderste bureaula opentrok in de kamer die haar kinderkamer in het zomerhuis was geweest, vond ze er een: een ingelijste foto van een kleine zongebruinde jongen in een witte katoenen trui, die verlegen naar de fotograaf lachte. De foto had jarenlang op het bureau gestaan, maar nu had iemand hem weggestopt.

Julia zette de foto terug waar hij hoorde te staan. Ze bestudeerde de foto van haar verdwenen zoon en verlangde naar rode wijn; een paar glazen zouden haar warm en vergeetachtig maken en zouden het verblijf in het zomerhuis vergemakkelijken, maar ze wilde niet dat Gerlof wist dat ze dronk.

Gerlof leek niet te merken hoe ze zich voelde, hij liep langzaam door de kamers alsof dit zijn echte huis was. En dat was het immers ook, in een bepaald opzicht. Hij had hier elke zomer en elk weekend gewoond toen hij gepensioneerd was, zolang Julia zich kon herinneren. En hij had bij het hek staan zwaaien als zijn kinderen na een paar weken zomervakantie terugreden naar het vasteland.

Het is geen zomer en ik moet snel vertrekken, dacht Julia bij de deur met de autosleutels in haar hand, maar wat ze hardop tegen Gerlof zei was: 'Lena en ik sliepen in een stapelbed als we hier waren ... Ik lag bovenin.'

Gerlof knikte.

'Het was natuurlijk krap in de vakanties als iedereen er was, maar niemand klaagde, voorzover ik me kan herinneren.'

'Nee. Ik herinner me alleen dat de zomers leuk waren met alle neefjes en nichtjes ... In mijn herinnering scheen de zon altijd', zei Julia. Ze keek naar de klok. 'Maar nu moeten we naar bed ...'

'Nu al?' zei Gerlof terwijl hij de scheepskaart aan de muur

recht hing. 'Heb je geen vragen?'

'Vragen?' zei Julia.

'Ja ...' Gerlof trok de beschermhoes van een stoel in de zitkamer en vouwde hem op.

'Vraag maar gewoon', zei hij.

Hij ging langzaam zitten en op dat moment ging Julia's mobiel in haar jaszak in de donkere hal.

Het digitale signaal klonk fout in de stilte, en ze liep er snel naartoe om op te nemen.

'Hallo, met Julia.'

'Hallo. Hoe gaat het?' Het was Lena – waarschijnlijk de enige die het nummer van Julia's mobiel kende. 'Ben je goed aangekomen?'

'Ja ... ja, dat ben ik.'

Wat moest Julia zeggen? Ze zag haar onrustige ogen in haar spiegelbeeld in het donkere raam, ze wilde haar zus niet vertellen wat er was gebeurd, over Jens' sandaal en het dodelijke ongeluk in de steengroeve. 'Alles is goed', zei ze uiteindelijk.

'Heb je Gerlof gezien?'

'Ja ... we zijn nu in het zomerhuis.'

'In Stenvik?' vroeg Lena. 'Daar gaan jullie toch niet slapen?'

'Jawel', zei Julia. 'We hebben het water en de stroom aangezet.'

'Papa mag het niet koud krijgen', zei Lena.

'Daar zorg ik voor', zei Julia. Ze schaamde zich ineens, en schaamde zich toen omdát ze zich schaamde. 'We zitten gewoon te praten. Wat wil je?'

'Ja ... het gaat over de auto. Marika belde. Ze moet volgend weekend blijkbaar naar een toneelcursus in Dalsland, en dan heeft ze de auto nodig. Ik zei dat het goed was ... Je blijft toch niet op Öland?'

'Dat was ik wel van plan', zei Julia.

Marika was Richards dochter uit zijn eerste huwelijk. Julia wist dat Marika en Lena geen goede relatie hadden – maar blijkbaar goed genoeg om Julia's auto uit te lenen.

'Hoelang blijf je dan?'

'Dat is moeilijk te zeggen ... Een paar dagen.'

'Maar waarom, hoelang ... Drie dagen dus?' zei Lena. 'Je komt dus zondag hiernaartoe met de auto?'

'Maandag', zei Julia snel.

Welke dag Lena ook had gezegd, ze had er in elk geval een dag bij gedaan.

'Kom dan vroeg', zei Lena.

'Dat zal ik proberen', zei Julia. 'Lena ...'

'Goed. Doe papa de groeten, dag.'

'Lena ... heb jij de foto van Jens in het bureau gelegd?' vroeg Julia snel, maar Lena had al opgehangen.

Julia zette haar telefoon met een zucht uit.

'Wie was dat?' vroeg Gerlof vanuit zijn stoel.

'Je andere dochter', zei Julia. 'Ik moest de groeten doen.'

'Aha', zei Gerlof. 'Wil ze dat je naar huis komt?'

'Ja. Ze wil me in de gaten houden.'

Julia ging tegenover Gerlof zitten. Haar vlierbessenthee met honing stond op tafel. Hij was lauw geworden, maar ze dronk hem toch.

'Maakt ze zich zorgen over je?' vroeg Gerlof.

'Een beetje', zei Julia.

Zorgen over de auto in elk geval, dacht ze.

'Het is hier veiliger dan in Göteborg', zei Gerlof met een glimlach.

Maar toen leek hij zich te herinneren wat er eerder die dag in de steengroeve was gebeurd en zijn glimlach verdween. Hij keek naar de vloer en was stil. Julia praatte ook niet.

Het werd langzaam warmer in het zomerhuis en achter de ramen werd het nacht, het was bijna negen uur. Julia vroeg zich af of er beddengoed in het zomerhuis was. Dat zou wel moeten.

'Ik ben niet bang voor de dood', zei Gerlof plotseling. 'Ik was dat jarenlang op zee toen jij jong was, ik was bang voor mijnen en stormen en om aan de grond te lopen, maar nu ben ik te oud. Veel van die angst verdween toen Ella in het ziekenhuis terechtkwam. Die herfst dat ze blind werd en langzaam bij ons vandaan ging.'

Julia knikte zwijgend. Ze wilde niet aan haar moeders dood denken.

Jens kon die septemberdag het zomerhuis uit lopen en de mist in gaan om twee redenen. Een daarvan was dat Gerlof niet thuis was. De andere was dat oma Ella midden op de dag lag te slapen. Ze was die zomer overvallen door een chronische moeheid die haar gebruikelijke kordaatheid had weggevaagd. Het had heel onverklaarbaar geleken, tot de artsen het jaar daarna hadden geconstateerd dat ze diabetes had.

Jens was verdwenen en zijn oma Ella had nog maar een paar jaar geleefd, gekweld door verdriet en een slecht geweten omdat ze die dag had geslapen.

'De dood wordt min of meer een vriend als je oud wordt', zei Gerlof. 'Een bekende in elk geval. Ik wil gewoon dat je het weet, zodat je niet denkt dat ik het niet zal redden ... met de dood van Ernst.'

'Mooi', zei Julia, hoewel ze nog helemaal geen tijd had gehad om over Gerlofs gevoelens na te denken.

'Het leven gaat verder', zei Gerlof en hij dronk zijn thee.

'Op een bepaalde manier', zei Julia.

Het was even stil.

'Je wilt dus dat ik je iets vraag?' zei Julia.

'Inderdaad. Vraag maar.'

'Waarover?'

'Tja ... Wil je misschien weten hoe het ronde beeld heet dat in de steengroeve is gegooid?' Gerlof keek naar Julia. 'Die vormeloze steen? De politie van Borgholm had er misschien vragen over? Of Lennart Henriksson?'

'Nee', zei Julia. Ze dacht na. 'Ik denk niet eens dat ze hem hebben gezien, ze keken verder weg, naar het beeld van de kerktoren en ...' Ze zweeg. 'Ik dacht ook niet aan de steen. Wat is ermee?'

'Dat kun je je afvragen', zei Gerlof. 'Maar het is vooral de naam.'

'Hoe heet hij dan?'

Gerlof haalde diep adem en leunde achterover in zijn stoel.

Hij ademde in een lange zucht uit.

'Ernst was er niet tevreden over', zei Gerlof. 'Er zat een barst in en hij vond hem mislukt. Dus heeft hij hem de "Kantsteen" genoemd. Naar Nils Kant.'

Gerlof keek naar Julia alsof hij een reactie verwachtte, maar ze wist niet waarom.

'Nils Kant', zei ze. 'Juist ja.'

'Heb je die naam eerder gehoord?' vroeg Gerlof. 'Heeft iemand hem in je jeugd genoemd?'

'Voorzover ik weet niet', zei Julia. 'Maar de naam Kant heb ik weleens gehoord.'

Haar vader knikte. 'De familie Kant woonde in Stenvik', zei hij daarna. 'Nils was de zoon, het zwarte schaap ... maar toen jij na de oorlog was geboren, was hij er niet meer.'

'O.'

'Hij was vertrokken', zei Gerlof.

'Wat heeft Nils Kant dan voor vreselijks gedaan?' vroeg Julia. 'Heeft hij iemand vermoord?'

Öland, mei 1945

Nils Kant heeft zijn geweer op de twee buitenlandse soldaten gericht, zijn vinger heeft hij aan de trekker. De wind en het vogelgekwetter en alle andere geluiden op de alvaret zijn verstomd. Het landschap is wazig geworden; Nils ziet alleen de soldaten en de mond van het dubbelloopsgeweer dat hij de hele tijd op hen gericht houdt.

De soldaten komen op zijn commando langzaam overeind. Ze lijken kracht in hun benen te missen; ze grijpen met hun handen in het gras op zoek naar steun om overeind te komen en steken daarna hun armen in de lucht. Maar Nils laat zijn wapen niet zakken.

'Wat doen jullie hier?' vraagt hij.

De mannen kijken naar hem met hun handen boven hun hoofd en geven geen antwoord.

De voorste doet een halve stap naar achteren, stoot tegen de achterste en stopt. Hij lijkt jonger dan degene die achter hem staat, maar beide gezichten dragen een masker van grijs stof, moddervlekken en zwarte dunne baardstoppels, en het is niet te zien hoe oud ze zijn. Het oogwit is bloeddoorlopen en hun ogen zien eruit alsof ze honderd zijn.

'Waar komen jullie vandaan?' vraagt Nils.

Geen antwoord.

Als Nils snel naar beneden kijkt, ziet hij dat de soldaten geen bepakking hebben. De grijsgroene uniformen hebben glimmend versleten knieën en rafelige zomen, en de voorste soldaat heeft een brede scheur boven zijn knie.

Nils heeft zijn geweer, maar dat kalmeert hem niet. Hij probeert langzaam door zijn neusgaten in en uit te ademen zodat zijn armen niet gaan trillen en de geweerloop alle kanten op zwaait. Een onzichtbare ijzeren band klemt steeds harder rond zijn hoofd; door de pijn kan hij niet helder denken.

'Nicht schiessen', smeekt de voorste soldaat.

Nils verstaat hem niet maar vindt dat de woorden net als Adolf Hitlers taal op de radio klinken. Dan zijn het Duitsers en zijn ze van de grote oorlog. Hoe zijn ze hier terechtgekomen?

Een boot, denkt hij. Ze moeten met een boot over de Oostzee zijn gekomen.

'Jullie moeten ... met me meegaan', zegt hij.

Hij praat langzaam, zodat de soldaten het begrijpen. Hij moet het commando nemen, hij heeft immers een geweer in zijn handen.

Hij knikt naar ze.

'Begrijpen jullie wat ik zeg?'

Het is een goed gevoel om te praten, zelfs al verstaan ze hem niet. Het vermindert de angst en bestrijdt de verlamming in zijn hoofd. Nils zou ze mee kunnen nemen naar Stenvik, hij zou een held zijn. Het kan hem niet schelen wat de mensen in het dorp denken, maar zijn moeder zou trots zijn.

De voorste soldaat knikt ook en laat zijn armen langzaam zakken. 'Wir wollen nach England fahren', zegt hij. 'Wir wollen in die Freiheit.'

Nils kijkt naar hem. Het enige woord dat hij verstaat is 'Engeland', dat klinkt zoals in het Zweeds, maar hij weet zeker dat de soldaten geen Engelsen zijn. Hij weet bijna zeker dat het Duitsers zijn.

De achterste soldaat gaat met zijn hand naar de zak van zijn uniform.

'Nee!' Nils' hart slaat keihard, hij doet zijn mond open.

De soldaat stopt zijn hand in zijn zak. Zijn handen bewegen te snel. Nils' ogen kunnen het niet volgen. Hij moet iets doen en zegt: 'Naar boven met die han...'

Een knal verdrinkt de rest van het woord. Het geweer trilt.

Kruitdamp walmt uit de loop en maakt de man voor hem één moment wazig.

Nils was niet echt van plan om te schieten, hij hield het jachtgeweer alleen wat steviger vast om ermee te wijzen, om naar boven te wijzen. Maar het geweer vuurt en de rook komt eruit en de voorste soldaat slaat als een voorhamer tegen de grond.

Nils ziet hem als een schaduw achter de kruitdamp, een schaduw die valt en schokt en in het gras blijft liggen.

De rook trekt weg, al het geluid verstomt, maar de soldaat blijft met een stukgescheurde uniformjas op de grond liggen. Een paar seconden ziet zijn lichaam er helemaal ongeschonden uit, daarna begint het bloed in donkere, groeiende vlekken door de stof te sijpelen. De soldaat heeft zijn ogen dicht en ziet eruit alsof hij doodgaat.

'O, verdomme ...' fluistert Nils tegen zichzelf.

Het is gebeurd. Hij heeft geschoten, en bovendien op de verkeerde soldaat. De voorste soldaat stopte zijn hand niet in zijn zak, maar hij is wel degene die bloedend op de grond ligt.

Nils heeft op een mens geschoten alsof het een haas was; hij en niemand anders heeft geschoten.

De soldaat op de grond knippert met zijn ogen, zijn armen schokken zwak en hij doet vergeefse pogingen om zijn hoofd op te heffen.

Hij ademt uit in korte zuchten, hij ademt uit, maar ademt niet in. Het bloed bedekt zijn uniform. Zijn blik dwaalt rond, heen en weer, en blijft uiteindelijk op de hemel gericht.

Achter hem staat de andere soldaat, degene die met zijn hand in zijn zak voelde, met een hard samengeperste mond en lege ogen. Hij staat helemaal stil, maar houdt iets tussen zijn linker duim en wijsvinger. Het is een voorwerp dat hij vlak voordat het schot knalde uit zijn zak heeft gehaald.

Het is geen wapen, het is veel kleiner. Het ziet eruit als een kleine rood-zwarte steen die glanst en glinstert, hoewel de zon op de alvaret niet schijnt.

Nils houdt het geweer vast, de soldaat houdt zijn steen vast. Geen van hen laat zijn blik zakken.

Nils heeft geschoten, hij heeft gedood. De eerste paniek verdwijnt en er stroomt een koude rust door hem heen. Hij heeft het nu voor het zeggen.

Nils ademt uit, doet een stap naar de soldaat toe en knikt naar de steen. 'Geef die aan mij', zegt hij kalm.

10

Gerlof gaf geen antwoord op Julia's vraag over Nils Kant. Hij wees alleen over haar schouder, naar de duisternis achter het raam.

'De familie Kant woonde recht onder ons', zei Gerlof. 'In het grote gele huis. Ze woonden hier lang voordat wij dit zomerhuis bouwden.'

'Ik herinner me dat er een oude vrouw woonde toen ik klein was', zei Julia.

'Dat was Vera, de moeder van Nils', zei Gerlof. 'Ze is aan het begin van de jaren zeventig overleden. Daarvoor woonde ze jarenlang alleen. Ze was rijk, haar familie bezat een zagerij in Småland en zelf bezat ze veel grond langs de kust, maar ik geloof niet dat ze ooit plezier aan haar geld heeft beleefd. Haar familie ruziet nog steeds over de erfenis, neem ik aan, want de villa is helemaal vervallen. Of misschien durft niemand er te wonen.'

'Vera Kant', zei Julia. 'Ik herinner me haar vaag. Ze was toch niet zo populair?'

'Nee, daarvoor was ze te verbitterd en te gemeen. Als je opa haar ooit onrecht had aangedaan, dan haatte ze je moeder en jou en je hond ook, voor de rest van je leven. Ze was nukkig en trots. Toen haar man stierf nam ze al heel snel haar meisjesnaam weer aan.'

'En ging ze nooit het dorp in?'

'Nee, Vera was erg op zichzelf', zei Gerlof. 'Ze zat meestal in haar villa en verlangde naar haar zoon.'

'Wat had hij dan gedaan?' vroeg Julia opnieuw.

'Heel wat ...' zei Gerlof. 'Toen hij jong was werd hij ervan verdacht dat hij zijn broertje bij het strand had verdronken.

Blijkbaar waren Nils en zijn broertje alleen toen het gebeurde, en Nils zei achteraf dat het een ongeluk was ... dus de waarheid zal waarschijnlijk nooit achterhaald worden.'

'Waren jullie vrienden?'

'Nee, nee. Hij was een paar jaar jonger dan ik, en ik ging op tamelijk jonge leeftijd naar zee. Ik heb hem nauwelijks gekend.'

'Als volwassene ook niet?'

Gerlof moest bijna glimlachen, maar als het om Nils Kant ging viel er niets te lachen.

'Helemaal niet als volwassene', zei hij daarna. 'Hij vertrok uit het dorp, zoals ik al zei.' Hij wees met zijn hand naar de smalle boekenkast die in een hoek van de kamer stond. 'Daarin staat een boek over Nils Kant. Het gaat in elk geval gedeeltelijk over hem. Op de derde plank van bovenaf, met een smalle, gele rug.'

Julia kwam overeind en liep naar de boekenkast. Ze zocht en pakte ten slotte een boek van de derde plank. Ze las de titel hardop. *'Ölandse misdaden.'*

Daarna keek ze vragend naar Gerlof.

'Dat is het', zei Gerlof. 'Een collega van Bengt Nyberg bij de *Ölands-Posten* heeft het een paar jaar geleden geschreven. Lees het, dan weet je het meeste.'

'Goed.' Ze keek naar de klok. 'Maar vanavond niet.'

'Nee. We moeten slapen', zei Gerlof.

'Ik wil graag mijn oude kamer', zei Julia. 'Als dat goed is.'

Dat was geen probleem en Gerlof koos de slaapkamer ernaast, degene die hij en Ella zo veel jaren hadden gedeeld. Hun oude tweepersoonsbed was weg, maar de nieuwe bedden stonden op dezelfde plaats. In de tijd dat Gerlof naar het toilet ging maakte Julia een bed voor hem op, bedden opmaken was een sportieve klus die hij niet meer aankon.

Toen Julia klaar was en naar haar eigen kamer was gegaan, kleedde Gerlof zich uit en ging in zijn lange onderbroek en hemd in bed liggen. De matras was harder dan hij tegenwoordig gewend was.

Hij lag een tijdje in de stilte te denken, maar hij voelde zich in het zomerhuis niet meer thuis dan in zijn kamer in Marnäs. Het was een grote stap geweest om te erkennen dat hij te oud was om zelfstandig in Stenvik te wonen en naar Marnäs moest verhuizen, maar misschien was het de juiste beslissing geweest. Hij hoefde tenminste niet meer zelf af te wassen en koffie te zetten.

Gerlof luisterde even naar de wind in de bomen en viel toen in slaap. Eén keer die nacht droomde hij dat hij op een hard stenen bed in de steengroeve lag. De hemel boven hem was diepblauw, de wind waaide, maar vreemd genoeg hing er toch een dunne mist boven de grond. Ernst Adolfsson stond aan de rand van de groeve en keek met zwarte oogkassen over de steengroeve uit. Gerlof deed zijn mond open om zijn vriend te vragen of hij het beeld echt naar beneden had gegooid en wat hij er in dat geval precies mee had bedoeld – maar iemand fluisterde en Ernst draaide zich om.

Ik heb ze allemaal vermoord.

Het was Nils Kant.

Gerlof ... Ik moet de groeten doen van je kleinkind.

Nils Kant was met zijn dampende jachtgeweer over de alvaret aan komen lopen en nu stond hij om de hoek van het huis van Ernst en was hij bijna bij hem. Gerlof hief zijn hoofd op en ademde vol verwachting in. Eindelijk zou hij zien hoe Nils Kant er als volwassene uitzag, als oude man. Had hij zijn haren nog? Was hij grijs? Had hij een baard? Maar in plaats daarvan draaide Ernst zich om; hij liep om het huis heen en gleed als een stil spookschip langzaam weg in de mist. Gerlof riep hem, maar Ernst was verdwenen.

Het verdriet om hem was pijnlijk heftig toen Gerlof ten slotte wakker werd.

'Sla hier linksaf', zei Gerlof de volgende ochtend in de auto tegen Julia.

Julia keek naar hem en remde.

'We gaan toch naar Marnäs?' vroeg ze. 'Naar het tehuis?'

'Zo meteen. Nu nog niet', zei Gerlof. 'Ik wil eerst koffiedrinken in Stenvik.'

Julia keek een paar seconden naar hem, sloeg linksaf en reed de heuvel af naar de kustweg. Gerlof wierp automatisch een blik op zijn botenhuis om te controleren of de ramen heel waren.

'Weer naar links', zei hij terwijl hij met zijn hand naar een huis langs de kustweg wees. 'Daar gaan we naartoe.'

Julia remde en sloeg af, zonder te letten op tegemoetkomend verkeer of in haar achteruitkijkspiegel te kijken.

'Hier woont een oude vrouw', zei ze toen de auto voor het huis stilhield. 'Ik zag haar eergisteren met haar hond.'

'Zo oud is ze niet', zei Gerlof. 'Astrid Linder is nog maar zevenenzestig of misschien achtenzestig. Ze is net met pensioen gegaan, ze heeft jarenlang als arts in Borgholm gewerkt. Maar ze is hier opgegroeid.'

'En woont ze het hele jaar in Stenvik?'

'Nu wel. Toen Astrid weduwe werd is ze hier permanent gaan wonen.' Gerlof deed het portier open, voelde de pijn in zijn gewrichten toen hij zich bewoog en zuchtte. 'Ze is natuurlijk wat gezonder dan ik.'

Gerlof kreeg zijn benen zelf naar buiten, maar Julia moest om de auto heen lopen en hem helpen bij het overeind komen. Hij knikte kort als dank en daarna liepen ze naar het huis.

Gerlof keek om zich heen. 'Als ik in Stenvik terug ben, doe ik alsof er het hele jaar mensen in alle huizen wonen', zei hij. 'Soms denk ik dat ik de gordijnen in de huizen zie bewegen. Ik zie zwervende schaduwen op de dorpsweg, kleine bewegingen aan de rand van mijn gezichtsveld ... Spoken zie je het duidelijkst vanuit je ooghoeken.'

Julia gaf geen antwoord.

Er was een houten hek in de lage muur en Julia deed het open. De tuin was leeg, maar er stonden tuinmeubelen. Op het kalkstenen terras bij het huis zag ze vier witte plastic stoelen rond een kleine plastic tafel, en daarnaast stond een grijze porseleinen kabouter met een groene muts die met een starre glimlach over de baai uitkeek.

Voordat ze bij de voordeur waren en aanbelden klonk er al enthousiast hondengeblaf in het huis.

'Stil, Willy!' riep een vrouwenstem, maar de hond kalmeerde niet.

Toen de deur openging vloog hij naar buiten en rende als een kleine wit-bruine bliksemschicht rond de benen van Julia en Gerlof; hij moest haar vasthouden om zijn evenwicht niet te verliezen.

'Kalm, stommeling!' riep Astrid weer.

Ze verscheen in de deuropening, klein en witharig en heel mooi in Gerlofs ogen.

'Dag Astrid.'

Astrid pakte de riem van de foxterriër, hield hem vast en keek op. 'Hallo, Gerlof, ben je weer thuis?' Daarna zag ze Julia en ze vroeg snel: 'O, heb je een nieuwe vriendin meegenomen?'

Hoewel de zon zwak scheen was de herfstwind hardnekkig en ijskoud. Maar Astrid Linder dekte toch op het terras voor de koffie, haalde een deken die ze om Gerlof heen sloeg en trok zelf een dikke, groene, wollen trui aan.

'Ik heb een trui nodig', zei Gerlof.

'Welnee. Het is zo gezond hier buiten', zei Astrid en daarna haalde ze koffie en een schaal, die niet was gevuld met zelfgebakken koekjes maar met vier gekochte chocoladecakejes. Astrid hield niet van bakken. Ze schonk koffie in en maakte het zich gemakkelijk.

Gerlof had Julia voorgesteld als zijn jongste dochter, zij en Astrid hadden elkaar begroet, ze hadden een beetje over Willy's tomeloze energie gepraat en hadden gezien hoe hij langzaam kalmeerde en onder de tafel ging liggen. Geen van hen begon over Ernst.

Gerlof geloofde niet dat Astrid zich herinnerde wie Julia was. Daarom was hij verbaasd toen Astrid plotseling met een zachte stem zei: 'Je zult het je niet herinneren, Julia, maar ... ik was er die dag bij, ik heb op het strand gezocht. Mijn man en ik.'

Gerlof zag hoe Julia aan de andere kant van de tafel verstijfde, hoe ze langzaam haar mond opendeed en naar woorden zocht.

'Dank je', zei ze daarna. 'Ik herinner me niet ... Het was zo'n verwarrende dag.'

'Ik weet het, ik weet het.' Astrid knikte en nam een slok koffie. 'Iedereen rende rond. De politie stuurde boten de zeestraat op, maar niemand wist waar ze naartoe moesten. Een groep dorpsbewoners werd langs het water naar het zuiden gestuurd, en wij gingen met een andere groep naar het noorden. We liepen langs het strand en keken in het water en onder alle op het strand getrokken boten en achter elk rotsblok. Ten slotte werd het avond en zagen we niets meer, we zagen geen hand voor ogen ... en toen moesten we terug. Dat was vreselijk.'

'Inderdaad', zei Julia terwijl ze in haar kopje keek. 'Iedereen zocht die avond. Tot het donker was.'

'Het was zo vreselijk', zei Astrid. 'Hij was niet de eerste en niet de laatste die in de zeestraat verdween.'

Het bleef stil rond de koffietafel. De wind waaide zachtjes. Willy snoof en bewoog onrustig bij Astrids voeten.

'De sandaal van de jongen is teruggevonden', zei Gerlof.

Hij keek de hele tijd naar Astrid, maar zag in zijn ooghoek dat Julia hem verbaasd opnam.

'O, ja?' zei Astrid. 'Lag hij in het water?'

'Nee', zei Gerlof. 'Op het land. Iemand moet hem al die jaren hebben bewaard, maar we weten nog niet wie dat is.'

'O jee', zei Astrid. 'Maar was het dan geen ... verdrinking?'

Julia zette haar kopje neer, maar zei niets.

'Daar lijkt het niet op', zei Gerlof. 'Het is ingewikkeld. We weten nog niet zo veel.'

'De man waar je het gisteren over had, Gerlof', zei Julia. 'Nils Kant. Weet hij iets over Jens? Denk je dat?'

'Nils Kant?' vroeg Astrid terwijl ze naar Gerlof keek. 'Waarom praten jullie over hem?'

'Ik heb zijn naam gisteren laten vallen.'

Julia keek onzeker van Astrid naar Gerlof, het was alsof ze iets ongepasts had gezegd.

'Ik dacht alleen dat hij er misschien bij betrokken was. Om-

124

dat hij blijkbaar eerder problemen heeft veroorzaakt.'

Astrid zuchtte. 'Ik dacht dat Nils Kant zo langzamerhand was vergeten', zei ze. 'Toen hij uit Stenvik vertrok ...'

'Hij is vergeten, grotendeels', onderbrak Gerlof haar. 'Dat wordt wel bewezen door het feit dat Julia vóór gisteren nog nooit van hem had gehoord.'

'Hij was iets ouder dan ik,' ging Astrid verder, 'maar we zaten toch in dezelfde klas. Hij had altijd een slecht humeur, ik heb hem nog nooit vrolijk gezien. Hij was groot en hij vocht steeds. Alle meisjes waren bang voor hem ... en de jongens ook. Hij was altijd degene die begon te vechten, maar hij gaf voortdurend een ander de schuld.'

'Ik zat niet bij hem op school, ik was ouder dan Kant,' zei Gerlof, 'maar John Hagman heeft over de vechtpartijen verteld.'

'Daarna ging hij in de steengroeve van de familie werken,' zei Astrid, 'maar dat ging ook niet goed.'

'Hij was daar betrokken bij een ruzie waarbij een stuwadoorsbaas bijna verdronken is.' Gerlof schudde zijn hoofd. 'Weet jij nog dat er een vrachtschip met stenen in brand stond de nacht nadat Nils daar was gestopt, Astrid? Het schip heette Isabell. Het lag in de haven van Långvik en de kapitein werd wakker door de vlammen. Het lukte ze ternauwernood om het schip voorbij de havenpier te slepen voordat het in lichterlaaie stond. Zelfontbranding, zeiden ze bij het onderzoek, maar in Stenvik dachten veel mensen dat Nils Kant de brand had aangestoken. En toen gebeurde het waarschijnlijk.'

Julia keek hem vragend aan. 'Wat gebeurde er?'

'Tja ... dat Nils Kant Stenviks eigen zondebok werd', zei hij. 'Hij kreeg de schuld van alle ellende.'

'Niet alles', zei Astrid. 'Alleen alle misdrijven. Branden en diefstal en gewonde dieren ...'

'En ongelukken', zei Gerlof. 'Als er een molenwiek brak of als er iets stuk ging of als er boten op drift raakten ...'

'Hij heeft alle verdenkingen waargemaakt', zei Astrid. 'Dat heeft hij uiteindelijk bewezen.'

'Hij heeft ook zijn verhaal', zei Gerlof. 'Een strenge vader die stierf toen hij klein was en een moeder die de hele tijd tegen Nils zei dat hij beter was dan alle anderen in het dorp. Het was geen gezonde jeugd.'

Astrid knikte, zweeg een tijdje nadenkend en vroeg daarna voorzichtig: 'Ik heb gisteren op de lokale zender over het ongeluk gehoord. Wanneer is de begrafenis, Gerlof?'

Ze was snel van onderwerp veranderd, merkte hij. Zelfs Astrid dacht blijkbaar niet dat Nils Kant op de een of andere manier iets met de dood van Ernst te maken had.

'Woensdag, voorzover ik weet', zei hij. 'Ik heb het er met John over gehad en hij dacht dat tenminste.'

'En is het in de kerk van Marnäs?'

'Ja', zei Gerlof terwijl hij zijn koffiekopje oppakte. 'Zelfs al betekende die ellendige kerktoren het einde voor hem.'

'Ernst was altijd zo voorzichtig met de beelden', zei Astrid. 'Ik begrijp niet wat hij bij die kliprand te zoeken had.'

Gerlof schudde zijn hoofd, maar zei niets.

'Is dit iedereen?' vroeg Julia na de koffie bij Astrid, toen ze in de auto zaten en naar Marnäs terugreden.

'Iedereen?' vroeg Gerlof.

'Iedereen die in Stenvik woont. Hebben we nu iedereen ontmoet die daar woont?'

'Grotendeels', zei Gerlof. 'Alle echte Stenvikers. Een paar mensen uit Borgholm en Kalmar komen in het weekend naar Stenvik. Dat zijn zo'n vijftien tot twintig personen. Ik ken ze niet zo goed.'

'Hoe is het dan in de zomer?'

'Een zondvloed', zei Gerlof. 'Dan is het hier bomvol met vakantiegasten ... honderden. Er komen steeds meer toeristen. Ze bouwen en bouwen maar. En minstens net zo veel staan bij John op de camping. Er komen bijna meer mensen dan er in mijn jeugd vaste bevolking was. Maar het is nog erger in Långvik, daar hebben ze een passantenhaven en een strandhotel.'

'Ik weet nog hoe het in de zomer was', zei Julia.

Gerlof zuchtte. 'Ik mag waarschijnlijk niet klagen. De bewoners van het vasteland brengen hun geld hier tenslotte naartoe.'

'Maar het is moeilijk om iedereen in de gaten te houden', zei Julia terwijl ze voor de afslag naar Marnäs remde.

'Ja, dat lukt 's zomers niet', zei Gerlof. 'Het is net als bij jou in de grote stad, de mensen kunnen komen en gaan wanneer ze willen.'

'Dat kunnen ze in de herfst toch ook?' zei Julia. 'Er is niemand in Stenvik die kan zien ...'

Ze zweeg plotseling, alsof ze zich iets herinnerde.

'Astrid let altijd op', zei Gerlof. Toen Julia geen antwoord gaf, keek hij haar aan. 'Wat is er?'

'Ik herinnerde me ineens dat Ernst zei dat hij visite zou krijgen', zei Julia. 'Toen ik hem eergisteren bij het zomerhuis sprak. Hij zei: "Je bent welkom om naar de steenkunst te komen kijken, maar vanavond niet, want dan krijg ik visite." Of zoiets.'

'Zei hij dat?' vroeg Gerlof terwijl hij nadenkend door het raam keek.

'Ging dat ook over hem ... over Nils Kant?'

'Misschien wel.'

'Was hij degene die bij Ernst op bezoek zou komen?'

'Dat denk ik niet', zei Gerlof.

Het bleef stil in de auto. Ze reden langs de kerk van Marnäs en Gerlof moest weer denken aan Ernst en aan de aanstaande begrafenis. Hij keek er niet naar uit.

'Je weet meer dan je wilt vertellen', zei Julia ten slotte.

'Een beetje meer', zei Gerlof zacht. 'Niet veel. We hebben er een paar ideeën over, John en ik.'

Ernst had er natuurlijk ook een paar ideeën over gehad, dacht hij neerslachtig.

'Dit is geen spelletje', zei Julia zacht. 'Jens is mijn zoon.'

'Ik weet het.' Gerlof wilde dat hij haar kon vragen om niet meer over Jens te praten alsof hij nog leefde. 'En je zult al snel horen wat ik denk.'

'Waarom begon je tegen Astrid over de sandaal van Jens?' vroeg Julia.

'Om het nieuws te verspreiden', zei Gerlof. 'Astrid vertelt het beslist rond, daar is ze goed in.' Hij keek naar Julia. 'Heb je gisteren tegen de politie over de sandaal gepraat?'

'Nee. Ik had andere dingen aan mijn hoofd. En waarom zou ik daarover praten?'

'Tja ... het kan misschien iets uitlokken. Iemand uitlokken.'

'Wie moet het uitlokken?'

'Je weet maar nooit', zei Gerlof en toen waren ze bij het bejaardentehuis.

Julia hielp hem opnieuw uit de auto.

'Wat ga jij nu doen?' vroeg hij.

'Ik weet het niet. Misschien ga ik naar de kerk.'

'Goed, doe dat. Er staat een lantaarn op je moeders graf, je kunt een kaars meenemen. Ik heb ze boven in mijn kamer.'

'Natuurlijk', zei Julia en ze liep met hem mee naar de deur.

'Dan kun je ook op het kerkhof rondkijken. Als je de kaars voor Ella hebt aangestoken moet je naar de westelijke kerkmuur gaan en daar naar de graven kijken.'

'Juist ja. En waarom dat?' vroeg Julia terwijl ze op de knop drukte die de voordeur van het bejaardentehuis opende.

'Dat weet je als je het ziet', zei Gerlof.

II

Julia stond op het kerkhof van Marnäs en keek naar het graf van Nils Kant.

Hij lag bij de westelijke muur, helemaal aan het eind van een lange rij graven. Op de grafsteen waren de naam NILS KANT en het jaartal 1925-1963 gegraveerd. De steen was klein en pretentieloos, een gewone kalksteen die waarschijnlijk afkomstig was van de steengroeve in Stenvik. Misschien had Ernst Adolfsson hem uitgehouwen. Hij was meer dan dertig jaar oud, en wit korstmos begon de bovenkant te bedekken.

Op het graf groeide dor, geel gras, maar geen bloemen.

Julia had zich al afgevraagd waarom niemand Nils Kant als verdachte had genoemd toen Jens verdween. Als antwoord had Gerlof haar hiernaartoe geleid, naar het verlaten kerkhof in Marnäs – en nu begreep ze dat Nils Kant niets met Jens' verdwijning te maken kon hebben. In 1972 was Kant al bijna tien jaar dood geweest. Het was een antwoord dat in steen was gegraveerd.

Goed. Nog een doodlopende weg.

Twee meter verder stond nog een grafsteen, ook van kalksteen, maar hoger en breder. Daarop waren meerdere namen en jaartallen gegraveerd: KARL-EINAR ANDERSSON 1889-1935 en VERA ANDERSSON F. KANT 1897-1972. Met kleinere letters stond er nog een naam onder: AXEL TEODOR KANT 1929-1936. Dat was het verdronken broertje van Nils, wiens lichaam in de zeestraat was verdwenen.

Op het moment dat Julia zich wilde omdraaien om weg te gaan, zag ze iets kleins en wits achter de steen op Nils Kants graf bewegen. Ze deed een paar stappen naar voren en bukte zich.

Het was een witte envelop, die zacht bewoog in de wind, vastgeklemd tussen de stengels van een paar verdroogde rozen.

Iemand had niet zo lang geleden rozen achter de grafsteen gelegd, begreep Julia, want de droge, donkerrode bladeren zaten er nog aan. Toen ze de envelop oppakte voelde ze dat hij een beetje vochtig was. Als er een naam op had gestaan was de inkt uitgelopen in de regen.

Ze keek om zich heen. De begraafplaats was nog steeds helemaal verlaten. De witte kerk van Marnäs verrees vijftig meter verderop, maar de deur was op slot toen Julia eraan had getrokken en ze had geen beweging achter de smalle kerkramen gezien.

Snel stopte ze de envelop in haar jaszak en keerde het graf haar rug toe.

Ze liep terug naar het graf van haar moeder, haalde een geel berkenblad weg dat in de tijd dat ze was weg geweest naar beneden was gevallen en bukte zich om te controleren of de kaars in de kleine graflantaarn nog brandde. Dat was zo.

Toen liep ze terug naar de auto om de krappe kilometer naar het centrum van Marnäs te rijden.

Toen Julia klein was, was een uitstapje van het zomerhuis naar Marnäs aan de oostkant van het eiland een echt avontuur geweest. Er was niet alleen een kiosk, er waren ook winkels. Je kon er speelgoed kopen.

Nu ze het dorp in reed was ze vooral dankbaar voor de gratis parkeerplekken, wat een groot voordeel was vergeleken met Göteborg. Er waren parkeerplaatsen voor de ICA-supermarkt, langs de korte hoofdstraat en in de haven. Julia koos de haven. Daar was een klein eetcafé, Moby Dick restaurant & pub, met tafels achter de ramen die een half uur voor lunchtijd nog helemaal leeg waren.

Er lagen geen plezierboten of vissersboten in de kleine haven. Julia stapte uit de auto en liep naar de lege betonnen pier die naar de horizon wees. Ze keek een paar minuten uit over de grijze zee, die gerimpeld was door de kleine golven. Aan de horizon was niets te zien. Ergens in het noordoosten lag Gotland, en aan de andere kant van de Oostzee lag Oost-Europa, met de nieuwe oude landen Estland, Letland en Litouwen, die zich hadden losgemaakt van de Sovjet-Unie. Een wereld waar Julia nog nooit was geweest.

Ze draaide zich om en liep door de hoofdstraat zonder iemand tegen te komen. Ze kwam langs een kleine kledingwinkel, een bloemenzaak en een pinautomaat, waar ze stopte om driehonderd kronen te pinnen. De bon vertelde haar zoals gewoonlijk dat ze geldgebrek had en ze verkreukelde hem snel.

Boven de volgende deur hing een plaatijzeren bord met de tekst ÖLANDS-POSTEN. Met kleinere letters stond er *dagblad voor Noord-Öland* onder geschreven.

Julia aarzelde een paar seconden en besloot toen naar binnen te gaan.

Een kleine messing bel rinkelde boven haar hoofd toen ze de deur opendeed. Binnen was een kleine ruimte met goed licht maar slechte lucht – het stonk er naar oude sigarettenrook. Bij de ingang was een onbemande receptiebalie, erachter lag een kantoor met twee bureaus die waren bedekt met kranten en papieren. Twee oudere mannen zaten elk achter een zoemende computer, een grijsharige en een kale, beiden gekleed in een spijkerbroek en een overhemd dat gestreken moest worden. Op de tafel van de kale man stond een naambordje met de tekst LARS T. BLOHM. De tafel van de grijze man had geen bordje, maar Julia herkende hem. Het was Bengt Nyberg, de journalist die zo snel ter plekke was geweest bij de steengroeve. Ze had door het raam een glimp van hem opgevangen en Lennart Henriksson had haar verteld wie hij was.

Aan de muur hing een lange rij krantenpagina's: TRAGISCH DODELIJK ONGEVAL IN STEENGROEVE stond er in dikke zwarte letters op de krantenpagina helemaal links.

Waren alle dodelijke ongevallen niet tragisch?

'Kan ik je helpen?' Bengt Nyberg keek over zijn dikke leesbril naar Julia toen ze naar de balie liep en leek haar niet te herkennen. 'Gaat het om een advertentie?'

'Nee', zei Julia, die zelf niet goed wist waarom ze bij de redactie naar binnen was gegaan. 'Ik liep gewoon langs. Ik logeer op dit moment in Stenvik en ... en mijn zoon is verdwenen.'

Ze knipperde met haar ogen. Waarom had ze dat gezegd?

'Juist', zei Nyberg. 'Maar dit is het politiebureau niet. Dat is het gebouw hiernaast.'

'Bedankt', zei Julia en ze voelde haar pols versnellen, alsof ze iets pijnlijks had gezegd.

'Of wil je dat we erover schrijven?'

'Nee', zei Julia snel. 'Ik ga naar de politie.'

'Wanneer is hij verdwenen?' vroeg Lars Blohm, de andere man. Hij had een diepe, hese stem. 'Hoe laat? Was het hier in Marnäs?'

'Nee. Het is niet vandaag gebeurd', zei Julia. Ze voelde dat haar gezicht steeds roder werd, alsof ze tegen de twee krantenmensen stond te liegen. 'Ik moet nu gaan. Bedankt.' Ze voelde hun blikken in haar rug toen ze zich snel omdraaide en het kantoor uit liep.

Op de stoep ademde ze de koude lucht in terwijl ze probeerde te ontspannen. Waarom was ze bij de krant naar binnen gegaan? Waarom had ze over Jens gepraat? Ze was het niet gewend om vreemde mensen te ontmoeten. En het was nog erger in deze kleine dorpen, waar iedereen elkaar kende en nieuwe bezoekers meteen werden gesignaleerd en blootstonden aan geroddel. Ze verlangde naar Göteborg, waar de mensen elkaar behandelden als een boom in het bos en op de trottoirs langs elkaar liepen zonder naar elkaar te kijken.

Om weg te komen van de glanzende ramen van de *Ölands-Posten* deed ze een paar stappen en zag toen een ander bord naast die van de krant: POLITIE, met het blauw-gele politiewapen erboven.

Onder het bord was een briefje op de deur geplakt. Julia liep de twee traptreden naar de deur op en las het.

Bureau bemand woensdagen van 10-12 stond er met zwarte inkt op het briefje.

Het was vrijdag, dus het bureau was dicht. Wat gebeurde er

als er in Marnäs op een andere dag dan woensdag een misdrijf plaatsvond? Er was geen briefje dat daar antwoord op gaf.

Ze keek naar het raam en zag binnen een schaduw bewegen.

Julia liep de betonnen trap af en tegelijkertijd hoorde ze gerammel aan de deur. Hij werd van het slot gedaan en Lennart Henriksson verscheen in de deuropening. Hij glimlachte. 'Ik zag dat ik bezoek had', zei hij. 'Hoe voel je je vandaag?'

'Hallo', zei ze. 'Ik voel me goed ... ik dacht dat er niemand was. Ik las op het briefje ...'

'Ik weet het, ik moet hier op woensdag twee uur zijn', zei Lennart. 'Maar ik ben er ook op andere tijden. Hoewel dat een geheim is, zo krijg ik namelijk meer werk gedaan. Kom binnen.'

Hij droeg zijn zwarte uniformjas en had een politieradio en een zwarte revolver in zijn riem, dus vroeg ze: 'Ging je net weg?'

'Ik wilde gaan lunchen, maar kom even binnen.'

Hij stapte opzij en liet Julia binnen.

Het politiebureau zag er ouder uit dan de krantenredactie waar ze net was geweest, maar het was er schoon, met groene planten op de vensterbanken, en het rook er niet naar oude sigaretten. Er stond een bureau, naar de deur gekeerd, waarop alle papieren in keurige stapels lagen. Een computer, een fax en een telefoon stonden netjes opgesteld. Boven een plank vol mappen hing een affiche met een tekening van een telefoon, waarop reclame werd gemaakt voor de drugslijn van de politie. Op een andere muur hing een grote kaart van Noord-Öland.

'Mooi kantoor', zei Julia.

Lennart Henriksson hield van orde, dat beviel haar wel.

'Vind je?' zei Lennart. 'Ik zit hier al dertig jaar.'

'Ben jij de enige die hier werkt?'

'Nu wel. In de zomer werk ik hier met een paar collega's, maar in deze tijd van het jaar ben ik alleen. Ze hebben de diensten een voor een ingetrokken.' Hij keek somber in het bureau rond. 'We moeten maar zien hoelang we open kunnen blijven.'

'Gaat het dicht?'

'Misschien. Daar praten de hoge bazen de hele tijd over, om

geld te besparen', zei Lennart. 'Ze zijn van mening dat we alles in Borgholm moeten concentreren. Dat is het gemakkelijkst en het goedkoopst. Maar ik hoop dat ik de paar jaar tot mijn pensioen hier kan blijven.' Hij keek naar Julia. 'Heb je al geluncht?'

'Nee.'

Julia schudde haar hoofd, ze besefte ineens dat ze flinke honger had.

'Zullen we samen iets gaan eten?' vroeg Lennart.

'Ja ... waarom niet.'

Julia kon geen reden bedenken waarom ze nee zou zeggen.

'Goed. Dan gaan we naar Moby Dick. Ik moet alleen mijn computer afsluiten en het antwoordapparaat aanzetten.'

Vijf minuten later was Julia samen met Lennart weer bij de kleine haven. Ze stapten Marnäs' beste restaurant binnen – zowel het beste als het enige in het dorp, had hij verteld.

De inrichting van Moby Dick was geïnspireerd op de zee, met zeekaarten en visnetten en oude gebarsten houten roeispanen die waren vastgespijkerd aan de donkere houten muurpanelen. Nu waren bijna de helft van de tafels bezet met lunchgasten, er klonk een zwak geroezemoes en gerammel van porselein in het lokaal. Een paar nieuwsgierige gezichten draaiden naar Julia toen ze binnenkwam, maar Lennart liep voor haar uit alsof hij haar beschermde en koos een afgelegen tafel bij het raam met uitzicht over de Oostzee.

Wanneer had Julia voor het laatst in een restaurant gegeten? Ze wist het niet. Het voelde heel onwennig om tussen allemaal vreemden aan een tafeltje te zitten, maar ze deed haar best om rustig adem te halen en Lennarts ogen aan de overkant van de tafel te ontmoeten.

'Welkom.'

Een man met een dikke buik en opgerolde overhemdsmouwen kwam naar hen toe en gaf hun twee in leer gebonden menu's.

'Dag Kent', zei Lennart terwijl hij het menu aanpakte.

'Wat willen jullie drinken op deze mooie dag?'

'Ik neem alcoholarm bier', zei Lennart.

'Ik neem ijswater', zei Julia.

Haar eerste impuls was natuurlijk om rode wijn te bestellen, het liefst een hele karaf, maar ze beheerste zich. Ze moest dit nuchter doorstaan. Er was tenslotte niets aan de hand, overal ter wereld luncheten elke dag mensen in restaurants.

'De dagschotel is lasagne', zei Kent.

'Die neem ik', zei Lennart.

'Ik ook.' Julia knikte en ving een glimp op van een grote tatoeage op de bovenarm van de kastelein, donkergroen en wazig van ouderdom, toen hij zich uitstrekte naar de menu's. Het leken ingelijste letters. Een naam? Een naambord van een schip?

'Salade en koffie is inclusief', zei de kastelein en hij verdween naar de keuken.

Lennart kwam overeind om salade te halen en Julia volgde hem.

'Lennart!' riep een man aan de andere kant van de zaal toen ze weer op weg waren naar hun tafel. 'Lennart!'

De politieagent zuchtte.

'Ik kom zo', zei hij zacht tegen Julia en toen liep hij naar de man die hem had geroepen, een oudere man met een glimmend rood gezicht in een blauwe boerenoverall. Julia ging alleen bij hun tafel zitten en zag de man ijverig gebaren en met een grimmige uitdrukking op zijn gezicht iets aan Lennart vertellen. Lennart gaf antwoord, rustig en kort, en de man begon weer te gebaren.

Een paar minuten later kwam de politieagent naar hun tafeltje terug en hij zat net toen kastelein Kent naar hen toe kwam met twee borden gevuld met dampend hete lasagne.

Lennart zuchtte weer. 'Het spijt me', zei hij tegen Julia.

'Het hindert niet.'

'Er is ingebroken in zijn schuur. Ze hebben een benzinejerrycan meegenomen', ging hij verder. 'Als dorpsagent heb je altijd dienst en heb je geen problemen met het invullen van je vrije tijd. Maar laten we nu eten.'

Hij boog zich over zijn bord.

Julia at ook. Ze had honger en de lasagne was lekker, met veel gehakt erin.

Toen zijn bord leeg begon te raken nam Lennart een slok bier en leunde achterover.

'Dus je bent hier om je vader te bezoeken?' vroeg hij. 'Niet om te zonnen en te zwemmen?'

Julia lachte en schudde haar hoofd. 'Nee', zei ze. 'Hoewel Öland in de herfst ook mooi is.'

'Gerlof lijkt zich goed te voelen', zei Lennart. 'Afgezien van de reuma.'

'Ja ... Hij heeft het syndroom van Sjögren', zei Julia. 'Dat is een reumatische pijn in de gewrichten die komt en gaat. Maar zijn hoofd is helder. En hij kan nog steeds flessenschepen bouwen.'

'Ja, die zijn mooi ... Ik was eigenlijk van plan om er een voor het politiebureau te bestellen, maar dat is er nooit van gekomen.'

Het werd weer stil. Lennart dronk zijn bierglas leeg en vroeg rustig: 'En jij, Julia? Voel jij je nu goed?'

'Jawel', zei Julia snel. Het was gedeeltelijk een leugen, maar toen ze besefte dat het misschien echte interesse van Lennart was vroeg ze: 'Bedoel je ... na gisteren?'

'Ja,' zei Lennart, 'dat bedoel ik ten dele. Maar ook datgene wat langgeleden is gebeurd ... in de jaren zeventig.'

'O', zei Julia.

Lennart wist het. Natuurlijk wist hij het, wat had ze anders verwacht? Hij was hier al dertig jaar politieagent, dat had hij haar verteld. En net als Astrid had hij het aangedurfd om het verboden onderwerp aan te snijden, rustig en voorzichtig – een onderwerp waar haar zus langgeleden genoeg van had gekregen en waarover sommige familieleden van Julia nooit hadden durven praten.

'Was je erbij?' vroeg ze zacht.

Lennart keek naar de tafel en aarzelde met zijn antwoord, alsof de vraag onprettige herinneringen opriep.

'Ja, ik was bij het zoeken', zei hij ten slotte. 'Ik was een van de eerste politieagenten die in Stenvik ter plaatse waren. Ik stuurde groepen mensen op pad om het strand af te zoeken. We waren de hele avond buiten, het zoeken werd een uur na middernacht afgebroken. Als er een kind verdwijnt wil niemand stoppen met zoeken.'

Hij zweeg.

Julia herinnerde zich dat Astrid Linder bijna hetzelfde had gezegd en ze keek naar de tafel. Ze wilde niet huilen, niet voor de ogen van een politieagent.

'Het spijt me', zei ze even later tegen Lennart toen de tranen toch kwamen.

'Er is niets om je voor te verontschuldigen', zei Lennart. 'Ik heb soms ook gehuild.'

Zijn stem was zacht en kalm, als een stil wateroppervlak. Julia knipperde met haar ogen en concentreerde zich op zijn ernstige gezicht om haar blik helder te houden. Ze wilde iets zeggen, wat dan ook.

'Gerlof', zei ze en ze schraapte haar keel. 'Hij gelooft niet dat Jens, mijn zoon ... dat hij is verdronken.'

Lennart keek naar haar. 'Juist', zei hij alleen.

'Hij ... hij heeft een schoen gevonden', zei Julia. 'Een kleine sandaal, een jongenssandaal. Zo een als Jens droeg toen hij ...'

'Een schoen?' Lennart bleef naar haar kijken. 'Een jongenssandaal? Heb je hem gezien?'

Julia knikte.

'Herkende je hem?'

'Ja ... ik denk het wel.' Julia pakte haar waterglas. 'Ik wist het eerst zeker ... maar nu weet ik het niet meer.' Ze keek naar de politieagent. 'Het is zo lang geleden. Je denkt dat je bepaalde dingen nooit zult vergeten, maar dat gebeurt toch.'

'Ik wil hem graag zien', zei Lennart.

'Dat zal geen probleem zijn.' Ze wist niet wat Gerlof ervan zou denken als ze de politie erbij betrok, maar dat kon haar niet schelen. Jens was háár zoon. 'Denk je dat het iets te betekenen heeft?' vroeg ze.

'Ik geloof niet dat we te veel moeten hopen', zei Lennart. Hij stak het laatste stuk lasagne in zijn mond en voegde eraan toe: 'Dus Gerlof is op zijn oude dag privédetective geworden?'

'Privédetective... Ja, misschien wel.' Julia zuchtte, het was heel prettig om er met iemand anders dan Gerlof over te praten. 'Hij heeft een heleboel theorieën, of hoe je dat moet noemen. Vage ideeën ... ik weet niet goed wat ik ervan moet denken. Hij heeft gezegd dat de sandaal in een envelop zonder afzender per post naar hem toe is gestuurd, en hij praat over een man die Kant heet en die ...'

'Kant?' zei Lennart snel. Hij zat nu onbeweeglijk. 'Nils Kant? Zei hij dat?'

'Ja', zei Julia. 'Hij komt uit Stenvik, maar hij woonde daar niet meer toen ik was geboren. Ik ben vandaag op het kerkhof geweest en ik zag ...'

'Hij ligt begraven op het kerkhof van Marnäs', zei Lennart.

'Ja, ik heb de grafsteen gezien', zei Julia.

De politieagent tegenover haar staarde naar de tafel. Zijn schouders waren ingezakt en hij leek plotseling weer heel moe.

'Nils Kant ... Hij weigert dood te gaan.'

Öland, mei 1945

Een grote, groenglanzende vlieg komt in de zonneschijn over de alvaret zoemend dichterbij. Hij vliegt kriskras tussen de jeneverbesstruiken door de lucht en landt uiteindelijk midden op de uitgestrekte handpalm. De vleugels van de vlieg komen tot rust en hij strekt zijn poten uit en klampt zich vast, klaar om bij het minste gevaar weg te vliegen, maar de hand ligt onbeweeglijk in het gras.

Nils Kant staat nog steeds met het geweer in de aanslag en kijkt naar de bromvlieg die zijn vleugels in de hand van de Duitse soldaat laat rusten.

De soldaat ligt op zijn rug in het gras. Zijn ogen zijn open, zijn gezicht is opzij gedraaid en je zou bijna kunnen denken dat hij verbaasd naar de vlieg kijkt. Maar de halve nek van de soldaat en zijn linkeroksel zijn weggeschoten door het schot hagel uit het geweer van Nils, het bloed heeft zijn versleten uniformjas vies gemaakt en de soldaat ziet niets.

Nils laat zijn adem ontsnappen en luistert.

Nu het gezoem van de vlieg is verstomd, is het doodstil op de alvaret, zelfs al suizen Nils' oren nog steeds zwak door de twee schoten. Ze moeten in de wijde omgeving hebben weerklonken, maar Nils denkt niet dat iemand ze heeft gehoord. Er zijn geen wegen in de buurt en er komen zelden mensen zo ver op de alvaret.

Nils voelt zich kalm. Hij voelt zich zelfs heel kalm. Na het schot dat de eerste Duitser velde, was het alsof twee onzichtbare handen zijn bevende schouders vastpakten en hem kalmeerden.

Zo, kalm maar. Het bloed bonsde niet meer in zijn vingers, zijn handen trilden niet meer en hij voelde zich zekerder dan ooit toen hij het Husqvarna-geweer op de andere Duitser richtte. Zijn blik was strak, zijn vinger raakte de trekker, de loop had hij stabiel gericht. Als dit oorlog was, of bijna oorlog, dan leek het heel erg op hazen jagen.

'Geef hier', zei hij weer.

Hij stak zijn hand uit en de Duitser begreep het en gaf de kleine glinsterende edelsteen met een voorzichtige beweging van zijn hand aan Nils.

Nils sloot zijn vingers rond de steen zonder naar beneden te kijken of het geweer te laten zakken en stopte hem in zijn achterzak. Hij knikte en kromde zijn wijsvinger heel kalm rond de trekker.

De Duitser tilde hulpeloos zijn handen op, begreep op dat moment hoe slecht het er voorstond, boog zijn knieën en deed zijn mond open, maar Nils was niet van plan naar hem te luisteren.

'Heil Hitler', zei hij en hij vuurde het jachtgeweer af.

Een laatste knal en daarna stilte. Zo gemakkelijk was het.

Nu liggen de twee soldaten bij de jeneverbesstruiken, de ene half achterover met een gebogen rug over de ander. De vlieg kruipt naar de top van de wijsvinger van de bovenste soldaat, strekt zijn vleugels uit en vliegt zonder inspanning weg. Nils volgt hem met zijn ogen tot hij om een grote jeneverbesstruik heen vliegt en verdwenen is.

Nils doet een stap naar voren, zet zijn schoen tegen de bovenste soldaat en duwt. Het lichaam glijdt langzaam van de onderste soldaat af en valt in het gras. Dat ziet er beter uit. Hij zou ervoor kunnen zorgen dat de soldaten nog netter liggen, als bij een echte dodenwake, maar dit moet genoeg zijn.

Nils kijkt naar de doden. De soldaten zien er oud uit maar zijn van zijn leeftijd, en nu ze zo stil liggen denkt hij er weer over na wat ze kunnen zijn.

Waar komen ze vandaan? Hij verstond ze niet, maar hij weet bijna zeker dat ze Duits spraken. Hun uniformen zijn modderig en versleten, met rafelige zomen en glimmend versleten knieën. Ze hebben geen van beiden een wapen, maar degene die boven lag heeft een groene stoffen ransel over zijn schouder die opzij is gevallen toen hij op de grond terechtkwam. Dat ziet hij nu pas.

Nils bukt zich en trekt de ransel open, die droog en bijna helemaal vrij van bloed is. Hij vouwt de stofpunten open en ziet wat spullen: een paar conservenblikken zonder etiketten, een klein mes met een versleten houten handvat, een stapel brieven met een koord eromheen, een half uitgedroogd donker brood. Een paar stukjes touw, wat vieze, bruine stukken verband, een klein kompas van ongepolijst messing.

Nils pakt het mes en steekt dat bij wijze van herinnering bij zich. Geldwaarde heeft het waarschijnlijk niet.

Er zit ook nog iets anders in de ransel: een blikken doosje, dat iets kleiner is dan een geweerkolf. Nils pakt het op en hoort iets ratelen. Hij duwt met zijn duim het deksel open.

Het blikken doosje is gevuld met glinsterende edelstenen. Hij laat ze in zijn hand vallen en voelt hun hardheid en slijping. Een paar hebben het formaat van hagelkogels, een is net zo groot als een slaghoedje, het zijn er meer dan twintig. En er zit nog iets groters in, dat in een stuk groene stof is gewikkeld. Hij trekt het eruit en vouwt de stof open.

Het is een kruisbeeld van puur goud, ter grootte van een handpalm, met een rij rode glanzende edelstenen in goud gevat. Mooi. Hij kijkt een hele tijd naar het kruis voordat hij het weer in de stof wikkelt.

Nils doet het deksel dicht en stopt de oorlogsbuit in zijn rugzak. Hij sluit de ransel en legt hem naast zijn dode eigenaar. Er is hier niets meer te doen. Hij zou de soldaten eigenlijk moeten begraven, maar hij heeft niets om mee te scheppen.

De lichamen moeten blijven liggen waar ze liggen, in de beschutting van de jeneverbesstruiken, dan kan hij morgen misschien terugkomen met een stevige schep. Maar hij steekt in elk geval zijn hand uit en sluit hun ogen, zodat ze niet naar de hemel hoeven te staren.

Dan strekt hij zijn rug, het is tijd om naar huis te gaan. Hij doet zijn rugzak om, pakt het nog steeds warme en naar kruit geurende geweer en begint in westelijke richting naar Stenvik te lopen. De zon schijnt tussen de wolken door.

Na zo'n vijftig stappen draait hij zich om en kijkt naar de lichte grasvlakte achter hem. De opening tussen de jeneverbesstruiken ligt in de schaduw en de groene uniformen van de soldaten versmelten met het landschap, maar een onbeweeglijke witte hand steekt uit het gras omhoog en is duidelijk zichtbaar tussen de kronkelende stammen van de struiken.

Nils loopt verder. Nu begint hij erover na te denken wat hij zijn moeder moet vertellen, hoe hij de bloeddruppels op zijn broek moet verklaren. Hij wil haar alles vertellen, hij wil geen geheimen hebben over wat hij op de alvaret doet, maar soms heeft hij het gevoel dat er dingen zijn die ze eigenlijk niet wil weten. Misschien is de strijd met de soldaten zo'n ding. Hij moet erover nadenken.

Dus denkt hij na, maar hij kan geen goed antwoord bedenken. En nu nadert hij de weg die naar Stenvik leidt. Hij ziet niemand en loopt verder.

Nee, de weg is toch niet helemaal verlaten. In een vlakke bocht een paar honderd meter van de eerste bebouwing van het dorp komt iemand aanlopen.

Nils' eerste impuls is zich terugtrekken, maar hij ziet alleen kleine, gedrongen jeneverbesstruiken achter zich. En waarom moet hij eigenlijk wegrennen en zich verstoppen? Hij heeft iets groots op de alvaret meegemaakt en hij hoeft voor niemand bang te zijn.

Nils blijft een paar meter van de dorpsweg achter een stenen muur stilstaan en laat de gestalte dichterbij komen.

Ineens ziet hij dat het Maja Nyman is. Maja, het meisje uit Stenvik naar wie hij heeft gekeken en aan wie hij nog meer heeft gedacht, maar met wie hij nooit heeft gepraat. Hij kan nu ook niet met haar praten, maar ze komt toch dichterbij, met een glimlach alsof dit een normale zomerdag is. Als ze Nils ziet gaat ze niet sneller lopen, maar hij denkt te zien dat ze haar rug recht, haar kin een paar centimeter verheft en haar borsten naar voren duwt.

Nils staat als vastgevroren naast de weg en ziet Maja aan de andere kant van de lage stenen muur inhouden.

Ze kijkt naar hem. Hij kijkt terug maar vindt geen woorden, niet eens voor een begroeting. De stilte wordt nog ondraaglijker door het gezang van een nachtegaal die in de greppel naast de stenen muur zit.

Ten slotte doet Maja haar mond open. 'Heb je iets geschoten, Nils?' vraagt ze met een heldere stem.

Hij deinst bijna achteruit door haar vraag. Eerst denkt hij dat Maja alles weet, dan beseft hij dat ze het niet over de soldaten heeft. Hij heeft een geweer, hij heeft altijd hazen bij zich als hij in het dorp terugkomt.

Hij schudt zijn hoofd. 'Nee,' zegt hij, 'geen hazen.' Hij doet een stap naar achteren, voelt het gewicht van het blikken doosje in de rugzak en zegt: 'Ik moet ... nu gaan. Naar mijn moeder, in het dorp.'

'Moet je de dorpsweg dan niet nemen?' vraagt Maja.

'Nee.' Nils blijft achteruit lopen. 'Het gaat sneller over de alvaret.'

De woorden komen steeds gemakkelijker; hij kan gewoon praten met Maja Nyman. Hij gaat dat vaker doen, maar vandaag niet.

'Tot ziens dan maar', zegt hij en hij draait zich om zonder een antwoord af te wachten.

Hij vermoedt dat ze blijft staan en hem nakijkt, en hij loopt in een rechte lijn van de dorpsweg af en telt tweehonderd stappen, daarna loopt hij weer in de richting van het dorp.

De hele tijd hoort hij het zwakke gerammel van het blikken doosje op de bodem van de rugzak en hij beseft dat hij het niet mee naar huis durft te nemen. Hij moet voorzichtig zijn met zijn oorlogsbuit.

Na nog ongeveer honderd stappen, als de dorpsweg achter de jeneverbesstruiken is verdwenen, doemt er een kleine stapel stenen voor hem op.

De oude offerstapel. Het is een vast punt dat Nils bijna altijd passeert als hij naar of van Stenvik op weg is, maar nu loopt hij ernaartoe en blijft staan. Hij kijkt naar de stapel kleine en grote stenen, denkt na en kijkt om zich heen.

De alvaret is helemaal verlaten. Alleen de wind is te horen.

Er groeit een idee in hem en hij doet zijn rugzak af en zet hem neer. Hij maakt hem open en pakt het doosje met de edelstenen, houdt het in zijn hand en gaat heel dicht naast de offerstapel staan.

Bijna recht naar het oosten ligt de kerk van Marnäs. Nils ziet de kerktoren als een kleine zwarte pijl de lucht in steken. Hij gaat onbeweeglijk met zijn gezicht naar de toren staan en doet dan een flinke stap van de offerstapel af. Daarna begint hij te graven.

De zon heeft dagenlang geschenen en de grond is heel droog; hij kan de bovenste graslaag in stukken van een decimeter optillen en daarna graaft hij in de aarde met behulp van zijn handen en het kleine mes van de Duitsers. Hij hoeft niet diep te graven om bij de rotsbodem te komen, de laag aarde op de alvaret is overal dun.

Nils schraapt de aarde weg om het gat groter te maken, hij hakt en graaft en kijkt de hele tijd om zich heen.

Als het gat breed genoeg is pakt hij het blikken doosje en legt het voorzichtig op de bodem, dan pakt hij een paar platte stenen van de offerstapel en bouwt er een kleine overspanning omheen. Daarna vult hij de kuil snel en drukt de aarde zo hard als hij kan met zijn handpalm aan.

De meeste tijd besteedt hij aan het terugleggen van de stukken gras – het is belangrijk dat het eruitziet zoals het altijd heeft gedaan.

Het duurt een hele tijd voordat het gras goed ligt, maar uiteindelijk komt hij overeind en kijkt vanaf verschillende posities naar de plek. De grond ziet eruit alsof hij niet is aangeraakt, denkt hij, maar zijn handen zijn vies als hij de rugzak omdoet.

Hij begint weer naar huis te lopen.

Hij zal zijn moeder over de ontmoeting met de Duitsers vertellen, dat besluit hij nu, maar hij zal het voorzichtig doen, zodat ze niet ongerust wordt. Hij zal niets zeggen over de edelstenen die hij heeft verstopt. Nog niet, dat wordt een verrassing voor haar. Op dit moment is de oorlogsbuit een verborgen schat waar hij alleen weet van heeft.

Ten slotte klimt hij over de stenen muur en is terug op de dorpsweg, een stuk dichter bij het dorp dan toen hij Maja tegenkwam. Hij is vlak bij Stenvik.

Als hij bijna thuis is, komen er twee mannen in stevige laarzen met zware stappen vanaf de zee aanlopen. Het zijn palingvissers die met zwarte handen een pas geteerde palingfuik tussen zich in dragen.

Ze groeten hem niet en kijken de andere kant op als ze langslopen. Nils herinnert zich niet hoe ze heten, maar dat is niet belangrijk. Hun onvriendelijkheid is ook niet belangrijk.

Nils Kant is groter dan zij, hij is groter dan heel Stenvik. Vandaag heeft hij dat bewezen, tijdens de strijd op de alvaret.

Het is bijna avond. Hij doet het tuinhek open en loopt met grote, trotse stappen over het stenen pad door de stille tuin. De verlaten tuin groeit en bloeit. Het gras geurt.

Alles ziet er precies zo uit als toen hij vanochtend op pad ging om op hazen te jagen, maar Nils is een nieuw mens geworden.

12

Lennart Henriksson stond bij Gerlofs bureau en woog de plastic tas met de kleine sandaal in zijn hand, alsof het gewicht zou verraden of hij echt was of niet. De vondst leek hem absoluut niet blij te maken.

'Je moet dit soort dingen aan de politie vertellen, Gerlof', zei hij.

'Ik weet het', zei Gerlof.

'Zoiets moet je meteen rapporteren.'

'Ja, ja', zei Gerlof zacht. 'Het kwam er gewoon niet van. Wat denk je ervan?'

'Hiervan?' De politieagent keek naar de sandaal. 'Ik weet het niet, ik trek geen overhaaste conclusies. Wat denk jij?'

'Ik denk dat jullie op andere plekken hadden moeten zoeken dan in het water', zei Gerlof.

'Dat hebben we gedaan, Gerlof', zei Lennart. 'Weet je dat niet meer? We hebben in de steengroeve en in alle huizen en loodsen en schuren in het dorp gezocht, en ik ben met mijn auto kriskras over de alvaret gereden. We hebben niets gevonden. Maar als Julia zegt dat het de juiste schoen is, dan moeten we het serieus nemen.'

'Ik dénk dat het de sandaal van Jens is', zei Julia achter hem.

'En je kreeg hem met de post?' vroeg Lennart.

Gerlof knikte met het onbehaaglijke gevoel dat hij blootstond aan een politieverhoor.

'Wanneer?'

'Vorige week', zei Gerlof. 'Ik heb Julia gebeld en erover verteld ... Daarom is ze hiernaartoe gekomen.'

'Heb je de envelop nog?' zei Lennart.

'Nee', zei Gerlof snel. 'Die heb ik weggegooid ... Ik ben soms een beetje verstrooid. Maar er was geen brief bij en er stond geen afzender op, dat weet ik. Ik geloof dat er alleen "kapitein Gerlof Davidsson, Stenvik" op stond, en toen heeft de post hem verder gestuurd. Maar die envelop is toch niet zo belangrijk?'

'Er bestaat iets dat vingerafdruk heet', zei Lennart zacht en hij zuchtte. 'Er kunnen haren en zoveel andere ... Goed, ik neem de sandaal nu in elk geval mee. Er kunnen sporen op zitten.'

'Ik wil het liefst ...' begon Gerlof, maar Julia onderbrak hem en vroeg: 'Stuur je hem naar een laboratorium?'

'Ja', zei Lennart. 'Er zit een forensisch laboratorium in Linköping. Het landelijk gerechtelijk laboratorium. Zij onderzoeken dat soort dingen.'

Gerlof zei niets.

'Goed, laat ze dat maar doen', zei Julia.

'Kan ik een afgiftebewijs krijgen?' vroeg Gerlof.

Julia keek geïrriteerd, alsof ze zich voor hem schaamde, maar Lennart knikte met een vermoeide glimlach.

'Natuurlijk, Gerlof', zei hij. 'Ik schrijf een afgiftebewijs voor je, dan mag jij de politie in Borgholm een proces aandoen als het laboratorium in Linköping de schoen kwijtraakt. Maar daar zou ik me maar geen zorgen over maken.'

Toen de politieagent een paar minuten later vertrok, liep Julia met hem mee naar buiten, maar na een tijdje kwam ze terug. Gerlof zat nog bij het bureau met Lennart Henrikssons slordig geschreven afgiftebewijs in zijn hand en staarde somber uit het raam.

'Lennart zei dat we niemand over de sandaal moeten vertellen', zei Julia achter zijn rug.

'Zo, zei hij dat.'

Gerlof bleef uit het raam staren.

'Wat is er?' vroeg Julia.

'Je had hem niet over de sandaal moeten vertellen', zei Gerlof.

'Jij zei dat je het mensen wilde vertellen.'

'Niet aan de politie', zei Gerlof. 'We kunnen het zelf oplossen.'

'Oplossen?' zei Julia terwijl ze harder ging praten. 'Hoezo zelf oplossen? Wat denk je eigenlijk? Denk je dat degene die Jens heeft meegenomen, als iemand dat heeft gedaan, dat die persoon hiernaartoe komt en vraagt of hij de sandaal mag zien? Denk je dat echt? Dat hij hiernaartoe komt en vertelt wat hij heeft gedaan?'

Gerlof gaf geen antwoord, hij staarde nog steeds met zijn rug naar haar toe uit het raam en dat maakte Julia nog verontwaardigder.

'Wat heb je die dag zelf gedaan?' ging ze verder.

'Dat weet je', zei Gerlof zacht.

'Ja, dat weet ik', zei Julia. 'Mama was moe en je kleinkind had oppas nodig ... maar jij ging naar zee om voor de netten te zorgen. Omdat je wilde gaan vissen.'

Gerlof knikte.

'En toen kwam de mist', zei hij.

'Ja, als erwtensoep. Maar ging je toen naar huis?'

Gerlof schudde zijn hoofd.

'Je ging verder met je netten', zei Julia. 'Omdat het veel leuker was om bij de zee te zijn dan op een klein kind te passen. Of niet soms?'

'Ik luisterde de hele tijd toen ik daar was', zei Gerlof zonder naar haar te kijken. 'Ik heb niets gehoord. Ik had Jens gehoord als hij ...'

'Daar gaat het niet om!' onderbrak Julia hem. 'Het gaat erom dat jij altijd weg was als je thuis hoorde te zijn. Dat alles op jóúw voorwaarden ging. Zo was het, altijd.'

Gerlof gaf geen antwoord. Hij meende dat de hemel achter het raam donkerder was geworden. Begon het al te schemeren? Hij luisterde echt naar wat zijn dochter zei, maar hij kon geen geschikt antwoord bedenken.

'Ik was waarschijnlijk een slechte vader', zei hij uiteindelijk. 'Ik was vaak weg, ik moest weg. Maar als ik die dag iets voor Jens had kunnen doen ... Als ik die dag kon veranderen ...'

Hij zweeg en vocht met zijn stem.

Het was ondraaglijk stil in de kamer.

'Ik weet het, papa', zei Julia ten slotte. 'Ik mag niets zeggen, ik was tenslotte niet eens op Öland. Ik ging naar Kalmar en zag de mist onder de brug opkomen toen ik over de zeestraat reed.' Ze zuchtte. 'Hoe vaak denk je dat ik er spijt van heb gehad dat ik Jens die dag heb achtergelaten? Ik heb hem niet eens gedag gezegd.'

Gerlof ademde in en daarna weer uit. Hij draaide zich om en keek haar aan. 'Op dinsdag, de dag voordat Ernst wordt begraven, neem ik je mee naar de persoon die me de sandaal heeft gestuurd.'

Julia zweeg even. 'Hoe had je dat in gedachten?' zei ze toen.

'Ik weet wie het is', zei Gerlof.

'Honderd procent zeker?'

'Vijfennegentig procent.'

'Waar woont hij?' vroeg Julia. 'Hier in Marnäs?'

'Nee.'

'In Stenvik?'

Gerlof schudde zijn hoofd. 'In Borgholm', zei hij.

Julia was één moment stil, alsof ze dacht dat het een truc was. 'Oké', zei ze toen. 'Dan gaan we met mijn auto.'

Ze pakte haar jas van het bed.

'Wat ga je nu doen?' vroeg Gerlof.

'Ik weet het niet. Ik rij waarschijnlijk naar Stenvik en ga bladeren in de tuin harken of zoiets. Nu de stroom en het water zijn aangesloten kan ik eten in het zomerhuis bewaren, maar ik blijf waarschijnlijk in het botenhuis slapen. Ik slaap daar goed.'

'Mooi. Maar hou contact met John en Astrid', zei Gerlof. 'Jullie zijn op elkaar aangewezen.'

'Natuurlijk.' Julia trok haar jas aan. 'Ik ben trouwens op het kerkhof geweest. Ik heb een kaarsje voor mama aangestoken.'

'Mooi ... Dat brandt vijf dagen, tot het weekend. Het kerkbestuur verzorgt het graf. Ik kom er helaas niet zo vaak.' Gerlof hoestte. 'Is er al een graf voor Ernst gedolven?'

'Ik heb niets gezien', zei Julia. 'Maar ik heb het graf van Nils

Kant bij de stenen muur gevonden. Dat wilde je me toch laten zien?'

'Ja.'

'Voordat ik het graf zag dacht ik dat Nils Kant een verdachte kon zijn,' zei Julia, 'maar nu begrijp ik waarom niemand hem heeft genoemd.'

Gerlof probeerde iets te bedenken om te zeggen – misschien moest hij erop wijzen dat het een moordenaar goed kon uitkomen als iedereen dacht dat hij dood was – maar hij zweeg.

'Er lagen rozen op het graf', zei Julia.

'Verse rozen?' vroeg Gerlof.

'Niet helemaal vers', zei Julia. 'Misschien van afgelopen zomer. En nog iets.'

Ze stak haar hand in haar jaszak en haalde de kleine envelop tevoorschijn. Hij was nu droog en ze gaf hem aan Gerlof.

'Misschien moeten we hem dicht laten', zei ze. 'Het is tenslotte privé en niet ...'

Maar Gerlof maakte de envelop snel open, trok er een klein wit papiertje uit en las de inhoud. Eerst stil, daarna hardop voor Julia: 'We moeten allemaal voor Gods rechtbank verschijnen.' Hij keek naar Julia. 'Dat is het enige wat er staat. Het is een citaat uit de brief aan de Romeinen. Mag ik het houden?'

Julia knikte.

'Liggen er vaker bloemen en brieven op het graf van Kant?' vroeg ze.

'Niet zo vaak', zei Gerlof terwijl hij de envelop in een van de bureauladen stopte. 'Maar het is een paar keer gebeurd ... in elk geval bloemen. Ik heb er bossen rozen gezien.'

'Heeft Nils Kant dan vrienden die nog leven?'

'Ja ... het is in elk geval iemand die hem wil herdenken, om de een of andere reden', zei Gerlof en hij voegde eraan toe: 'Mensen met een slechte reputatie hebben soms bewonderaars.'

Het bleef stil.

'Goed. Dan ga ik naar Stenvik', zei Julia en ze knoopte haar jas dicht.

'Wat doe je morgen?'

'Misschien ga ik naar Långvik', zei Julia. 'Ik zie nog wel.'

Toen zijn dochter de kamer uit was zakten Gerlofs schouders naar beneden van vermoeidheid. Hij keek naar zijn handen en zag dat zijn vingers trilden. Het was een zware middag geweest, maar hij had vandaag nog iets belangrijks te doen.

'Torsten, heb jij Nils Kant begraven?' vroeg Gerlof een paar uur later.

De oude man en Gerlof zaten elk aan een tafel, helemaal alleen in de kelderzaal. Voor Gerlof was dat geen toeval; na het avondeten had hij de lift naar de activiteitenruimte in de kelder genomen en hij had daar meer dan een uur zitten wachten tot een andere bezoeker, een oudere dame van de eerste verdieping, haar eindeloze weven zou beëindigen.

Het doel was om alleen achter te blijven met Torsten Axelsson, die vanaf de oorlogsjaren tot het midden van de jaren zeventig op het kerkhof van Marnäs had gewerkt. Terwijl Gerlof zat te wachten was de herfstschemering achter de smalle kelderramen compact geworden. Het was avond.

Voordat hij zijn beslissende vraag stelde had Gerlof met Axelsson over de aanstaande begrafenis gepraat, voornamelijk om hem in de zaal te houden. Axelsson had ook reuma, maar zijn hoofd was heel helder en hij was meestal onderhoudend om mee te praten. Hij leek het nostalgische verlangen naar grafdelven te missen dat Gerlof had naar zijn jaren op zee, maar hij was tenminste gebleven en had over vroeger gepraat.

Gerlof zat achter een tafel die vol lag met stukken hout, lijm, gereedschap en schuurpapier. Hij was bezig met een model van de galjas Paket, Borgholms laatste zeilschip, dat in de jaren zestig een pleziervaartuig in Stockholm was geweest. De romp was af, maar hij moest nog aan het tuigage werken, en het schip was natuurlijk pas echt klaar als hij het in de fles zette, de masten oprichtte en de laatste stukken touw vastknoopte. Alles kostte tijd.

Gerlof vijlde voorzichtig een kleine inkeping in de top van een mast en wachtte op een antwoord van de gepensioneerde doodgraver. Axelsson zat met een gebogen rug bij een tafel gevuld met duizenden puzzelstukjes. Hij was halverwege een grote foto van Monets geelwitte waterlelies.

Axelsson duwde een puzzelstukje in de zwarte waterlelievijver en keek toen op.

'Kant?' zei hij.

'Nils Kant, ja', zei Gerlof. 'Dat graf ligt toch een beetje achteraf, bij de westelijke muur? En toen dacht ik aan zijn begrafenis. Ik woonde hier niet in die tijd.'

Axelsson knikte, pakte een puzzelstukje en dacht na.

'Ja, ik heb het graf gegraven en de kist gedragen, samen met mijn collega's. Er waren geen dragers die zich vrijwillig voor die klus meldden.'

'Waren er geen rouwenden?'

'Jawel ... zijn moeder was er. Ze was er de hele tijd bij. Ik had haar daarvoor nog nooit gezien, ze was mager en knokig en gekleed in een gitzwarte jas', zei Axelsson. 'Maar ik weet niet of je haar een rouwende kon noemen. Daarvoor keek ze een beetje erg tevreden.'

'Tevreden?'

'Ja. Ik heb haar trouwens niet in de kerk gezien', zei Axelsson. 'Maar ik weet nog dat ik naar haar keek toen we de kist in de aarde lieten zakken. Vera stond een paar meter van het graf en zag de kist verdwijnen, en ik zag dat ze achter haar rouwsluier glimlachte. Alsof ze heel tevreden was over de begrafenis.'

Gerlof knikte.

'En was zij de enige die bij de plechtigheid was? Verder niemand?'

Axelsson schudde zijn hoofd.

'Er waren meer mensen, maar geen rouwenden. Er waren politieagenten, maar die stonden verder weg, bij de poort.'

'Die wilden waarschijnlijk zien dat Kant voor eens en altijd in de aarde verdween', zei Gerlof.

'Inderdaad.' Axelsson knikte. 'En meer mensen waren er niet, behalve dominee Fridland.'

'Hij kreeg in elk geval betaald.'

Het werd stil in de zaal. Gerlof schuurde een paar minuten aan de kleine romp van de Paket. Daarna nam hij een aanloop en zei: 'Wat je zei over Vera Kant, dat ze glimlachend bij het graf stond, daardoor ga je je toch afvragen wat de inhoud van de kist was.'

Axelsson keek naar zijn puzzel en pakte een nieuw stukje.

'Ga je me nu vragen of de kist heel licht was, Gerlof?' zei hij. 'Die vraag heb ik in al die jaren verschillende keren gehad.'

'De mensen praten er soms over', zei Gerlof. 'Ze zeggen dat de kist van Kant leeg was. Dat heb jij toch ook gehoord?'

'Je kunt ophouden dat te denken, want dat was hij niet', zei Axelsson. 'We droegen hem met vier man, zowel voor als na de kerkdienst, en zo veel waren er nodig. Hij was ontzettend zwaar.'

Gerlof had het gevoel alsof hij de beroepseer van de oude kerkhofmedewerker in twijfel trok, maar hij moest doorvragen.

'Sommigen zeggen dat er alleen stenen in de kist zaten, of zakken zand', zei hij zacht.

'Ik heb die roddel ook gehoord', zei Axelsson. 'Ik heb zelf niet in de kist gekeken, maar iemand zal dat waarschijnlijk wel hebben gedaan toen hij met de boot naar Öland kwam.'

'Ik heb gehoord dat de kist niet geopend is', zei Gerlof. 'Hij was verzegeld, en niemand had er de moed of de bevoegdheid voor. Weet jij of iemand hem heeft geopend?'

'Nee', zei Axelsson. 'Ik herinner me alleen vaag dat er een soort overlijdensakte bij de kist zat toen hij op een van Malms vrachtschepen vanuit Zuid-Amerika naar huis kwam. Iemand bij de vrachtautocentrale in Borgholm die een beetje Spaans sprak heeft hem gelezen. Er stond in dat Nils Kant was verdronken. Hij had nogal lang in het water gelegen voordat ze hem eruit visten, dus het lichaam zag er waarschijnlijk niet zo prettig uit.'

'De mensen waren misschien bang dat Vera Kant problemen zou veroorzaken', zei Gerlof. 'Ze wilden waarschijnlijk Kant gewoon begraven en verder gaan.'

Axelsson keek naar Gerlof en haalde zijn schouders op.

'Vraag het me niet', zei hij terwijl hij nog een stukje van een waterlelie in de vijver van Monets schilderij legde. 'Ik heb hem alleen in de grond gestopt, ik deed mijn werk en daarna ging ik naar huis.'

'Dat weet ik, Torsten.'

Axelsson legde nog een puzzelstukje neer, keek een tijdje naar het resultaat en daarna naar de klok aan de muur. Hij kwam langzaam overeind.

'Zo meteen koffie', zei hij. Maar voordat hij de zaal uit liep bleef hij staan en draaide zijn hoofd om. 'Wat denk jij ervan, Gerlof?' vroeg hij. 'Ligt Nils Kant in zijn kist?'

'Natuurlijk', zei Gerlof zacht zonder naar de oude grafdelver te kijken.

Toen Gerlof terug was op zijn afdeling was het over zevenen, maar een half uur voordat er koffie werd gedronken. Routine, het was allemaal routine in het bejaardentehuis van Marnäs.

Maar het gesprek met Torsten Axelsson in de kelder was goed geweest, dacht Gerlof. Nuttig. Hoewel hij aan het eind misschien een beetje te spraakzaam en opdringerig was geworden: Axelsson had nadenkend naar hem gekeken.

Het geroddel in de gangen van het bejaardentehuis over Gerlofs merkwaardige interesse voor Nils Kant was vast al begonnen. Het zou zich misschien zelfs buiten de muren van het tehuis verspreiden, maar dat moest dan maar. Dat was toch wat hij wilde? Roeren in de mierenhoop en ervoor zorgen dat er dingen gebeurden?'

Hij ging moeizaam op zijn bed zitten en pakte de *Ölands-Posten* van die dag van het nachtkastje. Hij had 's ochtends geen tijd gehad om de krant te lezen, of eigenlijk had hij geen zin gehad.

Het sterfgeval in Stenvik werd groot op de voorpagina gebracht, en een van Bengt Nybergs foto's van de steengroeve had een ingevoegde pijl om duidelijk te maken waar het ongeluk had plaatsgevonden.

Volgens de politie in Borgholm was het een ongeluk. Ernst

Adolfsson had geprobeerd een stenen beeld bij de kliprand te verplaatsen, was gestruikeld en gevallen en had het grote beeld boven op zich gekregen. Ze dachten niet aan een misdrijf.

Gerlof las alleen het begin van Bengt Nybergs artikel. Daarna bladerde hij verder naar het minder persoonlijke nieuws: een bouwkwestie in Långvik die langer duurde dan verwacht, een stalbrand buiten Löttorp en de demente eenentachtigjarige die een paar dagen eerder zijn woning op Zuid-Öland voor een wandeling had verlaten, was nog steeds spoorloos verdwenen op de alvaret. Hij zou natuurlijk gevonden worden, maar niet levend.

Gerlof vouwde de krant op en legde hem terug op tafel, en toen zag hij de portemonnee van Ernst. Hij had hem weggelegd toen hij terugkwam uit Stenvik. Nu pakte hij hem, deed hem open en keek naar de bankbiljetten en de nog dikkere stapel bonnen. De bankbiljetten liet hij in de portemonnee zitten, maar de bonnen bladerde hij langzaam door.

De meeste bonnen waren van kleinere aankopen in de winkels van Marnäs of Långvik, of handgeschreven bonnen van Ernsts steenkunstverkoop van afgelopen zomer.

Gerlof zocht naar de recentste bon, het liefst van de dag waarop het beeld van de kerktoren van Marnäs op Ernst was gevallen. Die was er niet.

Bijna onder aan de stapel winkelbonnen vond hij wel iets anders: een klein geel entreebiljet voor een museum. *Ramneby houtmuseum* stond er op het biljet, naast een kleine tekening van een stapel planken en een met blauwe inkt gestempelde datum: *13 sep.*

Hij legde het entreebiljet op het nachtkastje. De rest van de bonnen uit Ernsts portefeuille deed hij met een paperclip bij elkaar en toen stopte hij het pakje in een bureaulade. Daarna ging hij aan zijn bureau zitten, pakte zijn notitieboek en sloeg het op de eerste lege bladzijde open. Hij pakte een balpen, dacht even na en schreef twee zinnen op: VERA KANT LACHTE TOEN DE KIST VAN NILS WERD BEGRAVEN.

En: ERNST IS BIJ DE ZAGERIJ VAN DE FAMILIE KANT IN RAMNEBY GEWEEST.

Toen legde hij de kwitantie van het houtmuseum in het boek, deed het dicht en ging op de avondkoffie zitten wachten. Routine, het was allemaal routine als je oud werd.

13

Julia herinnerde zich het eerste glas wijn dat ze had gedronken niet eens. Ze had gezien dat Astrid het op de keukentafel voor haar had ingeschonken, ze had de rode drank zien ronddraaien in het glas en had vol verwachting haar hand uitgestoken – en daarna stond het glas plotseling leeg op tafel. Ze proefde de wijnsmaak in haar mond en de verwarmende alcohol stroomde door haar lichaam en gaf haar het gevoel dat ze een lieve oude vriend terugzag.

Achter Astrids keukenraam daalde de zon en Julia had spierpijn in haar benen na de lange fietstocht langs de kust.

'Wil je nog een glas?' vroeg Astrid.

'Graag', zei Julia zo kalm en onbewogen als ze kon. 'Hij is lekker.'

Ze had de wijn natuurlijk ook gedronken als hij naar azijn had gesmaakt.

Het tweede glas probeerde ze veel langzamer te drinken. Ze nam een paar slokjes, zette het terug op tafel en ademde uit.

'Heb je een zware dag gehad?' vroeg Astrid.

'Heel zwaar', zei Julia.

Maar eigenlijk was er niet veel gebeurd.

Ze was langs de kust naar het noorden gefietst, naar Långvik, waar ze had geluncht. En daarna had ze van een oude eierverkoper op een kleine boerderij moeten horen dat haar zoon Jens was vermoord. Niet alleen dood en al lang begraven, maar vermoord.

'Een heel zware dag', zei Julia weer en ze dronk haar tweede glas wijn leeg.

Het was gisteravond helder geweest, toen Julia zich klaarmaakte voor weer een eenzame nacht in het botenhuis.

De sterren gaven haar het gevoel dat ze haar enige vrienden op het verlaten strand waren. De maan stond als een schilfer van een grijswit bot in het oosten aan de hemel, en Julia had op het aardedonkere strand gestaan en een half uur naar de sterren gekeken voordat ze naar het botenhuis was gegaan. Daarvandaan zag ze een veilig licht: de lamp bij Astrids huis aan de overkant van de weg. De rest van de lichten van eenzame bewoonde huizen in zuidelijke en noordelijke richting langs de kust waren afgelegen en bijna net zo zwak als het schijnsel van de sterren, maar Astrids heldere lamp bewees dat er andere mensen in de duisternis waren.

Julia was ongewoon snel en rustig in slaap gevallen en was acht uur later uitgerust wakker geworden bij het geluid van de golven die op het strand sloegen, bijna in hetzelfde tempo als haar ademhaling.

Het rotslandschap was vredig, en ze had de deur opengedaan en naar de golven gekeken zonder aan stukken bot te denken.

Ze liep naar Gerlofs zomerhuis om zich te wassen en te ontbijten, en toen ze daarna een rondje over het terrein maakte vond ze een oude damesfiets achter de gereedschapsschuur. Julia nam aan dat hij van Lena was. Hij was roestig en slecht geolied, maar er zat voldoende lucht in de banden.

Op dat moment besloot ze om in noordelijke richting naar Långvik te fietsen en daar te lunchen. In Långvik wilde ze proberen een oude man te vinden die Lambert heette en die ze haar verontschuldigingen wilde aanbieden omdat ze jaren geleden tegen hem was uitgevallen.

De kustweg naar het noorden was bedekt met grind en zat vol diepe kuilen, maar het lukte om erover te fietsen. Het landschap was fantastisch mooi, precies zoals het altijd was geweest, met rechts de alvaret en links het glinsterende water een paar meter onder het fietspad. Julia probeerde niet in de steengroeve te kijken toen ze erlangs fietste; ze wilde niet weten of de plas bloed er nog lag.

Daarna was de fietstocht alleen fijn, met de zon van opzij en de wind in haar rug.

Långvik lag vijf kilometer ten noorden van Stenvik, maar het was groter en was een heel ander soort dorp. Het was een echte badplaats met een zandstrand, een passantenhaven voor vakantieboten, verschillende grote gebouwen met koopwoningen in het centrum en terreinen met vakantiehuisjes bij de noordelijke en de zuidelijke afrit.

BOUWGROND TE KOOP stond er op een bord aan de rand van de weg. Er werd nog steeds gebouwd in Långvik: afrasteringen en markeringsstokken en nieuw aangelegde grindpaden liepen de alvaret op en eindigden tussen grote pallets met in plastic verpakte dakpannen en stapels geïmpregneerd hout.

Bovendien was er natuurlijk het hotel, net zo lang als het zandstrand en drie verdiepingen hoog, met een groot restaurant.

Julia at met een vaag gevoel van nostalgie een pastalunch in het restaurant. Aan het begin van de jaren zestig had ze in deze zaal gedanst. Het hotel was kleiner geweest toen Julia een tiener was en met andere jongeren uit Stenvik hiernaartoe fietste, maar was toen al pompeus geweest. Boven het strand bevond zich een grote houten veranda waar ze tot middernacht hadden gedanst. Amerikaanse en Engelse rockmuziek, verweven met het geluid van de golven in de duisternis in de pauzes tussen de platen. De geur van zweet, aftershave en sigaretten. Julia had haar eerste glas wijn in Långvik gedronken en had soms heel laat in de nacht een lift naar huis gekregen op een knetterende brommer. In volle vaart zonder helm door de duisternis, met de diepe overtuiging dat het leven steeds fantastischer zou worden.

De veranda was nu weg en het hotel was uitgebouwd en had grote, lichte conferentiezalen en een eigen zwembad.

Na de lunch was Julia in het boek begonnen dat ze van Gerlof had gekregen, het boek met de titel *Ölandse misdaden*. In het hoofdstuk 'De moordenaar die is ontkomen' had ze gelezen wat Nils Kant op die zomerdag in 1945 op de alvaret had gedaan en hoe het was afgelopen.

Wie waren de twee in uniform geklede mannen die Nils Kant op die mooie dag zo koelbloedig op de alvaret executeerde?

Waarschijnlijk waren het Duitse soldaten die erin waren geslaagd de Oostzee over te steken, op de vlucht voor de harde gevechten in Kurland aan de westkust van Letland in de eindfase van de Tweede Wereldoorlog. De Duitsers waren in Kurland omringd door het Rode Leger en de enige manier om te ontkomen was in een boot over het water te vluchten. De risico's waren groot, toch deden zowel soldaten als burgers van de Baltische Staten een poging om naar Zweden te vluchten.

Niemand weet het echter zeker. De dode soldaten hadden geen documenten of paspoorten waarmee ze konden worden geïdentificeerd, en ze kregen een naamloos graf.

Maar ze hadden sporen achtergelaten. Toen Kant de twee lichamen op de alvaret liet liggen, wist hij niet dat er diezelfde ochtend een kleine, groengeschilderde motorboot met een Russische naam in een baai een kilometer ten zuiden van Marnäs was gevonden.

In de open en ten dele met water gevulde boot lagen onder andere Duitse soldatenhelmen, tientallen roestige conservenblikken, een po, een afgebroken roeispaan en een klein potje met geneeskundig poeder tegen Russische luizen, van Hitlers lijfarts dr. Theodor Morel, exclusief voor Wehrmachtsoldaten vervaardigd in Berlijn.

De vondst van de boot wekte de aandacht – net als al het ongewone dat langs de Ölandse kusten aan land drijft – en veel bewoners van Marnäs wisten dus eerder dan Kant dat er vreemdelingen in het gebied waren. Een deel van hen ging zelfs op zoek, bewapend of onbewapend.

Nils Kant had de soldaten die hij had vermoord niet begraven, of zelfs maar toegedekt. Lijken op de alvaret trekken snel aaseters aan, voornamelijk kleine dieren en vogels, en hun geschreeuw en geruzie om de buit was in de wijde omgeving zowel te zien als te horen.

Het was dus slechts een kwestie van tijd dat iemand die in de alvaret op zoek was de dode soldaten zou vinden.

Toen de serveerster in het hotel-restaurant in Långvik de tafel kwam afruimen, sloeg Julia het boek dicht en keek ze nadenkend uit over het verlaten zandstrand aan de voet van het hotel.

Het verhaal over Nils Kant was interessant, maar hij was dood en begraven, en ze wist nog steeds niet waarom Gerlof het zo belangrijk vond dat ze over hem las.

'Ik wil graag betalen', zei Julia tegen de serveerster.

'Dat kan. Tweeënveertig kronen alsjeblieft.'

Ze was jong, waarschijnlijk niet eens twintig, en het leek erop dat ze van haar werk hield.

'Zijn jullie het hele jaar open?' vroeg Julia terwijl ze het geld gaf.

Ze was er verbaasd over dat er nog steeds zo veel mensen in Långvik waren, niet alleen in het dorp maar ook in het zeehotel, hoewel het herfst was.

'Tussen november en maart zijn we alleen in het weekend geopend, voor conferenties', zei de serveerster.

Ze pakte het geld en opende de portemonnee op haar heup om er een paar eenkroonmunten uit te halen.

'Hou het wisselgeld maar', zei Julia. Ze keek even uit over het grijze water achter het restaurantraam en ging toen verder: 'Ik vraag me iets af ... Weet jij of er in Långvik iemand woont die Lambert heet? Lambert en een achternaam die op son eindigt. Svensson of Nilsson of Karlsson. Woont hier een Lambert?'

De serveerster keek nadenkend en schudde haar hoofd.

'Lambert?' zei ze. 'Die naam zou ik me moeten herinneren, maar ik denk niet dat ik hem heb gehoord.'

Ze was te jong om Långviks oudere inwoners te kennen, dacht Julia. Ze knikte en stond op, maar de serveerster ging verder: 'Vraag het aan Gunnar. Gunnar Ljunger. Hij is de eigenaar van het hotel. Hij kent bijna iedereen in Långvik.'

Ze draaide zich om en wees.

'Je loopt door de receptie naar buiten en slaat dan linksaf naar de korte kant van het hotel. Daar ligt het kantoor. Gunnar zou er nu moeten zijn.'

Julia bedankte voor de tip en liep het restaurant uit. Ze had ijswater bij de lunch gedronken, het begon een gewoonte te worden. Het was fijn om een helder hoofd te hebben toen ze in de koude lucht op het parkeerterrein stond, zelfs al was een kalmte opgewekt door rode wijn misschien nodig als ze Lambert zou terugzien.

Svensson of Nilsson of Karlsson.

Julia haalde haar handen door haar haar en liep om het hotelgebouw heen. Aan de korte kant was een houten deur met een rij bedrijfsbordjes ernaast, en op de bovenste stond LÅNGVIK CONFERENCE CENTER AB. Ze deed de deur open en kwam in een kleine receptie met geel tapijt en grote groene, plastic planten terecht.

Er speelde zachte muziek op de achtergrond en het was net alsof ze een kantoor in het centrum van Göteborg binnenstapte. Een jonge, goed geklede vrouw bemande de receptie, tegen de balie leunde een even jonge man in een wit overhemd. Beiden keken naar Julia alsof ze een belangrijk gesprek had onderbroken, maar de receptioniste glimlachte snel en begroette haar. Julia groette terug, gespannen zoals altijd als ze nieuwe mensen ontmoette, en vroeg naar Gunnar Ljunger.

'Gunnar?' zei de receptioniste terwijl ze naar de man bij de balie keek. 'Is hij al terug van zijn lunch?'

'Jazeker', zei de man. Hij knikte naar Julia. 'Kom maar mee, dan wijs ik de weg.'

Julia volgde hem door een korte gang die eindigde bij een halfopen deur. Hij klopte aan en duwde de deur tegelijkertijd open. 'Papa?' zei hij. 'Je hebt bezoek.'

'Aha', antwoordde een lage mannenstem. 'Kom binnen.'

Het kantoor was niet bijzonder groot, maar het uitzicht door het panoramaraam over het strand en het water van de Oostzee was fantastisch. Aan het bureau zat hoteleigenaar Gunnar Ljunger, een lange man met een grijze baard en borstelige, grijze wenkbrauwen. Hij toetste bedragen in op een ratelende rekenmachine. Hij droeg een wit overhemd met bretels en over de rugleuning achter hem hing een bruin colbert. Op de tafel naast de rekenmachine lag een opengeslagen exemplaar van de *Ölands-Posten*, Ljunger leek hem vluchtig te bekijken terwijl hij rekende.

'Hallo', zei hij terwijl hij even naar Julia keek.

'Hallo.'

'Kan ik je ergens mee helpen?'

Ljunger glimlachte en ging door met intoetsen.

'Ik heb alleen een vraag', zei Julia terwijl ze een stap naar voren deed. 'Ik ben op zoek naar Lambert.'

'Lambert?'

'Lambert in Långvik. Ik geloof dat hij Lambert Karlsson heet.'

'Dan moet het Lambert Nilsson zijn', zei Ljunger. 'Er is geen andere Lambert in Långvik.'

'Inderdaad, hij heet Nilsson', zei Julia snel.

'Maar Lambert leeft niet meer', zei Ljunger. 'Hij is vijf of zes jaar geleden gestorven.'

'O.'

Julia voelde even teleurstelling, maar ze had half verwacht dat ze dit antwoord zou krijgen. Lambert had er in de jaren zeventig al oud uitgezien, die middag toen hij op zijn brommer langs was gekomen om te achterhalen wat er met haar zoon was gebeurd.

'Zijn jongere broer Sven-Olof leeft nog wel', voegde Ljunger eraan toe terwijl hij schuin achter Julia wees. 'Sven-Olof Nilsson. Hij woont boven op de heuvel, achter de pizzeria, waar Lambert ook woonde. Sven-Olof verkoopt eieren, dus je moet uitkijken naar een huis met kippen op het erf.'

'Bedankt.'

'Als je ernaartoe gaat, vertel Sven-Olof dan dat een aansluiting op de waterleiding nu nog goedkoper is geworden', zei Ljunger glimlachend. 'Hij is de enige in heel Långvik die nog steeds denkt dat een eigen bron het beste is.'

'Dat zal ik doen', zei Julia.

'Ben je een gast van ons?' vroeg Ljunger toen ze zich wilde omdraaien.

'Nee, maar ik kwam hier in mijn jeugd altijd om te dansen ...
Ik logeer in Stenvik. Ik heet Julia Davidsson.'

'Familie van de oude Gerlof?' vroeg Ljunger.

'Ik ben zijn dochter.'

'Zo?' zei Ljunger. 'Dan mag je hem de hartelijke groeten
doen. Hij heeft een paar flessenschepen voor ons restaurant gemaakt. We willen er graag meer hebben.'

'Ik zal het doorgeven.'

'Het is mooi in Stenvik, vind je niet?' zei Ljunger. 'Rustig
en kalm, met de gesloten steengroeve en al die lege zomerhuizen.' Hij glimlachte. 'Hier zijn we een andere weg ingeslagen,
we hebben uitgebouwd en geïnvesteerd in toerisme en golf en
conferenties. We denken dat het de enige manier is om de kust-
dorpen op Noord-Öland levend te houden.'

Julia knikte aarzelend.

'Het lijkt te werken', zei ze.

Had Stenvik ook in toerisme moeten investeren? Daarover dacht
Julia na toen ze het hotelkantoor uit kwam en over het winderige parkeerterrein liep. Het was een vraag zonder antwoord,
want Långvik had een veel te grote voorsprong. In Stenvik zou
nooit een hotel of een pizzeria gebouwd kunnen worden. Het
dorp was grote delen van het jaar nagenoeg verlaten en het was
niet mogelijk te leven van de paar maanden dat er vakantiegasten kwamen, daar was niets aan te doen.

Ze kwam langs een klein benzinestation bij de haven en liep
verder door de brede dorpsstraat langs de pizzeria.

De straat liep landinwaarts omhoog over een heuvel en ze
had de wind in de rug. Op de top stond een groepje bomen,
daarachter zag ze een lage muur rond een tuin en een witge-
pleisterd klein woonhuis met een kippenschuur van steen en een
omheinde binnenplaats.

Julia zag geen kippen, maar er stond EIEREN TE KOOP op een
houten bord bij het hek.

Julia deed het open en liep over een pad van ruwe kalkstenen
tegels naar de voordeur. Ze liep langs een groengeverfde water-

pomp en herinnerde zich wat Gunnar Ljunger in het strandhotel over de waterleiding had gezegd.

De voordeur was dicht, maar er was een bel. Toen Julia erop drukte bleef het even stil, toen hoorde ze gebonk en even later ging de deur open. Een oudere man keek naar buiten, mager en gerimpeld en met zilverkleurig, dun haar over zijn schedel gekamd.

'Hallo', zei hij.

'Hallo', zei Julia.

'Wil je eieren kopen?'

De oudere man leek zijn lunch te hebben onderbroken, want hij kauwde nog steeds.

Julia knikte. Natuurlijk, ze kon een paar eieren kopen.

'Ben jij Sven-Olof?' vroeg ze, zonder het vertrouwde gespannen gevoel van onbehagen dat ze altijd kreeg als ze iemand voor het eerst ontmoette.

Misschien begon ze hier op Öland te wennen aan ontmoetingen met vreemde mensen.

'Dat klopt', zei de man terwijl hij in een paar grote zwarte rubberlaarzen stapte die voor de deur stonden. 'Hoeveel wil je er?'

'Eh, zes is goed.'

Sven-Olof Nilsson liep het huis uit, en vlak voordat hij de deur dichtdeed glipte er een kat geluidloos als een gitzwarte schaduw achter hem naar buiten. Hij keurde Julia geen blik waardig.

'Ik zal ze halen', zei hij.

'Mooi', zei Julia, maar toen Sven-Olof naar de kleine kippenschuur ging, liep ze met hem mee.

Toen hij de groene deur opendeed en het kleine voorvertrek in liep, waar geen kippen waren maar alleen een paar plateaus met witte eieren op een kleine tafel lagen, liep ze achter hem aan.

'Ik zal een paar verse eieren halen', zei Sven-Olof. Hij deed een gammele, ongeschilderde deur open en liep het kippenhok in.

Julia rook de geur van de vogels en zag een glimp van houten planken langs de muren, maar niet veel meer; de gloeilamp in de ruimte brandde niet en het was er pikdonker. De lucht in het hok was stoffig en warm.

'Hoeveel kippen heb je?' vroeg ze.

'Tegenwoordig niet meer zo veel', zei Sven-Olof. 'Een stuk of vijftig. Ik moet maar afwachten hoelang ik ze kan houden.'

Er klonk een voorzichtig geklok in het hok.

'Ik hoorde dat Lambert dood is', zei ze.

'Wat ... Lambert? Ja, hij is overleden toen hij zevenentachtig was', zei Sven-Olof in het donker.

Ze begreep niet waarom hij het licht niet aandeed, maar misschien was de gloeilamp kapot.

'Ik heb Lambert een keer ontmoet', zei Julia. 'Jaren geleden.'

'Ja?' zei Sven-Olof. 'Zo, zo.'

Hij leek niet bijzonder geïnteresseerd in een verhaal over zijn overleden broer, maar Julia had geen andere keus dan verder praten. 'Dat was in Stenvik, waar ik woon.'

'Aha', zei Sven-Olof.

Julia liep achter hem aan, de duisternis in. Het was stoffig en bedompt in het hok. Ze hoorde de kippen zenuwachtig bij de muren bewegen, maar ze kon niet zien of ze vrij waren of in hokken zaten.

'Mijn moeder Ella heeft Lambert gebeld', zei ze. 'We hadden ... we hadden hulp nodig bij het zoeken naar een verdwenen persoon. Hij was drie dagen weg en er was nergens een spoor van hem. Toen begon Ella over Lambert te praten. Ze zei dat Lambert dingen kon vinden. Het gerucht ging dat hij dat kon, zei Ella.'

'Ella Davidsson?' vroeg Sven-Olof.

'Ja. Ze belde hem en Lambert kwam de volgende dag al op een oude brommer met laadvlak uit Långvik.'

'Jazeker, hij hielp graag', zei Sven-Olof, die niet meer dan een schaduw in de ruimte was. Zijn zachte stem was nauwelijks te horen tussen het doffe geklok van de kippen. 'Lambert vond dingen. Hij droomde erover en dan vond hij ze. Hij vond ook water voor mensen, met een wichelroede van hazelaar.'

Julia knikte.

'Hij had zijn eigen kussen bij zich toen hij naar ons toe kwam. Hij wilde in de kamer van Jens slapen, met de spullen van Jens om zich heen. En dat heeft hij ook gedaan.'

'Inderdaad, zo deed hij dat', zei Sven-Olof. 'Hij zag dingen in zijn dromen. Mensen die waren verdronken of spullen die waren verdwenen. En ophanden zijnde gebeurtenissen, dingen die gingen gebeuren. Hij droomde wekenlang over zijn eigen sterfdag. Hij zei dat het snel zou gaan, in bed in zijn kamer, om half drie 's nachts, en dat zijn hart ermee zou ophouden en de ambulance niet op tijd zou zijn. En zo ging het, precies op de dag die hij had gezegd. En de ambulance was niet op tijd.'

'Maar lukte het altijd?' zei Julia. 'Klopte alles?'

'Niet altijd', zei Sven-Olof. 'Soms droomde hij niets. Of hij herinnerde zich zijn droom niet ... zo ging dat soms. En namen wist hij nooit, iedereen was naamloos in zijn dromen.'

'Maar als hij iets zei?' zei Julia. 'Klopte het dan altijd?'

'Bijna altijd. De mensen vertrouwden hem.'

Julia deed een stap naar hem toe. Ze moest het vertellen. 'Ik had drie dagen niet geslapen toen je broer op zijn brommer kwam aanrijden', zei ze zacht. 'Maar ik kon die nacht ook niet slapen. Ik lag wakker en hoorde hoe hij in het bed van Jens ging liggen. De veren piepten als hij bewoog. Toen werd het stil, maar ik kon toch niet slapen. Toen hij 's ochtends om zeven uur wakker werd en opstond, zat ik in de keuken op hem te wachten.'

De kippen klokten onrustig, maar er kwam geen commentaar van Sven-Olof.

'Lambert had over mijn zoon gedroomd', ging ze verder. 'Ik zag het in zijn ogen toen hij met zijn kussen onder zijn arm de keuken in liep. Hij keek naar me, en toen ik het vroeg zei hij dat hij over Jens had gedroomd. Hij keek verdrietig. Ik weet zeker dat hij meer wilde vertellen, maar ik kon er niet naar luisteren. Ik sloeg hem en ik schreeuwde dat hij moest verdwijnen. Mijn vader Gerlof liep met hem mee naar de brommer bij het hek, en ik stond in de keuken te huilen en hoorde hem wegrijden.' Ze zweeg even en zuchtte. 'Het was de enige keer dat ik Lambert heb ontmoet. Helaas.'

Het bleef stil in de kippenschuur. Zelfs de kippen waren gekalmeerd.

'Die jongen ...' zei Sven-Olof in het donker. 'Was dat die verschrikkelijke gebeurtenis? De kleine jongen die in Stenvik verdween?'

'Dat was mijn zoon Jens', zei Julia zacht en ze verlangde intens naar rode wijn. 'Hij is nog steeds weg.'

Sven-Olof zei niets meer.

'Ik wil graag weten ... Heeft Lambert ooit verteld wat hij die nacht heeft gedroomd?'

'Hier zijn vijf eieren', zei de stem in de duisternis. 'Ik zie er niet meer.'

Julia begreep dat hij niet van plan was om antwoord op haar vraag te geven.

Ze ademde uit, een zware, diepe zucht.

'Ik heb niets', zei ze. 'Ik heb helemaal niets.'

Haar ogen waren langzaam aan het donker gewend en ze zag dat Sven-Olof onrustig midden in de kippenschuur stond en naar haar keek, met vijf eieren tegen zijn borst gedrukt.

'Lambert moet iets hebben gezegd, Sven-Olof', zei ze. 'Hij moet een keer aan je hebben verteld wat hij die nacht heeft gedroomd. Heeft hij dat niet gedaan?'

Sven-Olof hoestte. 'Hij heeft maar één keer over de jongen gepraat.'

Nu was Julia stil. Ze hield haar adem in.

'Hij had een artikel in de *Ölands-Posten* gelezen', zei Sven-Olof. 'Dat was een jaar of vijf nadat het was gebeurd. We lazen hem bij het ontbijt. Maar er stond niets nieuws in de krant.'

'Dat stond er nooit in', zei Julia vermoeid. 'Er was nooit iets nieuws te vertellen, maar ze bleven toch schrijven.'

'We zaten bij de keukentafel en ik las de krant het eerst', zei Sven-Olof. 'Daarna las Lambert hem. Toen ik zag dat hij over de jongen las vroeg ik hem wat hij ervan vond. En toen liet Lambert de krant zakken en zei dat de jongen dood was.'

Julia deed haar ogen dicht. Ze knikte stil.

'In de zeestraat?' vroeg ze.

'Nee. Lambert zei dat het op de alvaret was gebeurd. Hij was op de alvaret vermoord.'

'Vermoord', zei Julia. Ze voelde een ijzige kou op haar huid.

'Een man had het gedaan, zei Lambert. Op de dag dat de jongen verdween, een man die was vervuld van haat vermoordde hem op de alvaret. Daarna heeft hij de jongen in een graf bij een stenen muur gelegd.'

Hij zweeg even. Een kip fladderde zenuwachtig ergens bij de muur.

'Lambert zei verder niets', zei Sven-Olof. 'Niets over de jongen of de man.'

Geen namen, dacht Julia. Iedereen was naamloos in Lamberts dromen.

Sven-Olof kwam weer in beweging. Hij kwam uit het kippenhok met vijf eieren in zijn handen en keek naar Julia alsof hij bang was dat ze hem ook zou slaan.

Julia ademde uit.

'Dan weet ik het nu', zei ze. 'Bedankt.'

'Heb je een doos nodig?' vroeg Sven-Olof.

Julia wist het.

Ze kon proberen zichzelf wijs te maken dat Lambert het bij het verkeerde eind had of dat zijn broer gewoon iets had verzonnen, maar dat had geen nut. Ze wist het.

Toen ze van Långvik op weg naar huis was, stopte ze op de kustweg boven het lege strand. Ze zag het water bij het strand in schuim veranderen en huilde meer dan tien minuten.

Ze wist het en die zekerheid was verschrikkelijk. Het was alsof Jens nog maar een paar dagen weg was, alsof alle innerlijke wonden nog steeds bloedden. Nu moest ze hem dood in haar hart binnenlaten, een klein stukje per keer. Het moest langzaam gebeuren, zodat ze niet zou verdrinken in haar verdriet.

Jens was dood.

Ze wist het. Maar ze wilde haar zoon toch zien, zijn lichaam zien. En als dat niet ging, wilde ze in elk geval weten wat er met hem was gebeurd. Daarom was ze hier.

Haar tranen droogden in de wind, en na een tijdje stapte Julia weer op en fietste langzaam verder.

Bij de steengroeve kwam ze Astrid tegen, die buiten liep met haar hond en die Julia mee naar huis nam voor het avondeten – zonder met een woord of een blik commentaar te leveren op haar rode, behuilde ogen.

Astrid maakte varkenskarbonade en gekookte aardappelen, en opende een fles rode wijn. Julia at een beetje en dronk veel, meer dan ze zou moeten doen. Maar na drie glazen wijn was de gedachte dat Jens al zo lang dood was niet meer zo opdringerig, het was slechts een doffe pijn in haar borstkas. Er was nooit hoop geweest, niet nadat de eerste dagen voorbij waren gegaan zonder een teken van leven. Geen hoop ...

'Dus je bent vandaag in Långvik geweest?' vroeg Astrid.

Julia's gepieker werd onderbroken, ze knikte.

'Ja. En gisteren was ik in Marnäs', zei ze snel om niet te hoeven denken aan Långvik en aan de voorspellende dromen van Lambert Nilsson.

'Is daar iets gebeurd?' vroeg Astrid terwijl ze Julia's glas opnieuw volschonk.

'Niet veel', zei Julia. 'Ik ben op het kerkhof geweest en heb het graf van Nils Kant bekeken. Gerlof vond dat ik het moest zien.'

'Ja, dat graf', zei Astrid terwijl ze haar wijnglas oppakte.

'Ik vraag me één ding af', zei Julia. 'Misschien kun je er geen antwoord op geven, maar de Duitse soldaten die Nils Kant op de alvaret heeft vermoord ... Zijn er veel naar Öland gekomen?'

'Volgens mij niet', zei Astrid. 'Misschien is het zo'n honderd soldaten gelukt de oorlog in de Baltische staten te ontvluchten en levend naar Zweden te ontkomen, maar de meesten kwamen langs de kust van Småland aan land. Ze wilden natuurlijk naar huis, of verder naar Engeland. Maar Zweden was bang voor Stalin en ze werden naar de Sovjet-Unie teruggestuurd. Dat was heel laf. Maar daar hebben jullie het waarschijnlijk op school over gehad?'

'Ja, een beetje ... maar dat is langgeleden', zei Julia.

Ze had een vage herinnering dat ze op school over de oorlogs-
vluchtelingen uit Rusland had geleerd, maar ze was in die tijd
niet bijzonder geïnteresseerd geweest in de Zweedse of Ölandse
geschiedenis.

'Wat heb je nog meer in Marnäs gedaan?' vroeg Astrid.

'O ... ik heb er geluncht met een politieagent', zei Julia. 'Met
Lennart Henriksson.'

'Zo, zo', zei Astrid. 'Dat is een aardige man. Heel inne-
mend.'

Julia knikte.

'Heb je met Lennart over Nils Kant gepraat?' vroeg Astrid.

Julia schudde haar hoofd, dacht na en zei toen: 'Ik heb waarschijnlijk verteld dat ik bij het graf van Kant ben geweest. Maar
we hebben er verder niet over gepraat.'

'Het is het beste dat je niet meer met Lennart over hem praat',
zei Astrid. 'Hij raakt er nogal door van streek.'

'Van streek?' zei Julia. 'Hoezo?'

'Het is een oud verhaal', zei Astrid en ze nam een slok uit haar
wijnglas. 'Lennart is de zoon van Kurt Henriksson.'

Ze keek ernstig naar Julia, alsof dat alles verklaarde, maar
Julia schudde alleen niet-begrijpend haar hoofd.

'Wie is dat?' vroeg ze.

'Hij was politieagent in Marnäs', legde Astrid uit. 'Of veldwachter, zoals het in die tijd heette.'

'En wat was er met hem?'

'Hij moest Nils Kant oppakken nadat die de Duitsers had
doodgeschoten', zei Astrid.

Öland, mei 1945

Nils Kant zaagt zijn geweer stuk.

Hij staat met een gebogen rug in de warme houtschuur, waar de blokken berkenhout tot het dak liggen gestapeld. De houtstapels zien eruit alsof ze elk moment op hem kunnen neerstorten. Zijn Husqvarna ligt op het brede hakblok, en de loop is bijna helemaal doorgezaagd. Nils heeft zijn linkervoet op de kolf van het geweer gezet en trekt met twee handen aan de beugelzaag. Langzaam maar zeker zaagt hij de loop door en hij wuift af en toe de vliegen weg die in de schuur rondzoemen en de hele tijd proberen op zijn bezwete gezicht te gaan zitten.

Buiten is het doodstil. Zijn moeder Vera is in de keuken en pakt een rugzak voor hem in. Een gespannen verwachting vult de warme voorzomerlucht.

Nils zaagt en zaagt, en ten slotte is het blad door de laatste millimeters staal en is de loop los; hij valt met een kort gerinkel op de stenen vloer van de houtschuur.

Hij pakt hem op, stopt hem in een klein gat aan de onderkant van de houtstapel en legt de zaag op het hakblok. Hij pakt twee hagelpatronen uit zijn zak en laadt het wapen.

Dan gaat hij de schuur uit en zet het geweer in de schaduw naast de ingang.

Hij is klaar.

Er zijn vier dagen verstreken sinds de schoten op de alvaret en iedereen in Stenvik weet wat er is gebeurd. DUITSE SOLDATEN DOOD GEVONDEN – GEËXECUTEERD MET JACHTGEWEER stond er dwars over de voorpagina van de *Ölands-Posten* van gisteren. De letters waren net zo groot als toen het kustbos buiten Borgholm drie jaar geleden was gebombardeerd.

Die tekst is een leugen – Nils heeft niemand geëxecuteerd. Hij is in een vuurgevecht met twee soldaten terechtgekomen, en hij heeft uiteindelijk gewonnen.

Maar misschien ziet niet iedereen dat zo. Nils is bij wijze van uitzondering 's avonds in het dorp geweest, en toen hij over de weg langs de windmolens liep ontmoette hij de zwijgende blikken van de molenaars. Hij heeft niets tegen hen gezegd, maar hij weet dat ze achter zijn rug over hem praten. Er wordt geroddeld. En de verhalen over wat er op de alvaret is gebeurd verspreiden zich als kringen in het water.

Hij loopt het huis in.

Zijn moeder Vera staat stil en onbeweeglijk met haar rug naar hem toe bij de keukentafel en kijkt door het raam over de alvaret uit. Hij ziet dat haar smalle schouders onder de grijze bloes strak staan van ongerustheid en verdriet.

Nils eigen bezorgdheid is net zo woordeloos.

'Ik denk dat het tijd is', zegt hij.

Ze knikt zonder zich om te draaien. De rugzak en de kleine koffer staan naast haar op tafel en Nils loopt ernaartoe en pakt ze. Het is bijna ondraaglijk; als hij probeert iets te zeggen zal zijn stem dik van de tranen zijn – dus gaat hij zo weg.

'Je moet terugkomen, Nils', zegt zijn moeder met een hese stem achter hem.

Hij knikt zonder dat ze het kan zien en pakt zijn blauwe pet van de hoedenplank bij de deur. In zijn pet zit de koperen zakflacon verstopt, gevuld met cognac. Hij stopt hem in zijn rugzak.

'Het is tijd', zegt hij zacht.

Hij heeft een portemonnee met zijn eigen geld in zijn rugzak en bovendien twintig grote bankbiljetten van zijn moeder, stevig opgerold in de achterzak van zijn broek.

In de deuropening draait hij zich om. Nu staat zijn moeder half van hem af gewend, maar ze kijkt nog steeds niet naar hem. Misschien kan ze het niet. Ze houdt haar handen verstrengeld voor haar buik, haar lange witte nagels graven in de handpalmen, haar gesloten kaken trillen.

'Ik hou van je, mama', zegt Nils. 'Ik kom terug.'

Dan loopt hij snel naar buiten, de stenen trap af en de tuin in. Hij stopt even bij de houtschuur om zijn geweer te pakken, loopt dan om het huis heen en verdwijnt tussen de essen.

Nils weet hoe hij het dorp uit kan komen zonder gezien te worden, en dat doet hij nu. Hij loopt gebukt over de koeienpaden, door het dichte struikgewas ver weg van de dorpsweg, hij klimt over met korstmos begroeide stenen muren en blijft soms even stilstaan om te luisteren naar fluisterende stemmen achter het gezoem van de insecten in het gras.

Uiteindelijk komt hij op de alvaret ten zuidoosten van het dorp zonder dat hij is gezien. Hier is het gevaar voorbij. Nils weet de weg hier beter dan wie ook en hij beweegt zich snel en gemakkelijk over het gras. Hij kan iedereen zien voordat hij zelf wordt gezien. Hij loopt bijna recht naar de zon, in een wijde boog rond de plek waar hij de Duitsers is tegengekomen. Hij wil niet zien of de lichamen er nog liggen of dat ze zijn weggehaald. Hij wil niet aan ze denken, want zij dwingen hem bij zijn moeder weg te gaan.

De dode soldaten dwingen hem weg te gaan, een tijdje.

'Je moet weg', had zijn moeder gisteravond gezegd. 'Je neemt de trein van Marnäs naar Borgholm, en daarna ga je met de Sveaboot naar Småland. Oom August wacht op je in Kalmar en daar doe je wat hij zegt – en je doet je pet af als je hem bedankt. Je praat met niemand anders, en je komt niet terug naar Öland voordat alles hier weer rustig is. Maar dat gebeurt, Nils, als we maar wachten.'

Plotseling denkt hij dat hij schuin achter zich een gedempte roep hoort, maar als hij stilstaat hoort hij niets meer. Nils beweegt nu voorzichtiger tussen de jeneverbesstruiken, maar hij kan niet te langzaam lopen. De trein wacht niet.

Na een paar kilometer komt hij bij de met grind bedekte plattelandsweg. Een wagen nadert vanuit zuidelijke richting en hij steekt haastig de weg over en springt in de greppel. Maar de wagen wordt getrokken door een eenzaam paard met hangend hoofd, en Nils is al lang weg als de wagen de plek eindelijk heeft bereikt.

Hij is nu ongeveer op het midden van het eiland en denkt aan wat hij in de krant heeft gelezen: waarschijnlijk hebben de Duitse soldaten een week geleden over deze weg gelopen, nadat hun boot motorpech kreeg en ze ten zuiden van Marnäs aan land waren gedreven.

Hij wil niet aan ze denken, maar heel even herinnert hij zich het doosje met de edelstenen dat hij van de soldaten heeft afgepakt, en hij ziet het zichzelf bij de offerstapel begraven. De afgelopen dagen, toen hij en zijn moeder voornamelijk in huis waren gebleven, stond hij verschillende keren op het punt om over zijn oorlogsbuit te vertellen, maar iets had hem laten zwijgen. Hij moet het vertellen, hij moet de schat opgraven en aan zijn moeder laten zien, maar hij wil ermee wachten tot hij weer thuis is.

Na nog twintig minuten lopen bereikt hij de met grind bedekte spoordijk. Hier loopt de smalspoorbaan tussen Böda en Borgholm, en hij slaat af in noordelijke richting en loopt naast de spoorlijn naar het station van Marnäs. Het twee verdiepingen hoge houten stationsgebouw ligt als een eenzame villa ten zuiden van het dorp. Het is een gecombineerd treinstation en postkantoor, en hij ziet het gebouw op het moment dat de twee sporen zich delen en het er vier worden.

De rails zijn leeg. Zijn trein is er nog niet.

Nils is drie keer eerder heen en weer naar Borgholm geweest en weet hoe een reiziger zich gedraagt. Hij gaat het stationsgebouw binnen, waar alles stil en rustig is, loopt naar het loket en koopt een enkeltje naar de stad.

De norse vrouw met bril achter de ijzeren tralies van het loket kijkt naar hem en buigt dan snel haar hoofd om het treinkaartje uit te schrijven. Haar kroontjespen krast over het papier.

Nils wacht gespannen, hij voelt zich gadegeslagen en kijkt om zich heen. Een zestal mensen, vooral mannen met netjes dichtgeknoopte kostuums, zitten op de houten banken in de wachtruimte. Ze wachten alleen of in groepjes en sommigen hebben zwarte leren koffers naast zich staan. Nils is de enige met zowel een rugzak als een koffer.

'Alsjeblieft, laatste wagon, nummer drie.'

Nils krijgt het kaartje, hij betaalt en loopt het perron op met de rugzak over zijn schouder en de koffer in zijn hand. Na maar een paar minuten hoort hij fluiten, en dan komt de trein met drie roodgeschilderde houten wagons erachter langzaam het station binnenrijden.

De krachtige, zwarte, dampende stoomlocomotief remt af en komt met knarsende remmen voor het stationsgebouw tot stilstand.

Nils loopt naar de laatste wagon. Achter hem roept de stationschef iets, de deuren van het stationsgebouw gaan open en de andere reizigers komen naar buiten.

Nils draait zich op de laatste traptrede om en staart zwijgend naar hen, en ze kiezen er allemaal voor om naar de andere wagons te lopen.

De wagon is donker en helemaal leeg. Nils legt zijn koffer op de plank en gaat op een met leer beklede zitplaats bij het raam zitten, met uitzicht over de alvaret en met zijn rugzak naast zich. De trein schokt, zwaar en stabiel, en begint te rijden. Nils doet zijn ogen dicht en ademt uit.

Dan remt de trein weer met een dof gesis en even later staan de wagons stil. Nils doet zijn ogen open en wacht. Een minuut gaat voorbij, daarna twee minuten. Is er iets aan de hand?

Iemand roept buiten iets en hij voelt hoe de trein weer begint te rijden. Nu maakt hij langzaam vaart, en Nils ziet het stationsgebouw voorbij glijden en achter zich verdwijnen. Koele lucht blaast tussen de kieren bij de ramen de wagon in, het is net een zeebries aan het strand van Stenvik.

Nils' schouders zakken langzaam naar beneden. Hij legt zijn hand op zijn rugzak, doet hem open en leunt achterover op zijn zitplaats. De trein gaat steeds sneller rijden. De stoomfluit gilt.

Plotseling gaat de deur van zijn wagon open.

Nils draait zijn hoofd om.

Een lange man met een uniformpet en een zwarte politiejas met glimmende knopen komt naar binnen. Hij kijkt strak naar Nils.

'Nils Kant uit Stenvik', zegt de man met een ernstige gezichtsuitdrukking.

Het is geen vraag, maar Nils knikt automatisch.

Hij zit als vastgenageld op zijn stoel en voelt hoe de trein over de alvaret voortraast. Groenbruin landschap achter het raam, blauwe hemel. Nils wil de trein stoppen en eruit springen, hij wil terug naar de alvaret. Maar de snelheid is nu hoog, de rails dreunt en de wind suist.

'Mooi.'

De man in uniform gaat zwaar op de zitplaats tegenover Nils zitten, zo dichtbij dat hun knieën elkaar bijna raken. De man trekt zijn jas recht, die ondanks de hitte zorgvuldig is dichtgeknoopt. Onder de rand van de pet glimt zijn voorhoofd van het zweet. Nils kent hem vaag. Het is Henriksson. De veldwachter uit Marnäs.

'Nils,' zegt Henriksson alsof ze elkaar kennen, 'ben je op weg naar Borgholm?'

Nils knikt langzaam.

'Ga je daar bij iemand op bezoek?' vraagt Henriksson.

Nils schudt zijn hoofd.

'Wat ga je daar dan doen?'

Nils geeft geen antwoord.

De veldwachter draait zijn hoofd om en kijkt uit het raam.

'We kunnen in elk geval samen reizen,' zegt hij, 'dan hebben we tijd voor een praatje.'

Nils zegt niets.

De veldwachter gaat verder: 'Toen ze me belden en zeiden dat je in de trein zat, heb ik gevraagd of ze even wilden wachten met vertrekken, zodat ik naar het station kon komen om mee te rijden.' Hij kijkt weer naar Nils. 'Ik wil graag met je praten, snap je, over je lange zwerftochten over de alvaret.'

De trein begint bij een van de stations tussen Marnäs en Borgholm snelheid te minderen. Een klein houten huisje omgeven door appelbomen glijdt voorbij het treinraam. Hij denkt dat hij de geur van pannekoeken door het raam kan ruiken; zijn moeder heeft gisteravond pannenkoeken met suiker voor hem gebakken.

Nils kijkt naar de veldwachter.

'De alvaret. Daar hoeven we niet over te praten', zegt hij.

'Dat denk ik wel.' De politieagent haalt een zakdoek uit zijn zak. 'Ik denk dat het heel belangrijk is om erover te praten, Nils, en dat vinden velen met mij. De waarheid komt toch altijd aan het licht.'

De politieagent blijft Nils aankijken terwijl hij het zweet langzaam van zijn gezicht veegt. Daarna leunt hij naar voren.

'Verschillende mensen in Stenvik hebben de afgelopen dagen contact met ons opgenomen, Nils. Ze hebben gezegd dat we met jou moeten praten als we willen weten wie op de alvaret met een jachtgeweer heeft geschoten.'

Nils ziet de twee dode soldaten op de alvaret liggen, ziet hun starende ogen binnen in zijn hoofd.

'Nee', zegt Nils en hij schudt zijn hoofd. Het suist in zijn oren. De trein remt.

'Ben je de buitenlanders op de alvaret tegengekomen, Nils?' vraagt de veldwachter terwijl hij de zakdoek wegstopt.

De trein stopt met een lichte schok van de wagons. Hij staat maar een halve minuut stil en begint dan weer te rijden.

'Zo is het toch?'

De veldwachter kijkt de hele tijd naar hem en wacht op een antwoord. Zijn vaste blik brandt op Nils gezicht.

'We hebben de lichamen gevonden, Nils', zegt de veldwachter. 'Heb jij ze doodgeschoten?'

'Ik heb niets gedaan', zegt Nils zacht en hij friemelt met zijn vingers aan de opening van de rugzak.

'Wat zei je?' vraagt de veldwachter. 'Wat doe je daar?'

Nils geeft geen antwoord.

De treinrails beginnen weer te bonken, de fluit gaat, zijn trillende vingers graven naar beneden in de rugzak, die met de opening naar hem toe opzij valt. Zijn rechterhand zoekt tussen zijn kleren en bezittingen.

De veldwachter komt half van zijn zitplaats overeind, misschien begrijpt hij ook dat er iets gaat gebeuren.

De treinfluit gilt angstaanjagend.

'Nils, wat heb je ...'

Nils vingers omklemmen het afgezaagde jachtgeweer in zijn rugzak. Hij legt zijn vinger rond de trekker en duwt het geweer omhoog tussen de kleren.

Het schot scheurt eerst de bodem van de rugzak kapot en daarna de zitplaats naast de veldwachter. Houtsplinters spatten op naar het dak.

De veldwachter schokt door de knal maar probeert geen bescherming te zoeken. Hij kan nergens naartoe.

Nils tilt de kapotte rugzak snel op en drukt weer af, zonder te kijken waar hij schiet. De rugzak scheurt in stukken.

Het tweede schot treft de veldwachter. Zijn lichaam wordt zo hard tegen de muur gegooid dat het kraakt, hij valt zwaar opzij, rolt op zijn rug over de kapotgeschoten zitplaats en belandt hard op de vloer van de wagon.

De rails bonken, de trein rijdt over de alvaret.

De veldwachter ligt op de vloer voor Nils, zijn armen schokken licht. Nils houdt de kolf van het geweer vast, maar laat de kapotte rugzak los en komt wankelend overeind.

'Verdomme.'

Je moet de trein naar Borgholm nemen, hoort hij zijn moeder in zijn hoofd zeggen. Dat plan is nu van de baan.

Nils kijkt om zich heen en ziet het landschap achter het raam voorbijglijden. De alvaret en de zon zijn er nog. Hij keert de rugzak om en de kapotte en naar kruit stinkende kleren vallen eruit: sokken, broeken en een wollen trui. Maar helemaal onderin zit een klein zakje toffees, en de portefeuille en de koperen zakflacon zijn ook nog heel. Hij pakt de zakflacon, neemt snel een slok lauwe cognac en stopt hem in zijn achterzak. Dat is een beter gevoel.

Geld, de trui, de zakflacon, het geweer en de toffees. Meer kan hij niet meenemen. De koffer met kleren moet hij achterlaten.

Nils stapt over het roerloze lichaam van de politieagent heen, doet de deur open en gaat in het gedreun tussen de wagons staan.

De trein rijdt over de alvaret. De rijwind rukt aan hem, hij knijpt zijn ogen dicht voor de wind. Door het raam kan hij in de wagon voor hem kijken, een man met een zwarte hoed zit met zijn rug naar hem toe en deint mee met de bewegingen van de trein. Het schot is gedempt door de kleren in de rugzak – de locomotief dendert voort over de rails en niemand lijkt iets te hebben gehoord.

Nils doet de deur aan de zijkant van de trein open. Hij ruikt de geur van de gewassen van de alvaret en ziet het grind van de spoordijk als een lichtgrijze rivier onder zich voorbij schieten. Hij gaat op de onderste trede staan, ziet dat de spoordijk voor hem vrij is, en springt.

Hij probeert omhoog te springen en met rennende benen op de grond te belanden, maar de klap slaat zijn voeten onder hem weg. De treinwielen bonken, de wereld draait rond. Hij slaat tegen de grond, krijgt een harde klap tegen zijn voorhoofd en is bang dat de trein hem zal vermorzelen. Maar de spoordijk smijt hem de andere kant op.

Hij heft zijn hoofd op en ziet de trein op de spoorrails weg-rijden, de achterste wagon waaruit hij net is gesprongen wordt steeds kleiner.

De trein verdwijnt in de verte. Al het geluid verstomt.

Hij heeft het gered.

Langzaam komt hij overeind en kijkt om zich heen. Hij is te-rug op de alvaret, met het jachtgeweer nog steeds in zijn hand.

Er is geen huis te zien, er zijn geen mensen. Alleen het eeu-wige gras en de blauwe hemel.

Nils is vrij.

Zonder nog een blik op de spoorrails achter hem loopt hij snel de alvaret op, naar de westkust van het eiland.

Nils is vrij en hij moet nu verdwijnen.

Hij is al verdwenen.

14

'Dat was een verhaal voor het schemeruur,' zei Astrid zacht.

Toen ze klaar was met het verhaal over Nils Kant was de fles wijn leeg. Het schijnsel van de zon achter het keukenraam was langzaam verdwenen en was een smalle, donkerrode streep aan de horizon geworden.

'Die politieagent in de trein ... was hij dood?' zei Julia.

'Hij was dood toen de conducteur de wagon in kwam en hem vond', zei Astrid. 'Hij was in zijn borst geschoten.'

'Lennarts vader?'

Astrid knikte.

'Lennart was acht of negen jaar toen het gebeurde, dus hij herinnert zich er waarschijnlijk niet zo veel van', zei ze. 'Maar het heeft absoluut invloed op hem gehad. Ik weet dat hij er nooit over wilde praten hoe zijn vader was gestorven.'

Julia keek naar haar wijnglas.

'Ik begrijp waarom hij niet over Nils Kant wilde praten', zei Julia, die door de wijnroes heen een opbloeiende verbondenheid met de politieagent in Marnäs voelde. Hij had een vader verloren, zij had een zoon verloren.

'Ja', zei Astrid. 'En het is extra vervelend voor hem dat er geruchten gaan dat Nils Kant nog leeft.'

Julia keek haar aan.

'Wie zegt dat?' zei ze.

'Heb je dat niet gehoord?'

'Nee. Maar ik heb Kants graf in Marnäs gezien', zei Julia. 'Er staat een grafsteen met een jaartal en ...'

'Er zijn er niet zo veel mensen die zich Nils Kant nog herinneren, maar degenen die dat doen, de oude mensen ... Sommigen geloofden dat er alleen een steen in de kist lag toen hij uit het buitenland kwam', zei Astrid.

'Denkt Gerlof dat?' vroeg Julia.

'Dat heeft hij nooit gezegd', zei Astrid. 'In elk geval niet tegen mij. Hij is een oude zeekapitein, dus hij heeft de geruchten waarschijnlijk nooit geloofd. En al dat gepraat over Nils Kant ... Dat zijn alleen geruchten en roddels. Sommigen zeggen dat ze Nils Kant bij de hoofdweg in de herfstnevel naar de auto's hebben zien kijken, met een baard en grijze haren. Anderen hebben hem zien rondlopen op de alvaret, zoals hij deed toen hij jong was, of ze hebben hem 's zomers in de mensenmenigte in Borgholm gezien.' Astrid schudde haar hoofd. 'Ik heb nog nooit een glimp van Kant gezien. Hij moet dood zijn.'

Ze pakte hun wijnglazen en stond op. Julia bleef aan de keukentafel zitten en vroeg zich af of zij en haar moeder Ella op deze manier in Stenvik hadden zitten praten als Ella nog leefde. Waarschijnlijk niet, haar moeder had bijna nooit verteld wat ze dacht en geloofde.

Plotseling voelde Julia iets warms en zachts tegen haar broekspijp en ze schrok, maar het was Astrids foxterriër Willy maar, die onder de tafel vandaan sloop. Ze stak haar hand uit, kroelde door zijn ruwe nekharen en keek nadenkend door het raam naar het rode naschijnsel van de zon boven het vasteland.

'Ik wou dat ik hier kon blijven', zei ze.

Astrid, die bij het aanrecht stond, draaide zich om.

'Blijf maar zitten', zei ze. 'Je hoeft niet weg, het is nog niet zo laat. We kunnen nog wat praten.'

Julia schudde haar hoofd.

'Ik bedoel dat ik wilde dat ik in Stenvik kon blijven.'

En dat was zo. Misschien kwam het door de wijn, maar op dit moment klonken de herinneringen van alle zomers van haar jeugd in het dorp als een echo van een mooie melodie in haar hoofd, een Ölands volkslied dat ze hier in Stenvik thuishoorde. Ondanks de pijn die was verbonden met Jens' verdwijnen, ondanks het sterfgeval van Ernst.

'Kun je niet blijven?' vroeg Astrid. 'Je gaat toch wel mee naar de begrafenis van Ernst in Marnäs?'

Julia schudde haar hoofd weer.

'Ik moet de auto aan mijn zus teruggeven.' Het was een nogal armzalige reden, de Ford was tenslotte ook van haar, maar het was de enige reden die ze kon bedenken. 'Ik vertrek waarschijnlijk morgenavond of overmorgen.'

Ze kwam nogal moeizaam van de tafel overeind. Haar benen waren niet helemaal vast na het wijn drinken.

'Heel erg bedankt voor het avondeten, Astrid', zei ze.

'Het was gezellig', zei Astrid breed glimlachend. 'We moeten proberen elkaar nog een keer te zien voordat je vertrekt. Of de volgende keer dat je naar Stenvik komt.'

'Dat doen we', zei Julia. Ze aaide Willy en liep door de keukendeur naar buiten.

Het was nog geen nacht, maar vroeg in de avond, en ze hoefde niet op de tast door de inktzwarte duisternis te lopen.

'Kom naar me toe als je bang voor het donker wordt', riep Astrid haar achterna. 'Stel je voor, wij zijn de enigen die in Stenvik over zijn, jij en ik en John Hagman. Driehonderd mensen woonden er hier. Er was een geheelonthoudersvereniging en een kerkgebouw en rijen molens bij de zee. En nu zijn alleen wij over.'

Toen deed ze de deur dicht voordat Julia antwoord kon geven.

De roes die in Astrids keuken heel tastbaar was geweest, verminderde in de frisse lucht – dat dacht Julia in elk geval. De avond was helder en koud en aan de andere kant van de zeestraat schitterden ver weg op het vasteland zwakke lichtjes. Naar het noorden en het zuiden langs de Ölandse kust zag ze nog meer lichten, ze waren van huizen en lampen die te ver weg waren om overdag zichtbaar te zijn.

Julia had de sleutel van Gerlofs zomerhuis gehouden en na een paar honderd meter op de klip liep ze landinwaarts. Ze liep met lange stappen zo recht mogelijk over de dorpsweg, wierp een blik op Vera Kants tuin, en vroeg zich heel even af of de oude Vera haar geliefde zoon Nils had teruggezien voordat ze stierf.

De tuin was stil en vol schaduwen. Julia liep door naar het

zomerhuis, deed de voordeur van het slot en knipte het licht in de hal aan.

Hier waren geen schaduwen. Jens was in huis, maar alleen als een vage herinnering. Jens was dood.

Ze gebruikte de badkamer om zich te wassen, ging naar het toilet en poetste haar tanden.

Toen ze klaar was deed ze het licht in de hal uit, maar het laatste wat ze deed was haar mobiel pakken, die de hele dag in het huis had liggen opladen. Staand in de hal voor het brede glazen raam toetste ze Gerlofs telefoonnummer in het bejaardentehuis in. Hij nam na de derde keer overgaan op.

'Davidsson.'

'Hoi, met mij.'

Ze had altijd een slecht geweten als ze met Gerlof praatte als ze niet helemaal nuchter was, maar daar was niets aan te doen.

'Hallo', zei Gerlof. 'Waar ben je?'

'In het zomerhuis. Ik heb bij Astrid gegeten en nu ga ik naar het botenhuis om te slapen.'

'Mooi. Waarover hebben jullie gepraat?'

Julia dacht na. 'We hebben over Stenvik gepraat ... en wat er met Nils Kant is gebeurd.'

'Heb je dat nog niet gelezen in het boek dat ik je heb gegeven?' zei Gerlof.

'Nog niet helemaal', antwoordde Julia en ze veranderde van gespreksonderwerp. 'Gaan we morgen naar Borgholm?'

'Dat was ik wel van plan', zei Gerlof. 'Als ik hier weg mag. Ik denk dat ik binnenkort schriftelijke toestemming van Boel moet hebben om het tehuis uit te mogen.'

Dat was typisch Gerlofs humor.

'Als je die toestemming hebt,' zei Julia, 'kom ik je om half tien halen.'

Plotseling zweeg ze en ze leunde voorover. Ze zag daarbuiten iets, een bleek licht ...

'Hallo?' zei Gerlof. 'Ben je er nog?'

'Woont er iemand in het buurhuis?' vroeg Julia met haar ogen op het raam gericht.

'Welk buurhuis?'

'Van Vera Kant.'

'Daar woont al meer dan twintig jaar niemand meer', zei Gerlof. 'Hoezo?'

'Ik weet het niet.'

Julia probeerde door de duisternis te turen. Nu zag ze geen licht meer. Toch wist ze zeker dat ze daarnet in een van de kamers op de begane grond licht had gezien.

'Van wie is het huis nu dan?' vroeg ze.

'Tja ... waarschijnlijk van verre familieleden', zei Gerlof. 'Neven of nichten van Vera Kant, denk ik. Niemand geeft er in elk geval de minste blijk van dat ze het willen opknappen. Je hebt gezien hoe de tuin eruitziet ... en die was al in een slechte staat toen Vera in de jaren zeventig stierf.'

Alles bleef donker achter de ramen.

'Goed,' zei Gerlof, 'dan zien we elkaar morgen.'

'Gaan we dan naar de man die Jens heeft meegenomen?'

'Dat heb ik nooit gezegd', zei Gerlof. 'Ik heb alleen beloofd dat we naar de man gaan die me de brief met de sandaal heeft gestuurd. Dat is het enige.'

'Is dat niet dezelfde persoon?' vroeg Julia.

'Dat denk ik niet', zei Gerlof.

'Kun je uitleggen waarom?'

'Dat zal ik in Borgholm doen.'

'Goed', zei Julia, die toch geen energie meer had om te praten. 'Tot morgen.'

Ze zette haar mobiel uit.

Op de terugweg naar het botenhuis liep Julia langzamer langs Vera Kants tuin dan daarstraks. Onder de dichte oude bomen heerste duisternis en ze staarde de hele tijd naar de grote lege ramen van de villa. Ze waren allemaal donker. Het vervallen huis was een grote zwarte schaduw tegen de nachthemel. De enige manier om uit te zoeken of iemand zich daarbinnen verstopte was ... naar binnen gaan en kijken.

Maar dat was belachelijk, dat wist Julia, in elk geval om dat alleen te doen. Vera Kants villa was een spookhuis, en ...

Maar stel je voor dat Jens die dag naar binnen was gegaan. Stel dat hij nog steeds daarbinnen was?

Kom binnen, mama. Kom binnen, kom me halen ...

Nee. Zo mocht ze niet denken.

Julia liep verder naar het botenhuis, maakte de deur open, ging naar binnen en deed hem achter zich op slot.

15

Het was een grijze en winderige dinsdagmorgen en het was vernederend voor Gerlof dat hij niet eens zelf naar de auto kon lopen. Het personeel moest hem helpen. Hij moest zowel op Boel als op Linda steunen toen hij van het bejaardentehuis naar Julia's Ford op de keerplaats liep, en nog liep hij te wankelen.

Gerlof voelde hoe hard de twee vrouwen moesten werken om zijn zware en onwillige lichaam vooruit te krijgen. Het enige wat hij kon doen was zijn stok in zijn ene hand en zijn aktetas in de andere houden en zich laten leiden.

Het was vernederend, maar er was niets aan te doen. Op sommige dagen kon hij zonder veel problemen lopen, op andere kon hij zich nauwelijks bewegen. Deze herfstdag was koud en dat maakte alles erger. Het was de dag voor Ernsts begrafenis, en Gerlof en Julia gingen samen op stap.

Julia deed de passagiersdeur van de auto van binnenuit open en Gerlof ging zitten.

'Waar gaan jullie naartoe?' vroeg Boel naast de auto.

Ze wilde hem altijd in de gaten houden.

'Naar het zuiden', zei Gerlof. 'Naar Borgholm.'

'Zijn jullie voor het avondeten terug?'

'Waarschijnlijk wel', zei Gerlof en hij deed de deur dicht. 'Laten we gaan', zei hij tegen Julia en hij hoopte dat ze geen commentaar zou geven op de ellendige toestand waarin hij zich deze ochtend bevond.

'Ze lijkt om je te geven', zei Julia terwijl ze van het bejaardentehuis wegreed. 'Boel, bedoel ik.'

'Ze is verantwoordelijk voor me, ze wil waarschijnlijk niet dat er iets met me gebeurt', zei Gerlof. 'Ik weet niet of je het hebt gehoord, maar op Zuid-Öland is een gepensioneerde man verdwenen. De politie zoekt hem.'

'Ik heb het op de autoradio gehoord', zei Julia. 'Maar we gaan vandaag toch niet naar de alvaret?'

Gerlof schudde zijn hoofd. 'Zoals gezegd gaan we naar Borgholm', zei hij. 'We ontmoeten daar drie mannen. Niet tegelijkertijd. Na elkaar. Een van hen heeft me de sandaal van Jens gestuurd. Je wilt toch met hem praten?'

Julia knikte stil achter het stuur.

'En de tweede?'

'De tweede is een vriend van me', zei Gerlof. 'Hij heet Gösta Engström.'

'En de derde?'

'Hij is nogal bijzonder.'

Julia remde toen ze het stopbord bij de hoofdweg naderden. 'Je doet altijd zo geheimzinnig, Gerlof', zei ze. 'Is dat omdat je je interessant wilt voelen?'

'Natuurlijk niet', zei Gerlof snel.

'Ík denk van wel', zei Julia terwijl ze de grote weg naar Borgholm op draaide.

Misschien heeft ze gelijk, dacht Gerlof. Hij had er nooit echt over nagedacht wat hem dreef.

'Ik ben niet interessant', zei hij. 'Ik denk alleen dat het beter is om verhalen in hun eigen tempo te vertellen. Vroeger nam iedereen de tijd voor het vertellen van verhalen, nu moet alles zo snel gaan.'

Julia zweeg. Ze reden naar het zuiden, langs de afslag naar Stenvik. Een paar honderd meter verder zag Gerlof het oude stationsgebouw in het westen aan de horizon liggen. Hier had Nils Kant gelopen, die zomerdag na afloop van de oorlog die ermee was geëindigd dat hij veldwachter Henriksson in de trein doodschoot.

Gerlof herinnerde zich de consternatie nog. Eerst twee Duitse soldaten neergeschoten op de alvaret, daarna de politiemoord en de vlucht van de moordenaar – een sensatie die zelfs tijdens de laatste dramatische maanden van de Tweede Wereldoorlog behoorlijk veel nieuwsruimte in beslag nam.

De journalisten waren overal vandaan gekomen om te schrijven over het geweld en de weerzinwekkende gebeurtenissen op Öland. Gerlof was in die tijd in Stockholm geweest om zijn civiele zeevaartcarrière weer op te pakken, en had alleen in *Dagens Nyheter* over het Ölandse drama kunnen lezen. De politie had in heel Zuid-Zweden versterking opgetrommeld om het eiland uit te kammen, omdat hij uit de trein was gesprongen en was gevlucht.

Nu reden er geen treinen meer op Öland, zelfs de treinrails waren weggehaald, en het stationsgebouw van Marnäs was tegenwoordig een huis. Een vakantiehuis natuurlijk.

Gerlof keek niet meer naar het stationsgebouw en leunde achterover. Een paar minuten later begon er plotseling iets hardnekkig te piepen. Hij keek ongerust om zich heen, maar Julia bleef kalm en haalde onder het rijden haar mobiel uit haar tas. Ze nam op, praatte een paar minuten zacht en eenlettergrepig en zette de telefoon toen snel uit.

'Ik heb nooit begrepen hoe die dingen werken', zei Gerlof.

'Wat voor dingen?'

'Draadloze telefoons. Mobieltjes, zoals ze genoemd worden.'

'Je hoeft alleen cijfers in te toetsen en te bellen', zei Julia. Daarna voegde ze eraan toe: 'Het was Lena. Ik moest je de groeten doen.'

'Mooi, dat is aardig van haar. Wat wilde ze?'

'Ik denk dat ze vooral haar auto terug wil hebben', zei Julia kort. 'Deze. Ze belt er de hele tijd over.' Haar greep om het stuur verstevigde. 'Hij is van ons samen, maar daar trekt ze zich niets van aan.'

'Tja', zei Gerlof.

Zijn dochters hadden duidelijk onderlinge conflicten waarvan hij niets wist. Hun moeder zou er iets aan gedaan hebben als ze had geleefd, maar hij had er helaas geen idee van wat hij moest doen.

Julia zat na het telefoongesprek zwijgend achter het stuur en Gerlof wist geen manier te bedenken om de stilte te verbreken.

Na een kwartier nam Julia de noordelijke afslag naar Borgholm. 'Waar gaan we eerst heen?' vroeg ze.

'Koffiedrinken', zei Gerlof.

Het was warm en gezellig in het appartement van de Engströms aan de zuidrand van Borgholm. Gösta en Margit hadden vanaf hun balkon in het lage flatgebouw een fantastisch uitzicht op de kasteelruïne. Aan de andere kant van een langwerpige en kale akker lag het middeleeuwse slot boven op een heuvel. Een van Borgholms vele geheimzinnige branden had het in het begin van de negentiende eeuw verwoest, en nu was zowel het dak als de houten inrichting verdwenen. Waar de kasteelramen vroeger hadden gezeten gaapten grote, zwarte gaten.

De uitgebrande ramen deden Gerlof altijd denken aan een schedel met lege oogkassen. Bepaalde inwoners van Borgholm hadden nooit van het slot gehouden, wist hij, in elk geval niet voordat het was veranderd van een vervallen paradepaardje in een antieke ruïne die toeristen lokte. De Ölanders hadden het kasteel moeten bouwen, maar het was opnieuw een koninklijk gebod geweest dat alleen bloed en zweet en tranen betekende. De vastelanders hadden altijd geprobeerd het eiland uit te zuigen.

Julia stond zwijgend bij het balkonraam naar de ruïne te kijken en Gerlof draaide zich naar haar toe.

'In het stenen tijdperk gooiden ze zieke bejaarden van die heuvel', zei hij zacht terwijl hij naar de ruïne wees. 'Dat wordt in elk geval gezegd. Dat was natuurlijk voordat het slot werd gebouwd. En lang voordat de bestuurders bejaardentehuizen gingen bouwen.'

Margit Engström kwam naar hen toe. Ze droeg een blad met koffiekopjes en was gekleed in een geel schort met de tekst LIEFSTE OMA VAN DE WERELD.

'In de zomer geven ze concerten in de ruïne', zei ze. 'Dan is het hier soms wat lawaaiig. Voor de rest is het heel prettig om aan de voet van het kasteel te wonen.'

Ze droeg het blad naar de tafel voor de televisie, schonk koffie in voor iedereen en haalde toen een mand met broodjes en een schaal met cake uit de keuken.

Haar man Gösta droeg een grijs kostuum met een wit overhemd en bretels en glimlachte de hele tijd. Hij had er ook als zeekapitein al blij uitgezien, herinnerde Gerlof zich. In elk geval zolang de mensen deden wat hij hen opdroeg.

'Leuk dat jullie op bezoek komen', zei Gösta. 'We komen morgen natuurlijk naar Marnäs. Jullie gaan daar zeker ook naartoe?'

Hij had het over de begrafenis van Ernst. Gerlof knikte.

'Ik in elk geval. Julia moet morgen misschien terug naar Göteborg.'

'Wat gebeurt er met het huis?' zei Gösta. 'Hebben ze dat gezegd?'

'Nee, het is waarschijnlijk te vroeg om dat te beslissen', zei Gerlof. 'Maar het wordt vast een vakantiehuis voor zijn Smålandse familie. Niet dat Noord-Öland meer vakantiehuizen nodig heeft, maar dat wordt het waarschijnlijk.'

'Ja, er moet heel wat gebeuren voordat iemand daar het hele jaar gaat wonen', zei Gösta en hij nam een slok koffie.

'We hebben het zo naar onze zin hier in de stad, met alles vlakbij', zei Margit. Ze zette de goedgevulde schaal op tafel. 'Maar we zijn natuurlijk lid van Marnäs' plaatselijke volkskundige vereniging.'

Haar man glimlachte verliefd naar haar.

Ze bleven niet lang bij de Engströms, nauwelijks een half uur.

'Zo,' zei Gerlof toen ze weer in de auto voor het flatgebouw zaten, 'nu kun je naar Badhusgatan rijden. We stoppen bij de garage van Blomberg om iets te kopen voordat we naar de haven rijden.'

Julia keek naar hem voordat ze de auto startte.

'Was er een reden voor dit bezoek?'

'We hebben koffie en cake gekregen', zei Gerlof. 'Is dat niet genoeg? En het is altijd leuk om Gösta te zien. Hij heeft ook als kapitein op de Oostzee gevaren. Daar zijn er niet meer zo veel van.'

Julia draaide Badhusgatan in en reed langs de lege trottoirs. Ze kwamen nauwelijks andere auto's tegen. Aan het eind van de straat lag het witte havenhotel.

'Sla hier af', zei Gerlof terwijl hij naar links wees.

Julia gaf richting aan en reed een geasfalteerd terrein op, bij een laag gebouw met een bord met de tekst BLOMBERGS GARAGE, dat zowel garage als verkooppunt van tweedehands auto's was. Een paar nieuwere Volvo's hadden de eer om achter de glazen ramen in de showroom te staan, maar de meeste auto's stonden buiten, met handgeschreven borden achter de ramen die informatie gaven over de prijs en het aantal gereden kilometers.

'Kom mee', zei Gerlof toen Julia de auto tot stilstand had gebracht.

'Gaan we een nieuwe auto kopen?' vroeg ze.

'Nee, nee', zei Gerlof. 'We gaan alleen even bij Robert Blomberg langs.'

Zijn gewrichten waren warmer en de koffie bij de Engströms had hem goed gedaan. De pijn was nu minder en hij kon alleen met zijn stok als steun over het asfalt lopen, maar Julia liep voor hem uit en deed de deur naar de garage open.

Er rinkelde een bel en de geur van motorolie kwam hen tegemoet.

Gerlof wist veel over zeilschepen maar veel te weinig over auto's, en de aanblik van motoren maakte hem altijd onzeker. Er stond een auto op de betonnen vloer, een zwarte Ford, omgeven door lasapparatuur en verschillende soorten gereedschap, maar er werkte niemand aan. De garage was leeg.

Gerlof liep langzaam naar het kleine kantoor achter in de garage en keek naar binnen.

'Hallo', zei hij tegen de jonge monteur die gekleed in een smerige overall aan het bureau zat, gebogen over de strippagina van de *Ölands-Posten*. 'We komen uit Stenvik en willen olie voor de auto kopen.'

'Dat kan. Die verkopen we eigenlijk in het andere gedeelte,' zei hij, 'maar ik kan het voor jullie halen.'

De monteur, waarschijnlijk de zoon van Robert Blomberg,

kwam overeind en bleek decimeters langer te zijn dan Gerlof.

'We kunnen meelopen om een kijkje te nemen bij de auto's die te koop staan', zei Gerlof.

Hij knikte naar Julia, en ze liepen achter de jonge automonteur aan naar de verkoopafdeling.

Hier hing geen oliegeur en de vloer was schoon en wit geschilderd. Rijen glanzende auto's stonden in de showroom geparkeerd.

De monteur liep naar een kast met autoverzorgingsproducten en kleine reserveonderdelen.

'Gewone motorolie?' vroeg hij.

'Dat is goed', zei Gerlof.

Hij zag een oudere man een paar meter verderop uit een klein kantoor komen en in de deuropening van de showroom gaan staan. Hij was bijna net zo lang en breed als de monteur en hij had een gerimpeld gezicht met wangen die rood waren van de gesprongen adertjes.

Ze hadden nooit met elkaar gepraat, want Gerlof had zijn autozaken altijd in Marnäs afgehandeld, maar hij wist dat dit Robert Blomberg was. Blomberg was afkomstig van het vasteland en had zijn autogarage en showroom in het midden van de jaren zeventig geopend. John Hagman had af en toe contact met de oude garage-eigenaar en hij had Gerlof over hem verteld.

De oudere Blomberg knikte zonder iets te zeggen naar Gerlof. Gerlof knikte zwijgend terug. Hij wist dat Blomberg vroeger problemen met alcohol had gehad en misschien nog steeds had, maar dat was nauwelijks een geschikt gespreksonderwerp.

Robert Blomberg liep langzaam zijn kantoor weer in. Hij slingerde een beetje, dacht Gerlof.

'Ik had geen motorolie nodig', zei Julia toen ze weer in de auto zaten.

'Het is altijd goed om olie in voorraad te hebben', zei Gerlof. 'Wat vond je van de garage?'

'Die zag eruit zoals alle garages', zei Julia toen ze Badhusgatan weer op reed. 'Het lijkt er niet op dat ze het druk hebben.'

'Rij maar naar de haven.' Gerlof wees. 'En de eigenaars, de Blombergs? Wat vond je van hen?'

'Ze zeiden niet zo veel. Wat is er met ze?'

'Robert Blomberg heeft jarenlang gevaren, heb ik gehoord', zei Gerlof. 'Hij was zeeman op de zeven zeeën, helemaal tot Zuid-Amerika.'

'Zo', zei Julia.

Het bleef een paar seconden stil in de auto. Ze naderden het havenhotel aan het eind van Badhusgatan. Gerlof keek naar de haven naast het hotel en voelde een stil verdriet.

'Geen gelukkig einde', zei hij.

'Wat?' vroeg Julia.

'Veel verhalen hebben geen gelukkig einde.'

'Het belangrijkste is waarschijnlijk dat ze een einde hebben', zei Julia. Ze keek naar hem. 'Denk je aan iets in het bijzonder?'

'Ja ... ik denk voornamelijk aan de Ölandse zeevaart', zei Gerlof. 'Dat had beter kunnen gaan. Dat is te snel gestopt.'

De haven van Borgholm was natuurlijk groter dan die van Marnäs en Långvik, maar toch gemakkelijk te overzien. Er waren alleen een paar betonnen kaden en die waren helemaal leeg. Er lag niet één vissersboot aangemeerd. Een groot zwartgeschilderd anker was op het asfaltterrein bij het water gelegd, misschien ter herinnering aan levendigere tijden.

'In de jaren vijftig lagen hier rijen vrachtschepen', zei Gerlof terwijl hij door het zijraam uitkeek over het grijze water. 'Op een herfstdag zoals vandaag zouden ze worden geladen of onderhouden, het was hier vol mensen. Het had naar teer en vernis geroken. Als het zonnig was, hesen de schippers de zeilen om ze in de wind te luchten. Rijen geelwitte zeilen tegen de blauwe hemel, dat was een mooi gezicht.'

'Wanneer kwamen de schepen niet meer?' vroeg Julia.

'Tja ... dat was in de jaren zestig. Maar ze hielden niet op met hiernaartoe komen, ze hielden op hiervandaan te zeilen. De meeste kapiteins van het eiland moesten hun oude schepen in die tijd vervangen door moderne boten om met de rederijen op het vasteland te kunnen concurreren, maar de banken verleenden geen krediet. Ze geloofden niet meer in de Ölandse zee-vaart.' Hij zweeg even en voegde er toen aan toe: 'Ik kreeg ook geen lening, dus verkocht ik mijn laatste schoener Nore. Daarna deed ik een avondopleiding kantooradministratie om in de win-ter iets te doen te hebben.'

'Ik herinner me niet dat je een winter thuis bent geweest', zei Julia zacht. 'Ik herinner me helemaal niet dat je thuis was.'

Gerlof keek snel naar zijn dochter. 'Jawel, ik was thuis. Een paar maanden. Ik wilde het jaar erna een baan als kapitein op de grote zeeën zoeken, maar ik kreeg een kantoorbaan bij de ge-meente en toen ben ik gebleven. John Hagman, die mijn stuur-man was geweest, heeft een eigen schuit gekocht toen ik aan land ging, en die heeft hij nog een paar jaar gehad. Het was een van Borgholms laatste schepen. Farväl heette het.'

Julia liet de auto langzaam naar voren rijden, van de kaden af en in de richting van de grote houten villa's die ten noorden van de haven achter keurige houten hekken lagen. De villa die het dichtst bij de haven lag was de grootste, breed en witgeschilderd en bijna net zo hoog als het havenhotel.

Gerlof gebaarde met zijn hand. 'Stop hier maar', zei hij.

Julia stopte bij de stoeprand voor de villa en Gerlof bukte zich langzaam en maakte zijn aktetas open.

'De Ölandse scheepseigenaars waren te koppig', zei hij terwijl hij een bruine envelop pakte en het dunne boek dat hij had meegenomen van zijn bureau. 'We hadden collectief kapitaal voor nieuwe, grotere boten bijeen kunnen brengen. Maar dat lag ons niet. Eenzaamheid is macht, dachten we waarschijnlijk. We durfden geen grote investeringen te doen.'

Hij gaf het boek aan zijn dochter. *Malmvracht 40 jaar* was de titel, en op het omslag stond een zwart-wit luchtfoto van een grote motorboot die in de zon over een oneindige oceaan voortploegt.

'Dit was de enige uitzondering, Malmvracht', zei Gerlof. 'Martin Malm was een schipper die in grote schepen durfde te investeren. Hij bouwde een kleine handelsvloot op die over de wereldzeeën voer. Hij verdiende geld en kocht meer boten.

Martin was aan het eind van de jaren zestig een van Ölands rijkste mannen.'

'Wat goed', zei Julia.

'Maar niemand weet waar hij zijn startkapitaal vandaan heeft', zei Gerlof. 'Voorzover ik weet had hij niet meer geld dan de andere kapiteins.'

Hij wees naar het boek. 'Malmvracht gaf dit jubileumboek afgelopen voorjaar uit', zei hij. 'Draai het om, dan laat ik je iets zien.'

Op de achterkant van het boek stond een korte uitleg dat het boek een jubileumpublicatie over Ölands succesvolste rederij was. Onder de tekst stond een logo, dat bestond uit het woord MALMVRACHT met het silhouet van drie meeuwen die erboven zweefden.

'Kijk naar de meeuwen', zei Gerlof.

'Ja', zei Julia. 'Drie getekende meeuwen. En?'

'Vergelijk ze eens met deze envelop', zei Gerlof en hij gaf haar de bruine envelop. Hij was gefrankeerd met een Zweedse postzegel met een vaag stempel en geadresseerd aan Gerlof in het Marnästehuis in Marnäs, geschreven in een beverig handschrift met blauwe inkt. 'Iemand heeft de rechterhoek weggescheurd. Maar er is nog steeds een stukje vleugel van de rechter meeuw over ... zie je dat?'

Julia keek en knikte langzaam. 'Wat is dit voor envelop?'

'De sandaal is erin gestuurd', zei Gerlof. 'De jongenssandaal.'

Julia draaide snel haar hoofd naar hem toe. 'Je had die envelop toch weggegooid? Dat zei je tegen Lennart.'

'Een leugentje om bestwil. Ik dacht dat het voldoende was als hij de sandaal meenam.' Gerlof ging snel verder: 'Maar het belangrijke is dat deze envelop afkomstig is van Malmvracht. En dat Martin Malm degene is die de sandaal van Jens heeft gestuurd. En ik denk dat hij me ook heeft gebeld.'

'Gebeld?' herhaalde Julia. 'Dat heb je niet verteld.'

'Hij heeft misschíen gebeld.' Gerlof keek naar de grote villa 'Er is niet veel over te vertellen, alleen dat iemand me een paar avonden heeft gebeld. Het begon nadat ik de sandaal had gekregen. Maar degene die belde zei geen woord.'

Julia liet de envelop zakken en keek naar hem. 'Gaan we nu met hem praten?'

'Dat hoop ik.' Gerlof wees naar de grote witte houten villa. 'Daar woont hij.'

Hij deed de deur open en stapte uit de auto. Julia bleef een paar seconden onbeweeglijk achter het stuur zitten en stapte toen ook uit.

'Weet je zeker dat hij thuis is?'

'Martin Malm is altijd thuis', zei Gerlof.

Er stond een koude wind vanaf de zeestraat, en Gerlof wierp een blik over zijn schouder naar het water. Hij dacht weer aan Nils Kant en hoe hij deze zeestraat op de een of andere manier was overgestoken, bijna vijftig jaar geleden.

Småland, mei 1945

Nils Kant zit tussen een groepje bomen op het vasteland en kijkt over het water naar Öland, dat een smalle strook kalksteen aan de horizon is. Zijn ogen staan verdrietig en de wind ruist eenzaam in de toppen van de dennenbomen boven hem. Het eiland aan de overkant van de zeestraat wordt verlicht door de ochtendzon; de bomen zijn heldergroen, de lange stranden glanzen zilver.

Zijn eiland. En Nils zal er terugkeren. Niet nu, maar zodra het kan, zodra het veilig is. Hij weet dat hij dingen heeft gedaan die hem heel lang niet vergeven zullen worden, en Öland is op dit moment te gevaarlijk voor hem. Toch is het allemaal niet zijn schuld. De dingen zijn gewoon gebeurd, hij heeft er geen invloed op gehad.

De dikke veldwachter in de trein wilde hem gevangen nemen, maar Nils was sneller geweest.

'Zelfverdediging', fluistert hij tegen zijn geboorte-eiland. 'Ik heb op hem geschoten, maar het was zelfverdediging.'

Hij zwijgt en schraapt zijn keel hard om de tranen weg te krijgen.

Er zijn twintig uur verstreken sinds Nils van de trein op de alvaret is gesprongen. Hij is niet gevonden omdat hij snel over het eiland naar het zuiden is gelopen, over de alvaret waar hij zich thuis voelt, en hij heeft alle wegen en dorpen vermeden.

Een paar kilometer ten zuiden van Borgholm, waar de zeestraat het smalst is, is hij door het bos naar het water gelopen. Daar vond hij een half vergaan en ingedroogd teervat met een afgezaagd bovendeel waarin hij zijn weinige bezittingen kon stoppen. Nils wachtte in het bos tot het donker was, kleedde zich uit en duwde het vat in het koude water. Hij klampte zich met zijn armen en bovenlichaam aan het vat vast en begon daarna al trappend door de zeestraat naar de zwarte landstrook aan de overkant te zwemmen.

Het duurde minstens een paar uur voordat hij aan land kwam, maar er waren geen boten in de buurt toen hij de vaargeul passeerde, en het leek erop dat niemand hem had gezien. Toen hij eindelijk Småland bereikte, naakt en met onderkoelde benen, lukte het hem nog net om zijn bezittingen uit het vat te halen en onder de bomen te kruipen, waar hij meteen in een diepe slaap viel.

Nu is hij klaarwakker, maar het is nog vroeg in de ochtend. Nils komt overeind op benen die nog steeds pijn doen van de zwemtocht maar die nu weer aan het werk moeten. Hij is niet ver van Kalmar, beseft hij, en hij moet bij de stad vandaan. Er zijn natuurlijk massa's politieagenten die daar in de straten patrouilleren.

Zijn kleren zijn droog en hij trekt zijn hemd, trui, sokken en schoenen aan en stopt zijn portemonnee in zijn zak. Hij moet voorzichtig zijn met het geld van zijn moeder, want zonder dat is hij verloren en kan hij zich niet verborgen houden.

Het Husqvarna-jachtgeweer heeft hij niet meer – dat ligt op de bodem van de zeestraat. Toen hij ongeveer halverwege het eiland en het vasteland was, heeft hij de afgezaagde geweerloop vastgepakt en heeft hij het met een armzalige plons in het water laten vallen.

Er zaten toch geen patronen meer in het geweer, maar Nils zal het veilige gewicht ervan missen.

Hij denkt aan zijn kapotgeschoten rugzak en mist die ook. Hij moet zijn bagage nu in zijn broekzakken en in een klein bundeltje gemaakt van een zakdoek vervoeren, en hij kan niet veel meenemen.

Hij begint in de ochtendzon naar het noorden te lopen. Hij weet waar hij naartoe moet, maar het is een heel eind en het kost hem het grootste deel van de dag. Hij blijft bij de kust maar ontwijkt alle dorpen. Bospaden steekt hij snel over, tussen de bomen voelt hij zich veilig. Twee keer ziet hij reeën in het bos, die zo stil zijn dat ze hem verrassen. Mensen hoort hij op honderden meters afstand naderen en die kan hij gemakkelijk ontwijken.

Nils weet tamelijk goed waar Ramneby ligt, in zijn jeugd is hij al verschillende keren naar de zagerij geweest, afgelopen zomer voor het laatst.

Hij hoort het geluid van de gierende zagen al in de verte, en vlak daarna ruikt hij de vertrouwde geur van pas gezaagd hout vermengd met de zeewiergeur van het water van de zeestraat.

Nils sluipt voorzichtig uit het bos dichterbij en zoekt de bescherming van een grote schuur vol planken. Hij is hier een paar keer op bezoek geweest, maar hij weet de weg naar het kantoor niet goed. En hij kan zich nu toch niet openlijk laten zien. Een paar honderd meter ten zuiden van de zagerij ligt de houten villa van oom August, maar Nils durft daar niet naartoe te gaan. Daar zijn kinderen, chauffeurs, dienstmeisjes – mensen die tegen de politie kunnen klikken dat ze hem hebben gezien. Hij moet bij de schuur wachten, in de bescherming van een dikke seringenstruik met zwaar geurende bloemen die ontelbare insecten aantrekt.

Nils' horloge is stil blijven staan toen hij de zeestraat over zwom, maar hij weet zeker dat er minstens een half uur voorbij is voordat hij de eerste mensen ziet. Het zijn drie zagerijwerknemers, die lachend langs de schuur lopen zonder een blik in Nils' richting te werpen.

Hij blijft wachten.

Een paar minuten later komt er iemand alleen aansjokken. Het is een jongen van zo'n dertien of veertien jaar die bijna net zo lang is als Nils. Hij heeft een grote pet over zijn voorhoofd getrokken en zijn handen in een broek met olievlekken gestopt.

'Hé!' roept Nils achter de struik.

Hij roept zacht en de jongen reageert niet. Hij blijft doorlopen.

'Jij daar met die pet!'

De jongen blijft staan. Hij kijkt wantrouwig om zich heen,

en Nils komt voorzichtig achter de struik overeind. Hij zwaait naar hem. 'Hier.'

De jongen verandert van richting, doet een paar stappen in de richting van de struik en kijkt zwijgend naar Nils.

'Werk je bij de zagerij?' vraagt Nils.

De jongen knikt trots.

'Het is mijn eerste zomer.'

Hij heeft een stem die op weg is de baard in de keel te krijgen en hij praat met een Smålands dialect.

'Mooi', zegt Nils. Hij doet zijn best om kalm en normaal te klinken. 'Ik heb hulp nodig. Ik wil dat je August Kant haalt. Ik moet met hem praten.'

'De directeur?' vraagt de jongen verbaasd.

'Directeur Kant, inderdaad', zegt Nils. Hij blijft de jongen in de ogen kijken en strekt zijn hand uit om te laten zien dat hij een eenkroonmunt tussen zijn vingers houdt. 'Zeg dat Nils er is. Ga naar het kantoor en zeg dat de directeur moet komen.'

De loopjongen knikt zonder op de naam Nils te reageren en pakt de eenkroonmunt snel aan. Dan draait hij zich om en gaat zonder veel haast op weg. Hij stopt de munt diep in zijn zak.

Nils ademt uit en gaat weer achter de struik zitten. Zo, dat is geregeld. Zijn oom zal voor hem zorgen, hij zal hem verstoppen tot alles weer rustig is. Hij moet zich natuurlijk de rest van de zomer hier in Småland verbergen, maar dat moet dan maar.

Weer moet hij wachten, veel te lang. Ten slotte hoort hij voetstappen die de schuur naderen. Nils kijkt glimlachend op en doet een stap naar voren – maar het is oom August niet. Het is de jongen met de pet weer.

Nils kijkt hem aan.

'Was hij niet op kantoor ... directeur Kant?' vraagt hij.

'Jawel.' De jongen knikt. 'Maar de directeur wil hier niet naartoe komen.'

'Wil hij niet?' vraagt Nils niet-begrijpend.

'Ik moest je dit geven', zegt de jongen.

Hij heeft een witte envelop in zijn hand.

Nils pakt hem aan, keert zijn rug naar de loopjongen toe en

maakt hem open. Er zit geen brief in de envelop, alleen drie bankbiljetten. Drie opgevouwen bankbiljetten van honderd kronen.

Nils doet de envelop dicht en draait zich om.

'Was dat alles?' vraagt hij.

De loopjongen knikt.

'Zei de directeur niet ... Had hij geen boodschap?'

De jongen schudt zijn hoofd. 'Alleen de brief.'

Nils laat zijn ogen zakken en staart naar het papiergeld.

Geld, dat is alles wat hij heeft gekregen. Geld om te vluchten. Dat is een heel duidelijke boodschap. Zijn oom wil niets van hem weten.

Hij zucht en kijkt weer op, maar de loopjongen is er niet meer. Nils ziet hem nog net om de hoek van de schuur verdwijnen.

Nils is weer alleen. Hij moet zichzelf redden. Hij zal moeten vluchten. Maar waarnaartoe? In de eerste plaats weg van de kust. Daarna zal er wel een oplossing komen.

Nils kijkt om zich heen. Insecten zoemen, de sering geurt. De zomer is licht en weelderig. In het noordoosten ziet hij een kleine strook blauw water.

Hij zal terugkomen. Ze kunnen hem nu misschien wegjagen, maar hij komt terug. Öland is zijn eiland.

Nils kijkt een laatste keer naar het water, dan draait hij zich om en loopt met lange stappen terug naar het beschermende sparrenbos.

16

Een breed pad van grote kalkstenen tegels leidde naar Martin Malms witte villa. Julia keek naar het huis en dacht aan Vera Kants villa in Stenvik. Ze waren ongeveer even groot, maar deze was geschilderd en bewoond. Julia vroeg zich nog steeds af wie gisteravond het licht in Vera Kants woning had aangedaan. Ze moest er voortdurend aan denken. Had ze echt licht achter het villaraam gezien?

Ze hield Gerlofs arm vast terwijl ze het dikke, ijzeren hek opende en ze langzaam over de ruwe stenen liepen. Misschien ondersteunde hij haar ook, dacht Julia, want ze was zenuwachtig.

Voor haar was dit een ontmoeting met de moordenaar van Jens. Als Martin Malm de sandaal in de envelop had gestuurd, dan moest hij dat zijn – welk voorbehoud Gerlof ook maakte.

Het stenen pad stopte bij een trap die naar een brede mahoniehouten deur met een ijzeren bordje met de naam MALM erop leidde. Midden op de deur, onder een klein gekleurd raam, bevond zich een bel, in de vorm van een kleine sleutel.

Gerlof keek naar Julia. 'Klaar?'

Julia knikte en strekte haar hand naar de sleutelbel uit.

'Nog één ding', zei Gerlof. 'Martin heeft jaren geleden een hersenbloeding gehad. Hij heeft goede en minder goede dagen, net als ik. Als het een goede dag is kunnen we met hem praten. Zo niet, dan ...'

'Ik snap het', zei Julia met een bonkend hart.

Ze draaide de bel om, en er klonk een gedempt maar langgerekt gerinkel in de villa.

Na een minuut verscheen er een schaduw achter het raam

van de deur en werd er opengedaan. Er stond een jonge vrouw voor hen, die tussen de twintig en vijfentwintig jaar was. Ze was klein en jong en afwachtend.

'Hallo', zei Gerlof. 'Is Martin thuis?'

'Ja', zei het meisje. 'Maar ik geloof niet dat hij ...'

'We zijn goede vrienden', zei Gerlof snel. 'Ik heet Gerlof Davidsson. Uit Stenvik. En dit is mijn dochter. We willen Martin bezoeken.'

'Goed', zei het meisje. 'Ik zal kijken.'

'Mogen we zolang in de warmte wachten?' vroeg Gerlof.

'Dat is goed.'

Het meisje deed een paar stappen naar achteren.

Julia hielp Gerlof over de drempel op de marmeren vloer van de hal, die groot was, met donkere houten panelen tegen de muren waarop ingelijste foto's hingen van nieuwe en oude schepen. Drie deuren leidden verder het huis in en een brede trap liep naar de bovenverdieping.

'Ben je familie van Martin?' vroeg Gerlof toen de buitendeur dicht was.

Het meisje schudde haar hoofd.

'Ik ben verpleegster in Kalmar', zei ze en daarna liep ze naar de middelste deur.

Ze deed hem open en Julia probeerde te zien wat er achter was, maar er hing een draperie van donkere stof in de deuropening.

Gerlof en zij bleven zwijgend staan, alsof het grote huis met zijn gesloten deuren niet uitnodigde tot een gesprek. Alles was stil en plechtig als in een kerk, maar toen Julia haar oren spitste, dacht ze te horen dat er iemand op de bovenverdieping liep.

De middelste deur ging open en de verpleegster kwam weer naar buiten.

'Martin voelt zich vandaag niet zo goed', zei ze zacht. 'Helaas. Hij is moe.'

'Zo?' zei Gerlof. 'Wat vervelend. We hebben elkaar al jarenlang niet gezien.'

'Jullie zullen een andere keer terug moeten komen', zei de verpleegster.

Gerlof knikte.

'Dat doen we. Maar dan bellen we eerst.'

Hij liep naar de voordeur en Julia liep onwillig achter hem aan.

Julia had het gevoel dat het buiten nog kouder was dan daarstraks. Ze liep zwijgend naast Gerlof, deed het ijzeren hek open en keek daarna nog een keer naar de grote villa.

Achter een van de grote ramen op de bovenverdieping zag ze iemand naar haar staren. Het was een oudere vrouw met een bleek en ernstig gezicht. Julia opende haar mond om te vragen of Gerlof haar herkende, maar hij was al op weg naar de auto. Ze moest snel voor hem uit lopen om de deur voor hem open te doen.

Toen ze weer naar de villa keek was de vrouw achter het raam verdwenen.

Gerlof ging op de stoel zitten en keek op zijn horloge.

'Half twee', zei hij. 'Misschien moeten we iets eten. Daarna gaan we langs de slijterij. Ik heb een paar van mijn buren in het bejaardentehuis beloofd om drank voor ze mee te nemen. Is dat goed?'

Julia ging achter het stuur zitten. 'Alcohol is vergif', zei ze.

Ze aten de pastaschotel van de dag in een van de weinige restaurants in Borgholm die 's winters open waren. De eetzaal was bijna leeg, maar toen Julia probeerde Gerlof aan het praten te krijgen over het bezoek aan Martin Malm schudde hij alleen zijn hoofd en wijdde zich aan het eten. Na afloop stond hij erop om de rekening te betalen, en daarna reden ze naar de slijterij, waar Gerlof twee flessen met alsem gekruide brandewijn, een fles advocaat en zes blikjes Duits bier kocht. Julia moest alles dragen.

'Dan rijden we nu naar huis', zei Gerlof toen ze weer in de auto zaten.

Hij had de zorgeloze toon van iemand die een geslaagde dag in de stad achter de rug heeft en dat irriteerde Julia. Ze schakelde snel naar de eerste versnelling en draaide de straat op.

'Er is niets gebeurd', zei ze toen ze Borgholm uit reden en voor een rood licht stopten.

'Hoezo?' vroeg Gerlof.

'Hoezo hoezo?' zei Julia terwijl ze de hoofdweg in noordelijke richting op draaide. 'We hebben vandaag niets bereikt.'

'Natuurlijk wel. Ten eerste hebben we lekkere cake en koffie bij Margit en Gösta gehad', zei Gerlof. 'Daarna hebben we een kijkje bij autohandelaar Blomberg genomen. En we hebben bovendien ...'

'Waarom wilde je dat?' vroeg Julia.

Gerlof zweeg even. 'Om verschillende redenen', zei hij.

Julia ademde in. 'Je moet me dingen gaan vertellen, papa', zei ze terwijl ze strak uit het raam keek. Ze had zin om te stoppen, de deur open te doen en hem op de alvaret ten noorden van Köpingsvik naar buiten te gooien. Ze had het gevoel dat hij haar in de maling nam.

Gerlof zweeg nog even. 'Ernst Adolfsson bedacht afgelopen zomer iets', zei hij toen. 'Een theorie. Hij geloofde dat mijn kleinkind, onze Jens dus, die dag in de mist de alvaret op ging en niet naar de zee is gegaan. En hij dacht dat Jens daar zijn moordenaar ontmoette.'

'Wie?'

'Misschien Nils Kant.'

'Nils Kant?'

'De dode Nils Kant, ja. Hij was tegen die tijd tien jaar dood en begraven, je hebt zijn grafsteen gezien. Er waren echter geruchten ...'

'Ik weet het', zei Julia. 'Astrid had het erover. Maar waar kwamen die geruchten vandaan?'

Gerlof zuchtte.

'Er was een postbode in Stenvik, Erik Ahnlund. Hij vertelde na zijn pensioen aan Ernst en aan mij en aan iedereen in het dorp die het wilde horen dat Vera Kant ansichtkaarten zonder afzender kreeg.'

'Ja?'

'Wanneer ze begonnen te komen weet ik niet,' zei Gerlof,

'maar volgens Ahnlund kwamen de ansichtkaarten in de jaren vijftig en zestig uit verschillende plaatsen in Zuid-Amerika. Elk jaar een paar. En altijd zonder afzender.'

'Waren ze van Nils Kant?' vroeg Julia.

'Waarschijnlijk wel. Het ligt voor de hand om dat te denken.' Gerlof keek uit over de alvaret. 'Daarna kwam Nils Kant in een kist naar huis en werd hij in Marnäs begraven.'

'Ik weet het', zei Julia.

Gerlof keek haar aan. 'Maar de ansichtkaarten bleven ook na de begrafenis komen', zei hij. 'Uit het buitenland en zonder afzender.'

Julia keek snel naar hem. 'Is dat waar?'

'Dat denk ik wel', zei Gerlof. 'Erik Ahnlund was de enige die de ansichtkaarten voor Vera echt heeft gezien, maar hij zwoer dat ze nog jaren na Nils' dood bleven komen.'

'En daardoor dachten de mensen in Stenvik dat Nils Kant nog leefde?'

'Inderdaad', zei Gerlof. 'De mensen vertelden elkaar verhalen in de schemering. Maar Ernst hield niet zo van roddelen en hij geloofde het ook.'

'En wat denk jij?'

Gerlof aarzelde.

'Ik ben als de apostel Thomas', zei hij toen. 'Ik wil bewijs hebben dat hij leeft. Dat heb ik nog niet gevonden.'

'En waarom wilde je Blomberg dan ontmoeten?' vroeg Julia.

Gerlof aarzelde weer, alsof hij bang was om voor oud en gek te worden versleten.

'John Hagman denkt dat Robert Blomberg misschien Nils Kant is', zei hij ten slotte.

Julia bleef naar hem staren. 'Juist ja', zei ze toen. 'Maar dat denk jij niet?'

Gerlof schudde langzaam zijn hoofd. 'Dat lijkt me vergezocht', zei hij. 'Maar John heeft een paar punten. Blomberg was zeeman, zoals ik al zei. Hij groeide op in Småland en ging in zijn tienerjaren als machinist naar zee. Hij is jarenlang weg geweest ... Twintig of vijfentwintig jaar of zelfs langer. Ten slotte kwam hij aan land en verhuisde naar Öland. Hij trouwde daar en kreeg kinderen. Ik denk dat zijn zoon in de garage werkt.'

'Dat klinkt toch niet zo verdacht', zei Julia.

'Nee', zei Gerlof. 'Het enige merkwaardige is waarschijnlijk dat hij zo lang is weg geweest. John heeft geruchten gehoord dat hij door zijn kapitein is ontslagen en dat hij heeft rondgezworven en in Zuid-Amerika zwaar aan alcohol verslaafd is geweest voordat een Zweedse kapitein hem uiteindelijk mee naar huis nam.'

'Maar Blomberg is toch niet de enige die naar Öland is verhuisd?' zei Julia.

'O nee', zei Gerlof. 'Er zijn honderden mensen van het vasteland hiernaartoe gekomen.'

'Verdenkt John iedereen die hier is komen wonen ervan dat hij Kant is?'

'Nee. En ik vind niet dat Blomberg aan hem doet denken', zei Gerlof. 'Maar je ziet wat je wilt zien. Mijn moeder, jouw oma Sara dus, zag een keer een kabouter toen ze jong was. Weet je dat nog? Ze noemde hem alleen "een grijs mannetje".'

'Ja, dat verhaal heb ik gehoord', zei Julia. 'Je hoeft het niet ...'

Maar Gerlof was niet te stoppen.

'Wat het ook was, ze zag hem op een voorjaarsdag aan het eind van de negentiende eeuw toen ze was stond te spoelen in de Kalmarsund, buiten Grönhögen. Plotseling hoorde ze snelle voetstappen achter zich, en toen kwam hij het bos uit rennen ... Een klein mannetje van een meter lang met grijze kleren. Hij zei niets, maar rende naar de zeestraat, vlak langs Sara en zonder naar haar te kijken. Toen hij bij het water was bleef hij niet staan ... Mijn moeder riep hem, maar hij bleef het water in lopen, tot de golven over hem heen spoelden en hij onder de oppervlakte verdween. Toen was hij weg.'

Julia knikte kort. Het was een bizar verhaal, misschien het vreemdste van alle verhalen die in haar Ölandse familie werden verteld.

'Een kabouter die zelfmoord pleegt', zei ze. 'Dat zie je niet elke dag.'

'Natuurlijk is het verhaal niet waar', ging Gerlof verder. 'Maar ik geloof het. Ik gelóóf dat mijn moeder een kabouter zag, of in elk geval een soort natuurkracht of onbekend fenomeen dat ze interpreteerde als een kabouter. En tegelijkertijd weet ik dat kabouters en trollen niet bestaan.'

'Ze worden tegenwoordig in elk geval niet zo vaak meer gesignaleerd', zei Julia.

'Nee', zei Gerlof langzaam. 'En zo is het waarschijnlijk ook met Nils Kant. Niemand praat over hem, niemand ziet hem. Hij wordt door de politie als overleden beschouwd en hij ligt begraven op de begraafplaats van Marnäs met een grafsteen waar iedereen naartoe kan gaan en naar kan kijken. En toch zijn er mensen op Noord-Öland die denken dat hij nog leeft. In elk geval degenen die oud genoeg zijn om herinneringen aan hem te hebben.'

'Wat denk jij?' vroeg Julia.

'Ik denk dat het goed zou zijn om duidelijkheid te krijgen in alle merkwaardige gebeurtenissen rond Nils Kant', zei Gerlof.

'Ik heb liever dat we mijn zoon vinden', zei Julia zacht. 'Daarom ben ik hiernaartoe gekomen.'

'Ik weet het', zei Gerlof. 'Maar de verhalen kunnen met elkaar te maken hebben.'

'Nils Kant en Jens?'

Gerlof knikte. 'Ik weet nu al dat het gedeeltelijk zo is. Door Martin Malm.'

'Hoe dan?'

'Hij had de sandaal van Jens', zei Gerlof. 'En een van de schepen van Malmvracht heeft de kist van Nils Kant naar Zweden gebracht.'

'Was dat zo? Hoe weet je dat?'

'Dat is geen geheim', zei Gerlof. 'Ik was zelf in de haven toen de boot met de kist aankwam. Een begrafenisonderneming in Marnäs zorgde ervoor.'

Julia dacht daarover na terwijl ze de afslag naar Marnäs bereikten. Ze remde en sloeg af.

'Maar we hebben vandaag niet gepraat met degene die de

sandaal heeft gestuurd', zei ze daarna.

'Nee, maar je hebt zijn huis gezien', zei Gerlof. 'Martin voelde zich vandaag niet goed, maar vroeg of laat lukt het ons om met hem te praten. Misschien volgende week.'

'Ik kan niet alleen daarom blijven', zei Julia snel. 'Ik moet naar Göteborg terug.'

'Als jij het zegt', zei Gerlof. 'Wanneer vertrek je?'

'Ik weet het niet. Gauw ... morgen misschien.'

'Morgen is de begrafenis in de kerk van Marnäs', zei Gerlof. 'Om elf uur.'

'Ik weet niet of ik kom', zei Julia terwijl ze de keerplaats voor het Marnästehuis op reed. 'Ik kende Ernst tenslotte niet. Het is tragisch dat hij dood is en ik zal de ochtend dat ik hem vond nooit vergeten, maar ik kende hem niet.'

'Probeer toch te komen', zei Gerlof terwijl hij het portier opendeed.

Julia stapte uit de auto om hem te helpen. Ze droeg de tas met drank en zijn aktetas.

'Dank je', zei Gerlof op zijn stok steunend. 'Mijn benen zijn nu veel beter.'

'Dan ga ik maar', zei Julia toen ze hem tot de lift was gevolgd. 'Bedankt voor vandaag.'

Ze liep naar de keerplaats terug, maar bleef in de auto zitten tot ze zag dat Gerlof de liftdeur opendeed en naar binnen ging zonder te vallen.

Daarna startte ze de auto en draaide de weg weer op, naar het oosten. Ze wilde boodschappen doen in Marnäs voordat ze naar het botenhuis reed.

Het was twintig minuten over vier en het begon langzaam te schemeren. Normale mensen, mensen die hadden gewerkt, waren nu waarschijnlijk van hun werk op weg naar huis.

Maar niet iedereen was weg. Toen ze langs het kleine politiebureau van Marnäs reed zag ze dat er binnen licht brandde.

Julia stopte bij de supermarkt en kocht melk, brood en wat beleg. Ze had niet veel geld meer op haar rekening, en het duurde nog meer dan een week voor ze haar uitkering van de Sociale

Dienst kreeg. Het enige wat ze kon doen was er niet aan denken.

Toen ze de winkel uit kwam zag ze de verlichte ramen van het politiebureau weer. Ze dacht aan Lennart Henriksson en aan wat Astrid over hem had verteld. Ook Lennart had een grote tragedie in zijn leven meegemaakt.

Julia liep naar haar auto, stopte het eten in de kofferbak en deed hem op slot. Daarna stak ze de straat over en klopte op de deur van het politiebureau.

17

'Ik gaf mijn moeder de schuld', zei Julia. 'Ze lag die middag te slapen.'

Ze knipperde met haar ogen om de tranen weg te krijgen en ging verder: 'Ik gaf mijn vader nog meer de schuld, Gerlof dus. Omdat hij naar het botenhuis was gegaan om aan zijn netten te werken. Als hij thuis was geweest, was Jens het huis niet uit gegaan. Jens was gek op zijn opa.'

Julia snoof en zuchtte.

'Ik heb ze jarenlang de schuld gegeven,' zei ze, 'maar eigenlijk was het mijn eigen schuld. Ik liet Jens achter en ging naar Kalmar om daar een man te ontmoeten. Hoewel ik wist dat het zonde van mijn tijd was. Hij kwam niet eens opdagen.' Ze zweeg even en ging toen verder. 'Dat was de vader van Jens, Michael. We waren uit elkaar en hij woonde in Skåne, maar hij had gezegd dat hij de trein zou nemen om me te ontmoeten. Ik dacht dat we het opnieuw konden proberen, maar hij dacht daar blijkbaar anders over.' Ze snoof weer. 'Dus Michael was natuurlijk ook geen hulp toen Jens verdween, hij woonde in Malmö. Maar de grootste fout maakte ik.'

Lennart zat zwijgend aan de andere kant van de tafel naar haar te luisteren – hij kon goed luisteren, dacht Julia – en liet haar praten. Toen ze stopte zei hij: 'Het was niemands fout, Julia. Het was gewoon, zoals we dat bij de politie zeggen, een opeenvolging van ongelukkige omstandigheden.'

'Ja', zei Julia. 'Als het een ongeluk was.'

'Wat bedoel je?' vroeg Lennart.

'Ik bedoel ... misschien is Jens niet naar het water gegaan en is hij iemand tegengekomen die hem meenam.'

'Goed, maar wie?' zei Lennart. 'Wie zou zoiets doen?'

'Ik weet het niet', zei Julia. 'Een idioot? Daar weet jij als politieagent veel meer over.'

'Dat vereist dat je gestoord bent ... enorm gestoord', zei hij. 'En dan ben je bijna zeker al eerder voor andere geweldsmisdrijven met de politie in aanraking geweest. Zo iemand was er in die tijd niet op Öland. Geloof me, we hebben naar verdachten gezocht. We zijn langs de deuren gegaan, we hebben onze misdadigersbestanden doorgenomen.'

'Ik weet het', zei Julia. 'Jullie hebben gedaan wat jullie konden.'

'Bij de politie namen we aan dat hij naar het water was gegaan', zei Lennart. 'Het is tenslotte maar een paar honderd meter en je kon die dag gemakkelijk in de mist verdwalen. Veel mensen die in de Kalmarsund zijn verdronken, zijn voor altijd verdwenen, zowel voor als na die dag.' Hij stopte. 'Je vindt het vast moeilijk om hierover te praten en ik moet niet ...'

'Het maakt niet uit', zei Julia zacht. 'Ik dacht niet dat het goed zou zijn om hiernaartoe te komen en alles weer te beleven, maar dat is het wel. Ik begin over Jens heen te komen ... en ik weet dat hij niet terugkomt.' Ze deed haar best om heel zeker te klinken. 'Ik moet verder gaan.'

Het was dinsdagavond in Marnäs. Julia had alleen even bij Lennart in het politiebureau langs willen gaan. Lennart was duidelijk bezig geweest om zijn werk voor die dag af te sluiten, zijn computer uit te zetten en naar huis te gaan, maar hij was gebleven.

'Je hebt vanavond dus geen verplichtingen?' had Julia gevraagd.

'Jawel, maar pas later', zei Lennart. 'Ik zit in een bouwcommissie en we hebben vanavond werkoverleg, maar dat is pas om half acht.'

Julia wilde vragen welke politieke partij hij vertegenwoordigde, maar er was een risico dat het een partij was die haar niet aanstond. Daarna wilde ze vragen of hij getrouwd was, maar ze wist ook niet zeker of dat antwoord haar zou aanstaan.

'We kunnen een pizza bij Moby Dick bestellen', zei Lennart. 'Wat denk je daarvan?'

'Graag', zei Julia.

Er was een keuken in het politiebureau. Hoewel het een onpersoonlijke ruimte was, was er een zekere mate van gezelligheid in de vorm van gordijnen, rode kleden op de vloer en zelfs een paar schilderijen aan de muren. Een schoon koffiezetapparaat stond op het net zo schone aanrecht. In een hoek stond een lage tafel met stoelen, en toen de hampizza's van het havenrestaurant waren bezorgd aten Lennart en Julia ze daar op.

Terwijl ze aten begonnen ze te praten – écht te praten – en hun rustige gesprek ging voor een groot deel over verdriet en gemis.

Julia herinnerde zich achteraf niet wie van hen het eerst zo persoonlijk was geworden, maar ze nam aan dat zij het was geweest.

'Ik moet verder gaan', zei Julia. 'Als Jens in de zeestraat is verdwenen moet ik dat accepteren. Het is eerder gebeurd, zoals je al zei. Hij was alleen heel bang voor water, hij speelde niet graag op het strand. Dus soms heb ik het gevoel dat hij de andere kant op is gegaan, naar de alvaret. Ik weet hoe het klinkt, maar ... Gerlof denkt hetzelfde.'

'We hebben ook op de alvaret gezocht', zei Lennart zacht. 'We hebben overal gezocht.'

'Ik weet het en ik heb geprobeerd me te herinneren ... Hebben we elkaar toen ontmoet?' vroeg Julia. 'Jij en ik, bedoel ik?'

De politieagenten die vragen hadden gesteld toen Jens was verdwenen, waren naamloze gezichten voor haar. Ze hadden vragen gesteld en Julia had antwoord gegeven, mechanisch. Wie het waren was niet belangrijk geweest, alleen dat ze Jens vonden.

Veel later besefte ze dat bepaalde vragen suggereerden dat ze – om een onbekende reden, misschien een aanval van waanzin – haar eigen zoon had vermoord en het lichaam had verborgen.

Lennart schudde zijn hoofd. 'Wij hebben elkaar nooit ontmoet ... we hebben niet met elkaar gepraat', zei hij. 'Er waren andere agenten die het contact met jou en je familie onderhiel-den, en ik was zoals ik al zei een van de agenten die het zoeken leidde. Ik verzamelde vrijwilligers in Stenvik die de hele avond het strand afzochten, en zelf reed ik met mijn politieauto op de wegen rond Stenvik en op de alvaret rond. Maar we vonden hem niet.'

Hij zweeg en zuchtte toen.

'Het waren vreselijke dagen,' ging hij verder, 'vooral omdat ik ... ik ben eerder bij soortgelijke zaken betrokken geweest, privé. Mijn vader is ...'

Hij verstomde weer.

'Ik weet er iets van, Lennart', zei Julia voorzichtig. 'Astrid Linder heeft me verteld wat er met je vader is gebeurd.'

Lennart knikte en sloeg zijn ogen neer.

'Ja, dat is geen geheim', zei hij.

'Over Nils Kant', zei Julia. 'Hoe oud was je, toen ... toen het gebeurde?'

'Acht. Ik was acht jaar', zei Lennart met zijn ogen op de vloer gericht. 'Ik zat in Marnäs op school. Het was een van de laatste schooldagen, zonnig en mooi. Ik was zo blij ... ik keek uit naar de zomervakantie. Er begon een gerucht onder de leerlingen te circuleren dat er in de trein naar Borgholm was geschoten, dat iemand uit Marnäs was doodgeschoten, maar niemand wist iets zeker. Pas toen ik thuiskwam hoorde ik het nieuws. Mijn moe-der was thuis en haar zus was er ook. Ze zwegen heel lang, maar uiteindelijk vertelde mijn moeder wat er was gebeurd.'

Lennart zweeg met zijn blik verloren in het verleden. Julia dacht in zijn ogen de geschokte en verdrietige achtjarige te zien die hij die dag was geweest.

'Mogen politieagenten niet huilen?' vroeg ze voorzichtig.

'Jawel,' zei Lennart zacht, 'maar we zijn waarschijnlijk beter in het wegstoppen van onze gevoelens.' Hij ging verder: 'Ik wist niet eens wie Nils Kant was. Hij was meer dan tien jaar ouder dan ik, we hadden elkaar nooit ontmoet, hoewel we maar een paar kilometer bij elkaar vandaan woonden. En nu had hij mijn vader doodgeschoten.'

'Wat vond je achteraf van hem?' vroeg Julia. 'Ik bedoel, ik begrijp het als je hem haatte.'

Ze dacht aan zichzelf, hoe ze er al die jaren over had nagedacht hoe ze zou reageren als ze de moordenaar van Jens zou ontmoeten. Ze wist niet wat ze dan zou doen.

Lennart zuchtte en keek door het donkere raam aan de achterkant van het politiebureau naar buiten.

'Natuurlijk haatte ik Nils Kant', zei hij. 'Intens en vurig. Maar ik was ook bang voor hem. Vooral 's nachts, als ik niet kon slapen. Ik was doodsbang dat hij naar Öland terug zou komen en mijn moeder en mij ook zou vermoorden. Het duurde heel lang voordat die gevoelens verdwenen.'

'Sommige mensen zeggen dat hij nog leeft', zei Julia zacht. 'Heb jij dat ook gehoord?'

Lennart keek naar haar.

'Dat wie leeft?'

'Nils Kant.'

'Leeft?' zei Lennart. 'Dat is onmogelijk.'

'Nee. Ik geloof ook niet dat ...'

'Kant leeft niet', zei Lennart terwijl hij een stuk pizza afsneed. 'Wie zegt dat?'

'Ik geloof ook niet dat het zo is', zei Julia snel. 'Maar Gerlof praat al de hele tijd dat ik hier ben over hem. Het is net alsof hij probeert me te laten geloven dat Nils Kant verantwoordelijk is voor de verdwijning van Jens. Dat Jens hem die dag heeft ontmoet. Hoewel Kant op dat moment al tien jaar dood was.'

'Hij stierf in 1963', zei Lennart. 'De kist kwam in de herfst in de haven van Borgholm aan.' Hij keek naar beneden. 'Ik weet niet of het goed is dat dit naar buiten komt, maar de kist is door de politie in Borgholm geopend. Heel discreet, om de een of andere reden, misschien uit angst of respect voor Vera Kant, ze had immers behoorlijk veel geld en grond. Maar hij is geopend.'

'En lag er een lichaam in?' vroeg Julia.

Lennart knikte. 'Ik heb het gezien', zei hij. 'Dit is ook niet helemaal officieel, maar toen de kist aan land kwam ...'

'Van een van Malmvrachts schepen', wierp Julia ertussen.

Lennart knikte.

'Inderdaad. Heeft Gerlof je al die achtergrondinformatie gegeven?' Hij ging verder zonder haar antwoord af te wachten. 'Ik was net als politieagent in Marnäs begonnen, nadat ik een paar jaar in Växjö had gewerkt, en ik vroeg of ik bij het openen van de kist in Borgholm mocht zijn. Ik had daar natuurlijk alleen persoonlijke redenen voor, geen politionele, maar mijn collega's hadden er begrip voor. De kist lag in een van de havenloodsen in afwachting van de begrafenisonderneming, in een dichtgespijkerde houten kist met documenten en stempels van een Zweeds consulaat in Zuid-Amerika.' Hij zweeg even. 'Een oudere agent brak het deksel open. Het lichaam van Nils Kant lag erin, deels ingedroogd en bedekt met wollige zwarte schimmel. Een arts van het ziekenhuis in Borgholm constateerde dat hij in zout water was verdronken. Hij had duidelijk een hele tijd in het water gelegen, want de vissen hadden aan hem ...'

Lennarts ogen waren opnieuw ver weg terwijl hij vertelde, maar plotseling keek hij naar de tafel en leek zich te herinneren dat ze pizza zaten te eten. 'Sorry voor alle details', zei hij snel.

'Dat hindert niet', zei Julia. 'Maar hoe wisten jullie dat het Kant was? Was dat door vingerafdrukken?'

'Er waren geen zekere vingerafdrukken van Nils Kant', zei Lennart. 'Ook geen gebitsgegevens. Maar hij werd geïdentificeerd aan de hand van een oude wond aan zijn linkerhand. Hij had tijdens een ruzie in de steengroeve van Stenvik een paar vingers gebroken. Dat heb ik van verschillende Stenvikers gehoord. En het lichaam in de kist had exact dezelfde verwonding. Dus dat besliste de zaak.'

Het bleef een paar seconden stil in de politiekeuken.

'Wat voelde je?' vroeg Julia daarna. 'Toen je Kants lichaam zag, bedoel ik.'

Lennart dacht even na. 'Niets eigenlijk. Ik wilde de levende Kant ontmoeten. Een dood lichaam kun je tenslotte niet ter verantwoording roepen.'

Julia knikte aarzelend. Ze wilde Lennart om een gunst vragen.

'Ben je weleens in het huis van Kant geweest?' vroeg ze. 'Heeft de politie daar ooit naar Jens gezocht?'

Lennart schudde zijn hoofd.

'Waarom zouden we daar zoeken?'

'Ik weet het niet. Ik heb geprobeerd te bedenken waar Jens naartoe is gegaan. Als hij niet naar de zee en niet naar de alvaret ging, is hij misschien het huis van een van de buren binnengegaan. En Vera Kants villa ligt maar een paar honderd meter van ons zomerhuis vandaan.'

'Waarom zou hij daar naar binnen zijn gegaan?' vroeg Lennart. 'En waarom zou hij er gebleven zijn?'

'Ik weet het niet. Als hij naar binnen is gegaan en is gevallen, of ...' zei Julia terwijl ze dacht: wie weet, Vera Kant was misschien net zo gestoord als haar zoon.

Misschien ging je daar naar binnen, Jens, en heeft Vera de deur op slot gedaan.

Ze ging hardop verder.

'Het is misschien vergezocht, maar zou je daar een kijkje willen nemen? Samen met mij?'

'Een kijkje nemen ... Je bedoelt de villa van Vera Kant binnengaan?' zei Lennart.

'Heel even maar, voordat ik morgen naar Göteborg terugga', ging Julia verder terwijl ze zijn achterdochtige blik vasthield. Ze wilde vertellen over het licht dat ze in de villa had gezien, maar koos ervoor dat niet te doen voor het geval ze het zich had ingebeeld. 'Het is toch geen inbraak om een leeg huis binnen te gaan?' vroeg ze. 'En jij moet toch overal waar je wilt naar binnen kunnen, als politieagent?'

Lennart schudde zijn hoofd.

'We hebben heel strenge regels', zei hij. 'Als eenzame agent op het platteland kan ik een beetje improviseren, maar ...'

'Niemand ziet ons', onderbrak Julia hem. 'Stenvik is bijna uitgestorven en de huizen rond Vera Kants villa zijn zomerhuizen. Er woont niemand in de buurt.'

Lennart keek op zijn horloge. 'Ik moet nu naar het overleg', zei hij.

Hij had in elk geval geen nee tegen haar voorstel gezegd, dacht Julia.

'En daarna?'

'Bedoel je dat je het vanavond wilt doen?'

Julia knikte.

'We zullen zien', zei Lennart. 'Het overleg kan lang duren. Ik kan je bellen als het vroeg afgelopen is. Heb je een mobiel?'

'Ja, bel me maar.'

Er lagen een paar balpennen op de keukentafel en Julia scheurde een stuk van de pizzadoos af en schreef haar nummer op. Lennart stopte het stukje karton in zijn borstzak en kwam overeind.

'Doe niets op eigen houtje', zei hij terwijl hij naar haar keek.

'Natuurlijk niet', beloofde ze.

'Vera Kants huis zag eruit alsof het op instorten staat, toen ik er laatst langsreed.'

'Ik weet het. Ik zal er niet alleen naar binnen gaan', zei Julia.

Maar als Jens daar was, eenzaam in de duisternis, zou hij het haar dan ooit vergeven als ze niet naar hem zocht?

De straten van Marnäs waren helemaal verlaten toen ze het politiebureau uit kwamen. De winkels waren donker en alleen de kiosk op het plein was open. De vochtige lucht voelde aan alsof het rond het vriespunt was.

Lennart deed het licht uit en de deur achter hen op slot.

'Dus je rijdt nu naar Stenvik?' vroeg hij.

Julia knikte.

'Misschien zien we elkaar straks nog?'

'Misschien.'

Julia bedacht ineens iets. 'Lennart,' zei ze, 'ben je iets te weten gekomen over de sandaal? Die je van Gerlof hebt gekregen?'

Hij keek haar vragend aan, toen wist hij het weer.

'Nee, helaas niet', zei hij. 'Nog niet. Ik heb hem in een verzegelde zak naar Linköping gestuurd, naar het forensisch laboratorium, maar ik heb nog geen bericht gekregen. Ik zal ze volgende week bellen. Maar misschien moeten we niet te veel hopen. Er is veel tijd voorbij gegaan en het is niet eens zeker dat het de goede ...'

'Ik weet het. Het hoeft zijn schoen niet te zijn', zei Julia snel.

Lennart knikte.

'Het beste, Julia.'

Hij stak zijn hand uit, wat een nogal onpersoonlijke manier van afscheid nemen leek, na alles wat ze elkaar over zichzelf hadden toevertrouwd. Maar Julia hield er ook niet zo van om mensen te omhelzen en ze pakte zijn hand.

'Tot ziens. Bedankt voor de pizza.'

'Graag gedaan. Ik bel je na het werkoverleg.'

Zijn ogen bleven nog een seconde op haar gezicht hangen, op een manier die van alles kon betekenen, en daarna draaide hij zich om.

Julia stak de straat over en liep naar haar auto. Ze reed langzaam het centrum van Marnäs uit, langs het bejaardentehuis, waar Gerlof misschien op dit moment koffie zat te drinken, en langs de donkere kerk en de begraafplaats.

Was Lennart Hendriksson getrouwd of vrijgezel? Julia wist het niet en ze had het niet durven vragen.

Op weg naar Stenvik vroeg ze zich af of ze hem te veel over zichzelf en haar schuldgevoelens had verteld. Maar het was fijn om te kunnen zeggen wat ze op haar hart had en de merkwaardige dag in Borgholm en de theorieën van Gerlof – dat de moordenaar van Jens ziek in een luxe villa in Borgholm woonde en dat Nils Kant, de moordenaar van veldwachter Henriksson, misschien nog leefde en autoverkoper in dezelfde stad was – een beetje in perspectief te zien. Soms vroeg ze zich af of haar vader haar misschien in de maling nam.

Nee. Dit waren geen dingen waarover hij grappen zou maken. Maar ze had niet het gevoel dat zijn ideeën ergens toe zouden leiden.

Ze kon net zo goed naar huis gaan.

Ze besloot om de volgende dag naar Göteborg terug te rijden. Eerst zou ze naar de begrafenis van Ernst Adolfsson gaan, daarna zou ze afscheid van Gerlof en Astrid nemen, en 's middags zou ze naar huis rijden en proberen een beter leven dan voorheen te leiden. Minder wijn drinken, minder slaappillen slikken. Haar ziekteverlof zo snel mogelijk beëindigen en weer als verpleegster gaan werken. Zich niet meer vastklampen aan het verleden en niet piekeren over raadsels die nooit opgelost zouden worden. Een normaal leven leiden en proberen vooruit te kijken. En ze kon in het voorjaar terugkomen om Gerlof – en misschien zelfs Lennart – te bezoeken.

Ze zag de eerste huizen van Stenvik aan de zijkant van de weg en remde af. Bij Gerlofs huis stopte ze de auto, stapte in het donker uit, deed het hek open en reed de auto de tuin in. Ze zou vannacht in haar kamer in het zomerhuis slapen, besloot ze. Een laatste keer dicht bij alle goede en slechte herinneringen slapen.

Toen ze binnenkwam deed ze een paar lampen aan. Daarna liep ze het huis weer uit om alle andere spullen die ze in het botenhuis had achtergelaten op te halen – met inbegrip van de flessen wijn die ze uit Göteborg had meegenomen en die ze tegen alle verwachtingen in niet had geopend.

Ze was zich heel bewust van Vera Kants huis links van haar toen ze in de duisternis over de dorpsweg liep, maar ze draaide haar hoofd niet om. Ze keek alleen vluchtig naar het licht in de huizen van Astrid Linder en John Hagman voordat ze naar het botenhuis liep.

Toen ze al haar bezittingen bij elkaar had gepakt viel haar oog op de oude petroleumlamp die voor het raam hing, en na een seconde aarzelen haalde ze hem van de haak om hem mee te nemen naar het zomerhuis. Voor alle zekerheid.

Op de terugweg keek ze toch naar Vera's villa, die groot en zwart achter de hoge meidoornhaag lag. Er scheen geen licht achter de ramen.

We hebben nooit binnen gezocht, had Lennart gezegd.

En waarom zou de politie dat ook doen? Vera Kant werd er niet van verdacht dat ze Jens had ontvoerd.

Maar als Nils zich daar stiekem had verstopt, als Vera hem had beschermd. Als Jens in de mist over de dorpsweg naar de zee was gelopen en bij Vera Kants hek was gestopt en het had geopend en naar binnen was gegaan ...

Nee, dat was vergezocht.

Julia liep verder naar het zomerhuis. Ze keerde terug in de warmte en deed in alle kamers de lampen aan. Ze pakte een van de wijnflessen uit haar tas, en omdat het haar laatste avond op Öland was opende ze hem in de keuken en schonk een glas rode wijn in. Toen ze het had leeggedronken, staand bij het aanrecht, schonk ze snel nog een glas in. Dat nam ze mee naar de zitkamer.

De alcohol verspreidde zich door haar lichaam.

Kon ze maar heel even kijken. Als Lennart snel klaar was met het overleg in Marnäs en als hij belde ... Dan zou ze hem opnieuw vragen naar haar toe te komen. Wilde hij echt niet naar binnen om het huis waar de moordenaar van zijn vader was opgegroeid te bekijken? Heel even maar?

Het was net alsof Gerlof haar had aangestoken, het leek wel koorts – Julia kon Nils Kant niet uit haar hoofd zetten.

Göteborg, augustus 1945

De eerste zomer na de wereldoorlog, die zes jaar heeft geduurd, is licht en warm en vol vertrouwen in de toekomst. In Göteborg worden heel nieuwe woonwijken gebouwd en oude houten krotten worden afgebroken. Nils Kant ziet meerdere graafmachines aan het werk als hij door de straten van de stad loopt.

Het is begin augustus en Nils ziet VREDE IN DE WERELD op de geelwitte aanplakbiljetten op de muren van de gebouwen in het centrum staan. Een dag later koopt hij de *Göteborgs-Posten* en leest het artikel op de voorpagina: ATOOMBOM NIEUWE WE-RELDSENSATIE. Japan heeft zich onvoorwaardelijk overgegeven; de nieuwe Amerikaanse bom heeft een eind aan de oorlog gemaakt. Het moet een heel forse bom zijn geweest om zo'n succes te hebben, Nils heeft mensen in de trein erover horen praten, maar als hij een foto in de krant ziet van de enorme wolk die naar de hemel opstijgt, moet hij om de een of andere reden denken aan de bromvlieg die op de hand van de dode soldaat zat.

Voor Nils is de vrede nog niet begonnen – hij is nog steeds op de vlucht.

Het is laat in de middag, Nils staat onder een boom in een klein park aan de rand van de stad en ziet een jongeman in een kostuum met snelle stappen in een van de straten aan komen lopen.

Nils draagt een donker kostuum dat hij tweedehands in een winkel in Haga heeft gekocht, het is niet nieuw maar ook niet opvallend versleten. Op zijn hoofd draagt hij een omlaag getrokken hoed en hij scheert zich niet meer en heeft een baard gekweekt, een dikke, donkere baard die hij om de dag voor de spiegel in de kleine vrijgezellenkamer in Majorna knipt.

Voorzover hij weet is er maar één foto van hem gemaakt, en die is zes of zeven jaar oud: een groepsfoto op school waarop Nils in de achterste rij staat met zijn ogen overschaduwd door zijn pet. Hij is wazig en Nils weet niet of de politie hem heeft, maar hij wil toch helemaal onherkenbaar zijn.

De straat die naar het park loopt ligt vlak bij de haven en is een van de sombere straten in Göteborg, met meer modder en stof dan straatstenen en met ongeschilderde houten huizen die elkaar lijken te ondersteunen om niet in te storten. Hier hoort de bebaarde Nils Kant met zijn tweedehands kostuum en naar achteren gekamde haren thuis. Hij ziet er arm, maar niet crimineel uit. Dat hoopt hij in elk geval.

Veel van zijn vlucht van Öland heeft met aanpassen te maken, met niet gezien en absoluut niet opgemerkt te worden.

Nils vond het moeilijk om het water van de Oostzeekust achter zich te laten, waar hij tussen de bomen een glimp van zijn eiland kon zien. Hij is in de buurt van de zagerij van oom August blijven hangen en pas toen hij de derde ochtend een politieauto bij het kantoor zag staan, is hij in westelijke richting vertrokken, dwars door een dicht sparrenbos.

Hij was door zijn tijd op de alvaret al gewend om lang te lopen en hij was goed in het vinden van de juiste weg met behulp van de zon en zijn intuïtie.

In juli liep hij door het land, net als de vele arme jongemannen die na de oorlog op weg waren naar de grote steden en nieuwe mogelijkheden zochten, en hij trok niet veel aandacht. Weinig mensen zagen hem. Hij ontweek wegen, liep door het bos, at bessen, dronk water uit beekjes en sliep onder een grote, dichte spar, of in een schuur als het regende. Soms vond hij wilde appels, soms sloop hij naar een boerderij en stal eieren of een kan melk.

Zijn voorraadje toffees van Vera was de derde dag al op.

In Husqvarna bleef hij een paar uur om de stad te zien waar zijn jachtgeweer was gefabriceerd, maar hij vond de wapenfabriek niet en hij durfde ook niet te vragen waar die lag. Husqvarna leek ongeveer net zo groot als Kalmar, en de buurstad Jönköping was nog groter. Hoewel zijn kleren naar bos en zweet roken, waren er zo veel mensen op straat dat hij rond durfde te lopen zonder dat hij bang was dat iemand naar zijn gezicht zou staren.

Hij durfde zelfs in een restaurant te eten en nieuwe wandelschoenen te kopen. Een paar goede schoenen kostte precies eenendertig kronen, die hij betaalde met het geld dat zijn moeder hem had gegeven en dat zijn oom August had aangevuld. Zijn reiskas was gekrompen, maar hij ging toch naar een klein restaurant in de buurt van de spoorbaan en bestelde een grote biefstuk, een pils en een klein glaasje Grönstedts cognac voor in totaal twee kronen en drieënzestig öre. Duur, maar Nils vond dat hij het na de lange wandeltocht had verdiend.

Gesterkt door het restaurantbezoek liet hij Jönköping achter zich en bleef nog een paar weken in westelijke richting door de bossen van Västergötland lopen. Ten slotte bereikte hij de kust.

Göteborg is de tweede stad van het land, dat heeft Nils op school geleerd. Göteborg is enorm; wijk na wijk met hoge huizen langs de Götarivier, honderden voertuigen in de straten en allerlei soorten mensen. In het begin raakte Nils bijna in paniek van alle mensen om hem heen, de eerste dagen verdwaalde hij de hele tijd. In de straten langs de haven hoorde hij vreemde talen, van zeemannen uit Engeland, Denemarken, Noorwegen en Nederland. Hij zag schepen naar vreemde havens uitvaren of met vrachten uit andere landen aanmeren bij de kade. Voor het eerst in zijn leven heeft hij een banaan gegeten; bijna zwart en een beetje verrot maar toch lekker. Een banaan uit Zuid-Amerika.

Alles in de haven is groot vergeleken met de havens op Öland, groot en anders. Rijen kranen verheffen zich als zwarte prehistorische dieren naar de hemel, en sleepboten stoten hun grijze rook uit tussen de grote witte oceaanstomers in de vaargeul. In de haven van Göteborg zijn de zeilen en masten grotendeels verdwenen; er liggen alleen rijen vrachtschepen met propelleraandrijving langs de kades.

Nils is naar het water gegaan, heeft de lange scheepsrompen

bestudeerd en gedacht aan bananen in Zuid-Amerika.

In de versleten kamer in het vrijgezellenlogement vertoont hij zich zo weinig mogelijk, hij komt laat thuis en staat vroeg op. Hij mist de vochtig koude nachten op het mos en de sparrentakjes in het bos niet, maar als hij in bed ligt voelen de muren om hem heen als een cel, en hij luistert de hele tijd naar de stampende voetstappen van politieagenten op de trap.

Op een nacht ging de kamerdeur open en kwam de grote gestalte van veldwachter Henriksson in zijn uniform de kamer in. Zijn kleren waren drijfnat van het bloed. Hij strekte zijn rode, druipende hand naar het bed uit.

Je hebt me vermoord, Nils. Maar nu heb ik je gevonden.

Nils schoot met stijf op elkaar geklemde kaken omhoog. De kamer was leeg.

Hij heeft een ansichtkaart van Göteborg naar Vera gestuurd, met een zwart-witfoto van de vuurtoren van het eiland Vinga op de voorkant. Nils heeft hem dwars over het land naar Stenvik gestuurd, zonder een afzender of zelfs een groet op de achterkant te schrijven. Meer dan dat hij nog steeds vrij is en zich ergens aan de westkust bevindt durft hij zijn moeder niet te verraden, maar hij denkt dat het voldoende is.

De jongeman is nu in het park. Hij is van Nils' leeftijd en heet Max.

De eerste keer dat hij hem zag was drie dagen geleden in een klein havencafé, toen Max in een hoek zat, een paar tafels bij Nils vandaan. Het was gemakkelijk om hem op te merken; hij rookte sigaretten uit een gouden etui en praatte luidruchtig in plat Göteborgs, met de serveersters, met de glimlachende café-eigenaar en met andere gasten. Iedereen noemde hem Max. Soms kwamen er mensen binnen die bij hem aan tafel gingen zitten, jonge en oudere mannen die gedempt praatten. Dan liet Max zijn stem ook dalen en vond het gesprek plaats met gebaren en snel uitgewisselde zinnen.

Max verkocht iets, dat was duidelijk, en omdat hij de mensen aan zijn tafeltje nooit iets overhandigde, vermoedde Nils dat hij goede raad en inlichtingen verkocht. Dus na een uur kwam Nils overeind en ging hij, zonder zijn naam te noemen, zelf bij de hoektafel zitten. Van dichtbij zag hij dat Max jonger was dan hij, met vettig haar en puisten op zijn gezicht. Maar zijn ogen stonden helder terwijl hij naar Nils luisterde.

Het was onwennig om na zo lang alleen te zijn geweest met iemand te praten, maar het lukte. Net zo gedempt als de anderen die bij de tafel waren gaan zitten vroeg hij om goede raad. En een belangrijke dienst. Max luisterde en knikte.

'Twee dagen', zei hij.

Dat was de tijd die hij nodig had voor de belangrijke dienst.

'Je krijgt vijfentwintig kronen', zei Nils.

'Vijfendertig is meer op zijn plaats', zei de jongen snel.

Nils dacht na.

'Dertig kronen dan.'

Max knikte en leunde naar voren.

'We moeten elkaar hier niet meer ontmoeten', zei hij nog zachter. 'We spreken af in een park ... een goed park. Ik gebruik het altijd.'

Hij noemde het adres, stond op en liep snel het café uit.

Nu staat Nils in het park te wachten. Hij is er al een half uur. Hij heeft rondgelopen en gecontroleerd of het park helemaal verlaten is en hij heeft twee vluchtwegen gevonden voor als er iets misgaat. Hij heeft zijn nieuwe kennis niet verteld hoe hij heet, maar hij weet zeker dat Max al snel heeft begrepen dat Nils door de politie wordt gezocht.

De jongeman loopt recht op hem af zonder om zich heen te kijken of naar onzichtbare beschermers te gebaren.

Dat is voor Nils niet voldoende om te ontspannen, maar hij vlucht niet. Hij staart strak naar Max, die een meter voor hem blijft staan.

'De Celeste Horizon', zegt hij. 'Dat is je schip.'

Nils knikt.

'Het is Engels.' Max gaat op een steen tussen de bomen zitten en haalt een sigaret tevoorschijn. 'Maar de kapitein is Deens en heet Petri. Het kan hem niet zoveel schelen wie er aan boord komt, hij was alleen geïnteresseerd in het geld.'

'We moeten erover praten', zegt Nils.

'Ze laden nu hout en varen over drie dagen uit', zegt Max en hij blaast de rook uit.

'Waarnaartoe?'

'Oost-Londen. Daar lossen ze het hout en daarna varen ze naar Durban om kolen te laden, en dan gaan ze verder naar Santos. Daar kun je aan land gaan.'

'Ik wil naar Amerika', zegt Nils snel. 'Naar de USA.'

Max haalt zijn schouders op.

'Santos ligt in Brazilië, ten zuiden van Rio', zegt hij. 'Je kunt daar toch gewoon een nieuw schip nemen?'

Nils denkt na. Santos in Zuid-Amerika. Dat kan een goed begin zijn van verdere reizen, voordat hij terugkeert naar Europa.

Hij knikt.

'Goed.'

Max komt snel overeind en steekt zijn hand uit.

Nils legt vijf zware tweekronenmunten in zijn hand.

'Ik wil die Petri eerst spreken', zegt hij. 'Als je me hebt laten zien waar hij uithangt krijg je de rest.'

Max glimlacht.

'Je wordt dagloner.'

Nils staart hem niet-begrijpend aan en Max gaat verder: 'Dagloners komen 's ochtends vroeg naar de haven voor werk. Sommigen krijgen die dag werk, anderen moeten weer naar huis. Je gaat daar morgenochtend vroeg naartoe en gaat bij ze staan ... en dan word je opgehaald voor de Celeste Horizon.'

Nils knikt weer.

De jongeman stopt de munten in zijn zak.

'Ik heet Max Reimer', zegt hij. 'En jij?'

Nils zegt niets. Heeft hij niet betaald om aan vragen te ontsnappen? Het bloed in zijn hals begint wat sneller te kloppen, en zijn woede komt langzaam opborrelen.

Max glimlacht tevreden naar hem, hij lijkt zich niet bedreigd te voelen.

'Ik denk dat je uit Småland komt', zegt hij terwijl hij zijn sigaret dooft. 'Zo klink je als je praat.'

Nils zegt nog steeds niets. Hij weet dat hij Max aankan – Max is kleiner dan hij en het zou niet moeilijk zijn om hem neer te slaan en daarna te blijven schoppen. En dan ter afsluiting een zware steen gebruiken en het lichaam in het park verstoppen.

Het zou heel gemakkelijk zijn.

Maar daarna? Dan komt Max 's nachts misschien terug, net als de dode veldwachter.

'Vraag niet zo veel', zegt hij alleen tegen Max. 'Je wilt je geld toch niet mislopen?'

18

Lennart belde niet.

Julia zat een paar uur in het zomerhuis te wachten. Het werd half negen en daarna negen uur, maar hij belde niet.

Tegen die tijd had Julia de fles rode wijn leeggedronken, dat was niet moeilijk. En haar besluit om Vera Kants huis binnen te gaan was zo onwrikbaar geworden dat het eigenlijk niet uitmaakte of Lennart wel of niet kwam.

Ze dacht erover om Gerlof te bellen en te vertellen wat ze ging doen, maar ze zag ervan af. Er was niets meer in te pakken of schoon te maken om de tijd verdrijven. Ze was rusteloos en nieuwsgierig.

De duisternis en de stilte drukten op de muren van het zomerhuis. Om kwart voor tien stond Julia ten slotte op, een beetje duizelig van de wijn maar meer doelbewust dan dronken.

Ze trok een extra trui en dikke sokken aan. Er lag een oude bruine wollen muts in de kleerkast bij de voordeur waar ze haar haren in stopte, en ze keek snel in de spiegel in de hal. Waren de zorgenrimpels in haar voorhoofd iets ondieper na het gesprek met Lennart?

Misschien, of het was de rode wijn.

Ze stopte haar mobiel in haar zak, pakte de oude petroleumlamp in haar linkerhand en deed het licht in het zomerhuis uit. Ze was er klaar voor.

Maar heel even kijken.

De avond was helder en koud, in de bomen ruiste een zwakke wind. Julia liep naar de dorpsweg en de duisternis omhulde haar, maar ze zag de glinsterende lichtpuntjes op het vasteland.

Ze bleef na een meter of tien staan om naar geluiden in de

schaduwen te luisteren; ritselende bladeren of krakende takken. Maar er was niets te horen – er bewoog niets.

Stenvik was uitgestorven. Het grind knerpte zacht onder haar schoenen toen ze verder naar Vera Kants huis liep.

Daar bleef ze weer staan. Het hek glansde bleekwit in de duisternis en was net zo gesloten als anders. Julia strekte langzaam een hand uit en voelde aan het koude ijzeren handvat. Het was ruw van de roest en zat stevig dicht.

Ze duwde. Het hek piepte zachtjes maar ging niet open. Misschien waren de scharnieren vastgeroest.

Ten slotte zette Julia de petroleumlamp in het grind. Ze ging dicht bij het hek staan, pakte de bovenkant met beide handen beet en tilde en duwde het tegelijkertijd naar binnen. Het hek gleed een paar decimeter open en bleef toen weer vastzitten. Maar ze kon door de opening.

De roes van de wijn hield de angst voor de duisternis weg, maar slechts gedeeltelijk.

De tuin was omringd door hoge bomen en gevuld met zwarte schaduwen. Julia stond even stil en liet haar ogen wennen. Langzaam begon ze details in deze nieuwe duisternis te ontdekken; een kronkelend tuinpad van kalkstenen tegels dat als een stille uitnodiging de tuin in leidde, een rond brondeksel bedekt met bladeren en zwarte schimmelplekken naast het pad, overal verwilderd gras. Aan de andere kant van de bron stond een langwerpige houtschuur, waarvan het dak op het punt van instorten stond, als een slecht gespannen tent.

Julia deed een voorzichtige stap de donkere tuin in. En nog een. Ze luisterde en deed een derde stap. Het leek steeds moeilijker om vooruit te komen.

Plotseling begon haar mobiel te piepen en haar hart maakte een luchtsprong. Ze trok de telefoon snel uit haar jaszak, alsof hij iemand of iets in de duisternis zou kunnen storen, en drukte de antwoordknop in.

'Hallo?'

'Hallo ... Julia?'

Het was Lennarts kalme stem.

'Hoi', zei ze en ze deed haar best om nuchter te klinken. 'Waar ben je?'

'Ik ben nog bij het overleg', zei hij. 'En we zijn nog niet helemaal klaar ... het duurt langer dan verwacht. Ik wil na afloop eigenlijk naar huis gaan.'

'Goed', zei ze terwijl ze nog een paar stappen over het stenen pad liep. Nu zag ze een hoek van Vera Kants huis. 'Goed. Dan weet ik dat.'

'Morgen is de begrafenis en daarvoor moet ik nog een paar uur werken', ging Lennart verder. 'Ik denk dat ik vanavond niet meer naar Stenvik kan komen.'

'Nee, ik begrijp het', zei Julia snel. 'We moeten het een andere keer doen.'

'Ben je buiten?' vroeg Lennart.

Er was geen achterdochtige toon in zijn stem, maar Julia was toch zenuwachtig toen ze een ontspannen leugen opdiste: 'Ik ben op de klip. Ik maak gewoon ... Ik maak een avondwandelingetje.'

'Juist ja ... Zien we elkaar morgen? In de kerk?'

'Ja ... ik kom ook', zei Julia.

'Goed', zei Lennart. 'Welterusten dan.'

'Welterusten. Slaap lekker', zei Julia.

Lennarts stem verdween en Julia was weer alleen, maar het voelde nu beter. Ze had al vermoed dat het hem niet zou lukken.

Een half dozijn stappen voor haar hield het stenen pad op en begon een brede trap, ook van steen, die leidde naar een witte houten deur en een glazen veranda vol houtsnijwerk, die de regen en wind ijverig probeerden te laten barsten en eroderen.

De villa verhief zich als een stil houten kasteel voor Julia. De zwarte ramen deden haar denken aan de uitgebrande kasteelruïne in Borgholm.

Ben je daar, Jens?

Zelfs de duisternis kon het verval van het huis niet verbergen. De glazen ramen aan beide kanten van de voordeur waren gebarsten en de verf bladderde van de raamkozijnen.

De veranda erachter was aardedonker.

Julia liep langzaam over het stenen pad. Ze luisterde. Maar waarom sloop ze eigenlijk? Waarom had ze bijna gefluisterd toen ze met Lennart door de telefoon praatte?

Ze besefte hoe belachelijk het was om te proberen stil te zijn als niemand haar kon horen, maar ze kon toch niet ontspannen. Ze liep met stijve benen en een stramme rug de trap op.

Ze probeerde te denken als Jens, te voelen als Jens. Was hij hier geweest op de dag dat hij verdween? Was hij Vera Kants tuin in gegaan? Had hij het aangedurfd om de trap op te lopen, naar de voordeur te gaan en aan te kloppen? Misschien.

De ijzeren kruk van de verandadeur wees naar beneden, alsof iemand bezig was hem van binnenuit te openen. De deur was op slot, nam Julia aan, en ze deed niet eens moeite om haar hand ernaar uit te strekken, tot ze zag dat hij op een kier stond. Een stukje van het hout van de deurpost was eruit gesneden of weggehakt, zodat de tong niet langer kon vasthaken en ze de deur gewoon kon openduwen om naar binnen te gaan.

Iemand was dus in het huis van Vera Kant geweest.

Misschien waren het inbrekers? Die kwamen 's winters naar het platteland om de lege zomerhuizen ongestoord leeg te halen. Een verlaten woning die had toebehoord aan een van Noord-Ölands rijkste vrouwen was beslist interessant.

Of was het iets anders?

Julia stak voorzichtig haar hand uit en trok aan de deur. Hij zat vast, en toen ze naar beneden keek zag ze waarom. Er was een kleine houten wig onder de deur geschoven. Iemand had hem daar waarschijnlijk gestopt zodat de deur niet opengerukt zou worden door de wind. Zou een inbreker zo attent zijn?

Nee.

Julia duwde de houten wig met haar voet weg en trok weer aan de deurkruk. Het scharnier ging stroef, maar de deur gleed langzaam open.

De compacte duisternis achter de deur maakte haar nog zenuwachtiger, maar ze kon zich nu niet omdraaien. Ze was veel te nieuwsgierig.

En degene die de houten wig had geplaatst, had dat van buitenaf gedaan en was dus niet meer in het huis. Als er tenminste geen andere uitgang was.

Julia stapte voorzichtig over de drempel van Vera Kants villa.

Het was binnen net zo koud als buiten, en donker en windstil als in een grot. Ze zag niets, maar bedacht toen dat ze een petroleumlamp in haar hand had.

Ze haalde een doosje lucifers uit haar jaszak, streek een lucifer aan en tilde het lampenglas op. De dikke pit begon te branden met een kleine flakkerende vlam, die groter en helderder werd toen Julia het glas erover liet zakken. Het licht was voldoende om de lege veranda met een dun, grauw schijnsel te verlichten, zelfs al bleef de duisternis als sluipende schaduwen in de hoeken hangen.

Ze tilde de lamp op en liep over de veranda naar de deur aan het eind. Hij was dicht, maar niet op slot en Julia trok hem open.

Vera's hal. Smal en lang met zongebleekt gebloemd behang en net zo verlaten als de veranda. Julia was niet verbaasd geweest als er een kapstok met Vera's zwarte jassen was blijven staan, of rijen kleine damesschoenen, maar de vloer was helemaal leeg. Langs de muren en aan het plafond hingen witte draperieën van spinrag.

In de hal waren vier deuren. Ze waren dicht.

Ze stak haar hand uit naar de dichtstbijzijnde deur aan de lange kant van de hal en deed hem open.

De kamer erachter was klein, een vierkante meter maar, en helemaal leeg, op een paar glazen potten op de vloer met een beschimmelde inhoud na. De werkkast.

Ze sloot de deur voorzichtig en trok de volgende open.

Het was Vera's keuken, en hij was groot.

Julia zag een bruine linoleum vloer die in het midden overging in gepolijste stenen, en een enorm zwart ijzeren fornuis dat bij de muur troonde. Recht voor zich zag ze twee ramen die uitkeken op de achtertuin. Julia wist dat Gerlofs zomerhuis achter de bomen lag, maar een paar honderd meter verder. Ze voelde zich er minder eenzaam door en durfde de drempel over te stappen.

Links langs de muur leidde een smalle, steile, houten trap met een wankele leuning naar de bovenverdieping. Een zwakke geur van verrotte planten hing in de donkere, stilstaande lucht. Stof en dode vliegen lagen in hopen op de vloer.

Hier had Vera Kant 's avonds gebukt gestaan boven borrelende eenpansmaaltijden. Hier was haar zoon Nils op een mooie zomerdag na de oorlog met zijn jachtgeweer in zijn rugzak naar buiten gegaan.

Ik kom terug, mama.

Had hij dat beloofd?

Julia zag een halfopen deur onder de trap, en toen ze er voorzichtig naartoe liep zag ze een steile afgrond.

Het was de trap naar de kelder. De kelder was een goede plek om te beginnen als ze zocht naar ... een dood en verstopt lichaam. Maar dat deed ze niet. Of toch wel?

Alleen een kijkje.

Julia voelde de mobiel zwaar in haar jas. Lennarts nummer was in het geheugen opgeslagen en ze kon bellen wanneer ze maar wilde. Dat was een kleine troost en ze keek door de deuropening onder de trap, met de petroleumlamp voor zich.

De traptreden naar de kelder bestonden uit grove planken. Aan de voet van de trap lag een harde, samengeperste aarden vloer die zwart en vochtig glansde in het schijnsel van de lamp.

Maar – er klopte iets niet.

Julia liep een paar treden de trap af om beter te kunnen zien. Ze boog haar nek om haar hoofd niet aan het schuin aflopende plafond te stoten en staarde naar beneden.

De aarden keldervloer was opengegraven.

De vloer onder de trap was onaangeroerd, maar iemand had allemaal kleine en grote kuilen bij de muren gemaakt. En er stond een schep tegen de houten trap geleund, alsof degene die had gegraven alleen een korte pauze had genomen.

Op de traptreden zag ze opgedroogde moddervlekken van een paar laarzen.

Langs de muur lag een aarden wal, en verderop stonden een paar gevulde emmers. Iemand was bezig om de kelder methodisch uit te graven.

Wat was hier aan de hand?

Julia deed een stap naar achteren. Ze liep zo stil als ze kon achteruit de trap op, kwam terug in de keuken en hield haar adem in om te luisteren.

Alles was nog steeds stil.

Ze zou Lennart kunnen bellen, maar ze wilde niet gehoord of gezien worden.

Ze stak voorzichtig haar hand in haar zak en pakte haar mobiel. Ze begon met korte passen door de keuken te lopen, terwijl ze tegelijkertijd haar mobiel aanzette en Lennarts nummer uit het geheugen opriep. Daarna liet ze haar duim op de belknop rusten.

Als er iets gebeurde, als ...

Ze probeerde zich in te beelden dat Jens bij haar was in dit donkere huis, zelfs al was hij dood, en dat hij wilde dat ze naar hem zocht. Het lukte gedeeltelijk en ze liep verder.

Stofvlokken verwijderden zich geluidloos van haar schoenen en verstopten zich langs de muren toen ze over het linoleum in de keuken, over het stenen gedeelte en langs het ijzeren fornuis liep.

Toen stapte ze met een bonkend hart op de eerste traptrede naar de bovenverdieping.

Het hout kraakte licht onder haar schoen. Julia liet haar rechterhand met de mobiel op de leuning rusten om de stabiele veiligheid van de muur te voelen en liep verder naar boven, naar de plek die het licht van de petroleumlamp niet bereikte. Toen een traptrede kraakte zette ze haar voet in plaats daarvan op de trede erboven.

Het was aardedonker boven haar.

Halverwege de trap bleef ze stilstaan, ademde uit en luisterde opnieuw of ze geluid hoorde. Daarna ging ze verder.

De leuning hield op bij een opening zonder deur en Julia stapte voorzichtig op de houten vloer van de bovenverdieping. Ze stond in een gang die net zo smal was als de hal beneden, met gesloten deuren aan beide zijden.

Door angst en besluiteloosheid bleef ze weer staan. Naar rechts of naar links? Als ze te lang stilstond zou het onmogelijk zijn om zich nog te bewegen, dus koos ze de linkerkant van de gang. Het leek daar ook minder donker. Ze liep verder, tussen nog meer stofvlokken en zwarte vliegenlijken door.

Op de muren zag ze lichtere vierkanten – sporen van verwijderde schilderijen.

Toen ze bij het einde van de gang kwam, duwde ze de deur open en hield de petroleumlamp voor zich.

De kamer was klein en net zo ongemeubileerd als de andere. Maar hij was niet helemaal leeg. Julia stapte over de drempel en haastte zich dichterbij toen ze een donkere gestalte bij de muur naast het enige raam van de kamer zag liggen.

Nee. Er lag geen mens. Het was een slaapzak, uitgerold als een zwarte cocon. Hij lag naast een verzameling krantenknipsels aan de muur.

Julia deed nog een stap naar voren. Ze zag dat de krantenknipsels oud en vergeeld waren, en aan het behang waren bevestigd met spelden.

DUITSE SOLDATEN VERMOORD GEVONDEN – DOODGE-SCHOTEN MET JACHTGEWEER, stond er met zwarte letters op een ervan. Op een andere stond: IN HET HELE LAND JACHT OP POLITIEMOORDENAAR. En op de derde, minder vergeeld: JONGEN IN STENVIK SPOORLOOS VERDWENEN.

Op de zwart-witfoto naast het artikel lachte een kleine jongen onbezorgd naar haar, en Julia werd bevangen door de vertwijfeling die ze altijd voelde als ze haar zoon zag. Er waren nog meer knipsels, maar Julia bleef niet in de kamer om ze te lezen. Ze keek snel de andere kant op en liep achteruit de kamer uit.

Ze stopte. In het licht van de petroleumlamp zag ze dat de deur aan het andere eind van de gang nu open stond. Hij was daarnet dicht geweest, maar nu zag ze de drempel die naar de

duisternis van de kamer leidde. De kamer was niet alleen donker, hij was aardedonker. En hij was niet leeg. Julia voelde dat
daarbinnen iemand wachtte. Een oude vrouw, die in een stoel
bij het raam zat.

Het was haar slaapkamer. Een koude slaapkamer, gevuld met
eenzaamheid en wachten en verbittering.

De vrouw wachtte op gezelschap, maar Julia stond als vastgevroren in de gang.

Ze hoorde een schrapend geluid in het donker. De vrouw was
opgestaan. Nu begon ze langzaam naar de deur te lopen. Sloffende voetstappen kwamen dichterbij ...

Julia moest weg. Ze moest weg van de bovenverdieping.

De vlam van de petroleumlamp flakkerde, ze bewoog zich
snel, en toen ze bij de trap kwam liep ze naar beneden.

Ze dacht stappen boven zich te horen en voelde de koude
aanwezigheid van de oude vrouw achter zich.

Hij heeft me bedrogen!

Julia voelde de haat als een harde por in haar rug. Ze stapte
blind in de duisternis naar voren, miste de volgende traptrede
en verloor haar evenwicht, drie of vier meter boven de stenen
vloer.

Ze tastte met haar armen in de lucht, zowel de mobiel als de
petroleumlamp vloog uit haar handen.

De lamp en de mobiel sloegen kapot op de keukenvloer. De
petroleumvlam laaide op – en Julia wist dat ze zelf heel snel op
de stenen vloer onder haar zou belanden.

Ze beet haar tanden op elkaar om zich te wapenen tegen de
pijn.

19

Op de dag dat Ernst Adolfsson begraven zou worden, werd Gerlof wakker in de grijskoude dageraad, hij voelde zich alsof hij van grote hoogte op de grond was gegooid. De pijn in zijn ellebooggewrichten en knieën was verlammend.

Het was stress, het syndroom van Sjögren bezocht hem weer – het was vreselijk. Hij zou een rolstoel nodig hebben om naar de kerk te gaan.

Het reumatische syndroom van Sjögren was een metgezel, geen vriend, hoewel Gerlof had geprobeerd hem te verwelkomen en te ontwapenen door te ontspannen en te proberen vriendelijk te blijven als hij hem bezocht. De Sjögren had vrije toegang tot zijn lichaam, ga je gang, maar dat hielp niet. Het syndroom was altijd even onverzoenlijk als het kwam, het stortte zich op hem en begroef zich in zijn gewrichten, trok en scheurde aan zijn zenuwen, droogde zijn mond uit en deed zijn ogen branden.

Gerlof liet de pijn zijn gang gaan tot hij er genoeg van had. Hij lachte de Sjögren recht in zijn gezicht uit.

'Ik ben terug in de kinderwagen', constateerde hij na het ontbijt.

'Je bent zo weer op de been, Gerlof.'

Marie, zijn assistente van die dag, stopte een klein kussen als steun in zijn rug en vouwde de voetplaten van de rolstoel onder zijn lakschoenen uit.

Gerlof had zich met Maries hulp moeizaam gekleed in zijn enige zwarte kostuum, dat glansde en goed van snit was. Hij had het gekocht voor de begrafenis van zijn vrouw Ella en had het daarna naar een twintigtal andere begrafenissen van vrienden en familieleden in de kerk van Marnäs gedragen. Vroeg of laat zou hij het kostuum op zijn eigen begrafenis dragen.

Over het kostuum droeg hij zijn grijze jas, hij had een dikke wollen sjaal rond zijn hals geslagen en een vilten pet over zijn oren getrokken. De temperatuur was op deze sombere dag in het midden van oktober tot het vriespunt gedaald.

'Zijn jullie klaar?' vroeg Boel toen ze het kantoor uit kwam lopen. 'Hoelang blijven jullie weg?'

Haar oude, vertrouwde vraag.

'Dat hangt ervan af hoe geïnspireerd dominee Högström vandaag is', zei Gerlof.

'We kunnen je lunch in de magnetron opwarmen als dat nodig is', zei Boel.

'Dat is fijn', zei Gerlof, die eraan twijfelde of hij na de begrafenis van zijn vriend veel honger zou hebben.

Hij bedacht dat Boel met haar behoefte tot controle waarschijnlijk tevreden zou zijn, nu de Sjögren hem in een rolstoel had gedwongen en het gemakkelijk maakte hem in de gaten te houden. Maar hij zou snel weer op de been zijn, als het syndroom tot bedaren kwam. Hij zou weer lopen, en dan zou hij de moordenaar van Ernst vinden.

Marie trok haar handschoenen aan en pakte de handgrepen van de rolstoel vast.

Ze gingen langzaam met de lift naar beneden, liepen de heldere kou buiten het Marnästehuis in en de oprit af naar de keerplaats. Vrieskoud grind knerpte onder de wielen van de rolstoel toen ze de verlaten weg naar de kerk op reden.

Gerlof beet op zijn tanden. Hij voelde zich onbehaaglijk machteloos in zijn rolstoel, maar hij probeerde te ontspannen en de verantwoordelijkheid los te laten.

'Zijn we laat?' vroeg hij.

Het had veel te veel tijd gekost om zijn kostuum aan te trekken.

'Niet zo erg', zei Marie. 'Een beetje maar, en dat is mijn schuld. Gelukkig is de kerk vlakbij.'

'We missen het saaie gedeelte waarschijnlijk', zei Gerlof en Marie lachte beleefd.

Daar was hij blij om – niet alle assistenten in het Marnäste-huis begrepen dat het de plicht van de jongeren was om te lachen om de humor van de ouderen.

Op weg naar de kerk boog Gerlof zijn nek in een poging zijn gezicht te beschermen tegen de bijtende wind die vanaf de Kalmarsund waaide. Hij voelde vanuit een oude gewoonte dat het een gelijkmatige zuidwester was die krachtig genoeg was om met een schip bijna recht naar het noorden langs de Zweedse kust te zeilen, helemaal naar Stockholm, maar hij verlangde er op een dag als deze niet naar om op zee te zijn. De wind zou de golven over de reling hebben gezwiept, en de kou zou de doften met ijs hebben bedekt. Na meer dan dertig jaar aan land voelde Gerlof zich nog steeds schipper, en geen zeeman wilde in de winter naar zee.

Het klokluiden begon toen ze langs de bushalte kwamen en het pad naar de kerk op liepen. Het was troosteloos en langgerekt en echode over het vlakke landschap, en Marie ging sneller lopen.

Gerlof had geen haast om bij de begrafenis te komen – hij zag het voornamelijk als een ritueel voor andere rouwenden. Hij had afgelopen week samen met John afscheid van Ernst genomen, bij de steengroeve. Het verlies van zijn vriend was vermengd met zijn gevoelens na het overlijden van zijn vrouw Ella, en die zouden blijven zolang hij leefde. Tegelijkertijd had hij het onbehaaglijke gevoel dat Ernst niet in vrede rustte; hij wachtte er ongeduldig op tot Gerlof alle stukjes van de puzzel die hij had achtergelaten op zijn plek had gelegd.

Er stonden minstens twaalf auto's op de kleine parkeerplaats voor de kerk. Gerlof zag Julia's rode Ford niet, maar Astrid Linders Volvo stond er en hij nam aan dat ze Julia een lift vanuit Stenvik had gegeven. Als zijn dochter tenminste naar de begrafenis was gekomen.

Marnäs' witgeschilderde kerk uit de negentiende eeuw strekte zich uit naar de grijze hemel. Er stonden al bijna duizend jaar christelijke kerken op deze plek. Dit was de derde op rij, gebouwd toen de middeleeuwse kerk te klein was en begon te vervallen.

Marie liep het kerkhof op en reed Gerlof snel over het brede stenen pad, tot ze afremde en de rolstoel met de achterwielen eerst over de lage drempel van de open kerkdeur trok.

Gerlof deed zijn pet af zodra ze in het kerkportaal kwamen. Het was er donker en leeg, maar de kerk was gevuld met in het zwart geklede mensen. Er hing een zwak geroezemoes in de lucht; de kerkdienst was nog niet begonnen.

Veel gebogen hoofden draaiden discreet naar Gerlof toen hij door het linker gangpad reed. Hij besefte hoe zwak en ellendig de mensen hem zouden vinden, en ze hadden natuurlijk gelijk. Hij wás zwak en ellendig, maar zijn hoofd was helder en dat was het belangrijkste.

Sommige mensen gingen vooral naar begrafenissen om te zien wie de volgende was die in de kist zou belanden. Kijken jullie maar, dacht Gerlof, leuker dan dit wordt het niet.

Hij zou al snel weer staan en lopen.

Een smalle, witte hand werd in het gangpad uitgestoken en zwaaide naar hem vanuit een van de achterste banken. Het was Astrid Linder, gekleed in een zwarte hoed met voile. Ze had een lege plek naast zich op de vierde rij en leek niet te merken dat Gerlof in een rolstoel zat.

Marie stopte en Gerlof trok zich met haar hulp uit de rolstoel omhoog en liet zich op de bank naast Astrid zakken.

'Je hebt niets gemist', fluisterde Astrid in zijn oor. 'Het was ontzéttend saai.'

Gerlof knikte alleen, nadat hij naar de plek aan de andere kant van Astrid had gekeken en had gezien dat Julia daar niet zat.

Marie trok zich met de rolstoel achter in de kerk terug en tegelijkertijd verstomde het geroezemoes onder het hoge kerkgewelf toen de cantor de psalm 'Gammal Fäbod' begon te spelen. Gerlof had de weemoedige melodie op meer begrafenissen gehoord dan hij zich kon herinneren. Hij ontspande bij de muziek en keek voorzichtig om zich heen.

De kerk was gevuld met oudere mensen. Van de ongeveer honderd mensen waren er maar een paar onder de vijftig.

De moordenaar van Ernst was er ook, verborgen tussen de rouwenden, dat wist Gerlof bijna zeker.

Naast Astrid zat haar broer Carl, Marnäs' laatste stationschef, die van baan was veranderd en ijzerhandelaar was geworden toen het station in het midden van de jaren zestig werd gesloten. Nu was hij gepensioneerd. Carls oudere collega Axel Månsson had de trein met Nils Kant erin die zomerdag vlak na de oorlog laten vertrekken, maar Carl was er ook geweest. Hij was toen loopjongen bij het station en hij had aan Gerlof verteld dat hij kaartjesverkoopster Margit de politie in Marnäs zag bellen en fluisterend meedelen dat de gezochte jongeheer Kant net een kaartje naar Borgholm had gekocht. Hij had zelfs veldwachter Henriksson een paar minuten later op een sukkeldrafje met zijn grote buik over het perron zien rennen om de van moord verdachte jongen op te pakken.

Carl was misschien de laatste levende Ölander die de volwassen Kant van dichtbij had gezien, maar toen Gerlof een keer vroeg hoe Kant eruitzag had Carl alleen zijn hoofd geschud – hij had een slecht geheugen voor gezichten.

Verder weg in de bank zaten meerdere gepensioneerden uit Marnäs: Bert Lindgren, de oude directeur van het wijkgebouw, die in de jaren vijftig en zestig zeeman was geweest en de wereldzeeën had bevaren, naast hem palingvisser Olof Håkansson en daarnaast Karl Lundsteds, een legerkolonel uit Kalmar die na zijn pensionering naar zijn zomerwoning in Långvik was verhuisd.

Het was niet ongewoon voor gepensioneerden om naar Marnäs te verhuizen, maar tegelijkertijd wist Gerlof dat Noord-Öland niet meer ouderen nodig had. Er waren jonge werknemers en meer banen nodig.

De orgelmuziek zweeg. Dominee Åke Högström, al zo'n tien jaar werkzaam in Marnäs, ging voor de met rozen versierde witte houten kist staan. Hij had een grote bruine leren bijbel in zijn handen en keek ernstig door zijn ronde bril naar de parochie.

'We zijn hier vandaag bijeengekomen om afscheid te nemen van onze vriend, steenhouwer Ernst Adolfsson.' De dominee pauzeerde even, zette zijn bril recht en begon daarna zijn grafrede met een belangrijke vraag: Wie behalve de geest in de mens weet wat er is in de mens?

Paulus' eerste brief aan de Korinthiërs, tweede hoofdstuk, wist Gerlof.

'Wij mensen weten zo weinig over elkaar,' verkondigde de dominee, 'en alleen God weet alles. Hij ziet al onze fouten en gebreken en toch wil hij ons allemaal eeuwige zekerheid geven.'

In een van de achterste kerkbanken klonk rochelend gehoest.

Gerlof deed zijn ogen dicht en luisterde kalm, en hij knikkebolde maar één keer. Toen daarna psalm 113 werd gezongen deed hij zo goed mogelijk mee. Daarna volgde een gebed geleid door de dominee, meer bijbelwoorden en psalmen en het mooie gezang 'Waar rozen nooit sterven'.

Hoewel hij al afscheid van Ernst had genomen in zijn huis bij de steengroeve, voelde Gerlof toch een groeiende knoop van donker verdriet in zijn borstkas, toen tijdens de afsluitende orgelmuziek zes ernstige mannen opstonden en naar voren liepen om de kist naar buiten te dragen, waaronder zijn vrienden Gösta Engström uit Borgholm en Bernard Kollberg, die gedurende meerdere decennia een dorpswinkel in Solby ten zuiden van Stenvik had gehad en die vaak levensmiddelen bij Ernst bezorgde. De overige kistdragers waren Smålandse familieleden van Ernst.

Gerlof had ook willen opstaan om Ernsts kist op zijn schouder te dragen, maar hij moest in plaats daarvan blijven zitten tot iedereen ging staan en Marie met de rolstoel aan kwam lopen.

'Ik denk dat ik nu zelf kan lopen', zei hij tegen haar, maar dat ging natuurlijk niet.

Marie hielp hem in de stoel en toen dat was gebeurd bukte Astrid zich en gaf een klopje op zijn schouder.

'Ik help Gerlof wel', zei ze vastbesloten.

Marie keek aarzelend naar Astrid, die een hoofd kleiner en broodmager was, maar Gerlof glimlachte opbeurend.

'We redden ons wel, Marie', zei hij.

Marie knikte en Astrid reed de rolstoel door het gangpad, met haar broer Carl naast zich.

'Daar is John ook', zei ze.

Gerlof draaide zijn hoofd om en zag John Hagman de kerk uit lopen met zijn zoon Anders naast zich.

Gerlof knoopte zijn jas dicht tegen de kou en de wind die buiten de kerkdeur op hem wachtten en voelde een plat voorwerp in zijn jaszak. Hij herinnerde zich dat hij de portefeuille van Ernst had meegenomen. Hij pakte hem, voelde het versleten leer tussen zijn vingers en vroeg aan Astrid: 'Heb je mijn dochter vandaag gezien?'

'Vandaag niet', zei Astrid. 'Maar ze zou toch teruggaan naar Göteborg? Haar auto stond niet op de klip toen ik langsreed.'

'Hm', zei Gerlof.

Dan was Julia vanochtend vertrokken. Ze had naar de begrafenis kunnen komen, dacht hij, en ze had op zijn minst moeten bellen om afscheid te nemen. Maar zo was Julia. Het was hem in elk geval gelukt om haar langer op Öland te houden dan ze van plan was geweest, en hoewel ze niet veel vooruitgang hadden geboekt geloofde Gerlof dat het bezoek goed voor haar was geweest. Hij zou haar snel in Göteborg bellen.

'Dat is toch de portefeuille van Ernst?' zei Astrid.

Gerlof knikte.

'Die geef ik straks aan zijn familie uit Småland', zei hij.

Ze kregen de hele inhoud erbij, behalve het betalingsbewijs van het houtmuseum in Ramneby, dat Gerlof in zijn bureau had verstopt.

'Je bent een eerlijk mens, Gerlof', zei Astrid.

'Alles op zijn plaats', zei hij. 'Ik hou niet van losse eindjes.'

Ze waren bij de graven gekomen en reden langzaam tussen alle bekende grafstenen door. Veel van de mooiste had Ernst uitgehouwen voordat hij met pensioen ging – onder andere de grote steen van Ella. Die was puur en mooi en onder de naam van zijn vrouw was voldoende plaats voor Gerlofs naam en jaartal.

Ernsts vers gedolven graf lag in een rij met begraven Stenvikers. De kerkgangers stonden in een halve cirkel om het graf en

Astrid duwde Gerlof resoluut tussen de rouwenden. Hij zag het diepe gat in de grond voor de rolstoel. Het graf was zwart en koud en het was onmogelijk om eruit te komen als je erin was gevallen. Hij verlangde er niet naar om daar zelf te liggen, hoewel de Sjögren in de ijzige kou in zijn gewrichten beet.

De kistdragers hadden bij het graf gepauzeerd, en nu lieten ze de kist voorzichtig in de aarde zakken. Hier buiten zag Gerlof meer bekende gezichten: Bengt Nyberg, redacteur bij de *Ölands-Posten*, stond aan de andere kant van het graf, voor één keer zonder camera in zijn handen. Gerlof probeerde zich te herinneren hoelang hij als redacteur in Marnäs had gewoond en gewerkt. Vijftien of twintig jaar. Hij was net als zoveel anderen van het vasteland gekomen.

Naast hem stond boer Örjan Granfors, die een boerderij ten noordoosten van Marnäs had en wiens koeien in de jaren tachtig ooit in beslag waren genomen. Hij was veroordeeld voor verwaarlozing, herinnerde Gerlof zich.

Dicht naast elkaar, naast Granfors, stond het echtpaar Linda en Gunnar Ljunger, de hoteleigenaren uit Långvik. Ze praatten zacht met elkaar, waarschijnlijk over de nieuwe bouwactiviteiten in het vakantiedorp. Daarnaast stond Lennart Henriksson, de politieagent. Hij droeg vandaag een zwart kostuum in plaats van zijn uniform.

Gerlof keek opnieuw in het graf. Wat wilde Ernst dat hij zou doen? Hoe moest hij verdergaan?

Ernst was tijdens zijn laatste bezoekjes aan Gerlof in het begin van de herfst telkens begonnen over Nils Kant en de kleine Jens, alsof de twee mysteries door zijn hoofd rondspookten en verbonden waren door iets wat voor iemand anders niet duidelijk was.

Mettertijd had Gerlof zich verzoend met de spoorloze verdwijning van Jens, zo goed als dat ging, op dezelfde manier als hij zich had verzoend met Ella's overlijden. Maar Ernst was begin september naar het tehuis in Marnäs gekomen om met Gerlof te praten. Hij had een dun boekje met een zachte kaft bij zich gehad.

'Heb je dit gezien, Gerlof?' had hij gevraagd.

Gerlof had zijn hoofd geschud.

Het was een jubileumuitgave van Malmvracht AB. Gerlof had in de *Ölands-Posten* gelezen dat het een paar maanden daarvoor was gepubliceerd, maar hij had het niet gelezen.

'Je kent Martin Malm toch', had Ernst gezegd. 'Dit is een oude foto van hem aan het eind van de jaren vijftig bij de Smålandse zagerij van de familie Kant.'

'Ik ken Martin niet zo goed', had Gerlof geantwoord terwijl hij het boek verbaasd aanpakte. 'We zagen elkaar voornamelijk in de havens, toen we schipper waren.'

'En daarna, toen hij aan land kwam?'

'Heel zelden. Ik heb hem drie of misschien vier keer gezien. Bij een paar bijeenkomsten voor gewezen kapiteins.'

'Bijeenkomsten?' vroeg Ernst.

'In Borgholm.'

'Weet je hoe Martin aan het geld voor zijn eerste oceaanschip kwam?' vroeg Ernst.

'Ja ... nee. Dat weet ik niet', zei Gerlof. 'Van zijn familie?'

'Niet van zijn eigen familie', zei Ernst. 'Hij kreeg het van de familie Kant.'

'Staat dat in het boek?' vroeg Gerlof.

'Nee, maar dat heb ik gehoord', zei Ernst. 'En kijk eens naar deze foto. De hand van August Kant ligt op Martins schouder. Zou jij dat doen?'

'Nee', had Gerlof gezegd.

Maar het was inderdaad zo, de barse directeur August Kant had zijn hand vriendschappelijk op de schouder van de net zo grimmige scheepskapitein Martin Malm gelegd. Vreemd.

Ernst wilde niets meer zeggen, maar hij wist absoluut meer dan hij vertelde. Hij had iets gezien of gehoord wat hem op ideeën had gebracht. Hij was naar het houtmuseum in Ramneby gegaan en had daar naar iets gezocht zonder het aan Gerlof te vertellen. Een paar weken daarna had hij een afspraak met iemand bij de steengroeve, waarschijnlijk een soort transactie waarover Gerlof niets mocht weten.

'Wil je naar voren gaan om afscheid te nemen, Gerlof?'

Astrids vraag rukte hem uit de zee van gedachten. Hij schudde zijn hoofd.

'Dat heb ik al gedaan', zei hij.

De laatste rozen werden op het deksel van Ernsts kist gegooid en daarna was de begrafenis voorbij. De gasten begonnen naar het wijkgebouw naast de kerk te lopen voor een kort herinneringsmoment.

'Ik heb trek in koffie', zei Astrid.

Ze reed de rolstoel naar achteren en begon hem te duwen.

Hoewel de Sjögren in zijn nek beet, strekte Gerlof zich opzij en keek hij dwars over de begraafplaats naar de oude grafsteen bij de westelijke muur.

Het graf van Nils Kant.

Wie lag daar in?

Puerto Limón, oktober 1955

De stad bij het water is donker en lawaaiig en stinkt naar modder en hondenpis.

Nils Kant heeft haar zijn rug toe gedraaid. Hij zit aan zijn stamtafel op de veranda van havenkroeg Casa Grande met een fles wijn voor zich en kijkt uit over de zee, over de Caraïbische zee voor Costa Rica. Zelfs al is de lucht van slijk en rottend zeewier niet veel beter dan de stank die in de smalle straten van de stad hangt, het water is in elk geval een uitweg.

Overdag staat hij vaak op een of andere kade naar de in de zon glinsterende zee te staren. Een weg naar huis. De zee is de weg naar Zweden. Met voldoende geld kan Nils gewoon naar huis varen.

Proost.

Hij pakt de beker lauwe rode wijn en neemt een flinke slok om de enorme problemen van zijn thuisreis te vergeten. Want de waarheid is dat hij niet genoeg geld heeft. Het is bijna op. Hij sjouwt een paar dagen per week bananen en olievaten in de haven, maar dat is net voldoende voor eten en de huur. Hij zou vaker moeten werken, maar hij voelt zich niet zo goed.

'Estoy enfermo', mompelt hij in de nacht.

Hij heeft vaak maagpijn en hoofdpijn, en zijn handen trillen.

Hoeveel toosten op Zweden heeft hij al uitgebracht op de veranda van Casa Grande? Op Öland? Op Stenvik? En op zijn moeder Vera?

Hoeveel toosten en hoeveel flessen hij heeft leeggedronken is niet te tellen. Deze avond is als alle andere in de bar, behalve dat Nils vanavond zijn dertigste verjaardag viert. Maar eigenlijk valt er niets te vieren – dat weet hij en dat maakt dat hij zich nog beroerder voelt.

'*Quiero regresar a casa*', fluistert hij in de duisternis.

Langzaam heeft hij Spaans en een beetje Engels leren spreken, maar het Zweeds is nog steeds het meest levendig binnen in hem.

Hij is nu meer dan tien jaar op de vlucht, vanaf het moment dat hij die zomer na de oorlog in de haven van Göteborg aan boord ging van het vrachtschip Celeste Horizon.

Op de Celeste Horizon werd hij in een hut gestopt die net zo krap was als een kist, een lijkkist van staal.

Hij heeft sindsdien op meerdere oude schepen langs de Zuid-Amerikaanse kusten gevaren, maar de Celeste was verreweg de ergste. Er was geen droge plek aan boord te vinden; het vocht van de zee drong overal binnen en wat niet nat en beschimmeld was, was kapot of verroest. Het water stroomde of druppelde overal. Het licht drong meer dan een maand lang niet door tot zijn hut, omdat deze aan bakboordzijde lag en het schip door de voortdurende lekkage naar die kant helde.

De motoren dreunden dag en nacht. Nils was zeeziek en lag halfdood op een kooi in het donker, en vaak stond veldwachter Henriksson zwijgend naast hem, terwijl het zwarte bloed uit zijn borstkas stroomde. Dan deed Nils zijn ogen dicht en hoopte hij dat het schip op een mijn zou lopen. De zee zat er vol mee, hoewel de oorlog voorbij was – dat had dat varken, kapitein Petri, verschillende keren gezegd. Hij had ook duidelijk gemaakt dat Nils als laatste in de reddingsboot zou stappen als de Celeste Horizon verging.

Tijdens de overslag in Engeland moest hij twee weken lang dag en nacht in zijn hut blijven en de afzondering had hem bijna gek gemaakt, totdat ze ten slotte in westelijke richting over de Atlantische Oceaan vertrokken.

Toen ze bij Brazilië voor anker lagen had hij een albatros gezien: een enorme vogel die vrij en zorgeloos met gespreide vleugels boven de toppen van de golven in de warme lucht rond het schip zweefde. Nils beschouwde dat als een goed teken en hij besloot een tijdje in Brazilië te blijven. Hij liet de Celeste Horizon en die idioot van een Petri zonder spijt achter.

In de haven van Santos had hij voor het eerst zombies gezien en die hadden hem met angst vervuld. Erbarmelijke wezens die nog voordat de Celeste Horizon stil lag op de kade kwamen aanstrompelen, met lege ogen en kapotte kleren.

'Zombies', zei een Zweedse zeeman naast Nils verachtelijk toen ze aan de reling stonden, en hij raadde hem aan stukken kool naar hen te gooien als ze te dichtbij kwamen.

Zombies waren de vergeten mannen, de alcoholisten, degenen die niet op het land en niet op zee thuishoorden. Zeemannen van Europa die een rondje te veel in de bar hadden gedronken en waren achtergebleven toen hun schip vertrok.

Nils was geen zombie, hij had geld om 's nachts in een hotel te slapen en hij bleef een paar maanden in Santos. Hij dronk wijn in barretjes waar de zombies niet kwamen omdat ze daar geen geld voor hadden, hij zwierf over de kalkwitte stranden buiten de stad, leerde een beetje Spaans en Portugees, maar praatte alleen met iemand als dat moest. Hij werd iets magerder, maar hij was nog steeds lang en breed en er werd nooit een poging gedaan om hem te beroven, en hij verlangde voortdurend naar Öland terug. Hij stuurde elke maand een ansichtkaart naar zijn moeder om te laten zien dat hij nog leefde.

Hij voer met een Spaans schip verder naar Rio, daar waren meer mensen; armere mensen, rijkere mensen, dikkere kakkerlakken en meer zombies in de haven en op de stranden. En alles herhaalde zich: wandelingen zonder doel, wijn drinken, heimwee en ten slotte een nieuw schip waarmee hij wegvoer van dat alles. Hij moest zijn geld langer laten meegaan door aan boord schoon te maken en af te wassen.

Nils bezocht een lange rij havensteden: Buenaventura, La Plata, Valparaiso, Chañaral, Panama, Saint Martin in de Caraïben, dat vol Fransen en Nederlanders zat, Havanna in Cuba, dat vol Amerikanen zat. En geen stad was ook maar iets beter dan degene die hij achter zich had gelaten.

Hij stuurde ansichtkaarten naar zijn moeder zodra hij in een nieuwe plaats aan land ging. Zonder tekst of afzender, ze zou zo ook wel begrijpen dat Nils nog leefde en aan haar dacht. Hij leefde sober, maakte geen geld op aan vrouwen en vocht bijna nooit.

Hij wilde naar de USA en kreeg een plek op een Franse boot over de Golf van Mexico naar het vochtige Louisiana. Het licht van de barretjes in New Orleans was warmer en goudgeler, maar zonder Zweeds paspoort werd hij niet tot de USA toegelaten, zo was het gewoon. Hij had geen geld meer om iemand om te kopen en moest de boot terug naar het zuiden nemen.

Hij kon de gedachte niet verdragen dat hij terug moest naar Zuid-Amerika, en bovendien werd het daar ook steeds moeilijker om de grenzen te passeren. Dus ging hij aan land in Costa Rica, in de havenstad Limón. En daar bleef hij.

Nu woont hij al zes jaar in Limón, tussen de zee en de jungle. In het dampende bos achter de stad zijn de bananenplanten en azalea's zo groot als appelbomen, maar hij gaat er nooit naartoe. Hij mist de alvarat. De tropische jungle stinkt als een beschimmelde composthoop en verstikt hem. Na elke wolkbreuk veranderen de rechte straten van Limón in lange modderrivieren en stromen de riolen over.

De dagen, weken en maanden zijn gewoon weggespoeld.

Na een jaar in Limón schreef hij voor de eerste keer een echte brief aan zijn moeder, hij vertelde het een en ander over wat hij had meegemaakt en gaf haar zijn adres in de stad.

Er kwam antwoord met een beetje geld, en hij schreef opnieuw. Hij vroeg zijn moeder om hulp omdat hij in contact wilde komen met oom August. Nils wilde naar huis. Hij was meer dan tien jaar van Öland weg geweest en hij was voldoende gestraft.

Als iemand Nils naar huis kan krijgen is het oom August. Zijn moeder Vera heeft de wil maar zou nooit zelf een reis naar huis kunnen regelen.

Het heeft tijd gekost, maar nu heeft Nils een envelop naast de wijnbeker op tafel liggen, met zijn adres in Limón in inkt op de envelop geschreven en een Zweedse postzegel ter waarde van veertig öre. De brief uit Zweden is drie weken geleden aangekomen, met een cheque van tweehonderd dollar, en hij heeft hem telkens opnieuw gelezen.

Hij is van zijn oom August in Ramneby in Småland, die van zijn zus heeft gehoord dat Nils in Latijns-Amerika is en dat hij naar huis wil.

Je kunt nooit meer thuiskomen, Nils.

Dat heeft oom August geschreven. De brief is maar één kantje lang en bestaat bijna alleen uit ernstige vermaningen, maar die korte zin is degene die Nils telkens weer leest.

Je kunt nooit meer thuiskomen.

Nils probeert de woorden te vergeten, maar dat lukt niet.

Hij leest de zin keer op keer en hij heeft het gevoel alsof de dode veldwachter Henriksson glimlachend achter hem staat en over zijn schouder meeleest.

Nooit meer, Nils.

Hij schenkt meer rode wijn uit de fles in. Muggen zo groot als Zweedse eenkroonmunten zoemen boven het strand en er kruipt een glanzende kakkerlak over de houten balustrade.

Vanuit de bar klinkt hard gelach in de duisternis, knetterende motoren rijden door de modderstraten van de stad. Het is nooit stil in Limón.

Nils drinkt en doet zijn ogen dicht. De wereld draait, hij voelt zich ziek.

'*Quiero regresar a casa*', mompelt hij in het donker.

Nooit meer.

Nils is nog maar dertig – hij is nog steeds jong.

Hij is niet van plan om naar oom August te luisteren. Hij blijft in plaats daarvan aan zijn moeder schrijven. Hij zal haar vragen, haar smeken. Ze zal voor hem zorgen.

Nu kun je naar huis komen, Nils.

Dat zijn de woorden waarop hij wacht.

En ze moeten snel komen.

20

Gerlof werd in zijn rolstoel over de begraafplaats geduwd en dacht na.

Het was Ernst niet gelukt om een transactie te sluiten met iemand toen hij doodging, dacht Gerlof – maar wat voor transactie?

Ernst was nooit bijzonder geïnteresseerd geweest in geld, voorzover Gerlof wist – hij was er heel tevreden mee om in de steengroeve te werken en af en toe een beeld aan een toerist te verkopen zodat hij geld had voor eten en de huur. Dat was voldoende voor hem. Dus waarom had hij niets tegen Gerlof willen zeggen over zijn ideeën omtrent de verdwijning van Jens?

Hij had de Kantsteen gekozen. Dat had hij gedaan. Maar wat betekende dat?

Gerlof kon lang piekeren over al deze vragen, maar hij dacht in cirkels. Hij kwam er de hele tijd op terug dat Nils Kant niet dood was, dat hij op de een of andere manier zijn dood had gearrangeerd en dat het hem was gelukt onder een andere naam naar Zweden terug te keren, zoals John dacht. En dan zouden de personen die probeerden de waarheid te achterhalen gevaarlijk voor hem zijn.

'Ben je er klaar voor, Gerlof?' vroeg Astrid achter zijn rug toen ze bij het wijkgebouw waren.

Hij knikte.

'Dan gaan we naar binnen', zei ze en ze nam een aanloop om Gerlof de rolstoelhelling op te duwen.

Er waren minder gasten dan bij de begrafenis, maar Gerlof en Astrid moesten toch tussen ze door laveren. Een paar van hen bogen zich naar Gerlof om te vragen hoe hij zich voelde, maar na drie van zulke neerbuigende gesprekken dwong hij zichzelf te gaan staan. Hij wilde bewijzen dat hij ondanks de pijn wel degelijk kon lopen, hij was geen invalide.

Astrid reed de rolstoel weg en Gerlof steunde op zijn stok en ging verder met bekenden begroeten. Gösta Engström uit Borgholm was godzijdank niet geïnteresseerd in zijn gezondheid, en het was nog beter dat Margit niet naast hem stond toen Gerlof op wankele benen naar hem toe liep. Ze voerden een zacht gesprek over de gebeurtenissen van de herfst, en ten slotte vertelde Gerlof hoe hij over de dood van Ernst dacht.

'Geen ongeluk?' zei Gösta.

Gerlof schudde zijn hoofd.

'Bedoel je ... moord?'

'Iemand heeft hem in de steengroeve geduwd en heeft het beeld op hem gerold', zei Gerlof. 'Dat is wat John en ik denken.'

Hij was bang om gegrinnik als antwoord te krijgen, maar Gösta keek hem ernstig aan. 'Wie zou zoiets doen?' vroeg hij.

Gerlof schudde zijn hoofd weer.

'Dat is de vraag.'

Daarna kwam Margit Engström naar ze toe om hem te begroeten, en Gerlof gaf haar een hand en strompelde toen langzaam verder.

Hij liep Bengt Nyberg van de *Ölands-Posten* tegen het lijf, die zoals gewoonlijk op nieuwtjes aasde: 'Er schijnt te weinig personeel in het Marnästehuis te zijn. Klopt dat? Krijgen de bewoners te weinig service?'

Gerlof had daar niets over te melden. Het leek alsof de helft van de gasten in het wijkgebouw iets van hem wilde. Voordat hij bij de koffietafel was, kwam hij Gunnar Ljunger met zijn vrouw tegen. Gunnar kwam zoals gewoonlijk meteen ter zake.

'Ik heb er nog zes nodig, Gerlof', zei de hoteleigenaar. 'Heeft je dochter met je gepraat? Ze was onlangs bij ons in Långvik en ik heb haar gevraagd om dat tegen je te zeggen. Nog zes.'

Hij had het natuurlijk over de flessenschepen.

'Wordt het niet een beetje vol op je planken?' vroeg Gerlof.

'We gaan uitbreiden', zei Ljunger snel. 'Ze komen op de vensterbanken in het nieuwe restaurantgedeelte te staan.'

Hij pakte een notitieboekje en een pen met de reclametekst KOOP EN VERMAAK JE IN LÅNGVIK! en schreef een paar getallen op een stuk papier dat hij aan Gerlof overhandigde.

'Dat is de prijs', zei hij. 'Per schip.'

Gerlof keek naar het papiertje. Hij was niet enthousiast over wat de familie Ljunger in Långvik aan het doen was, het was pure grondexploitatie – maar het viercijferige bedrag was voldoende om zowel het zomerhuis als het botenhuis in Stenvik nog minstens een jaar te onderhouden.

'Ik heb twee schepen af', zei hij zacht. 'De rest kost tijd ... misschien tot het voorjaar.'

'Mooi, dat is prima.' Ljunger strekte zijn rug. 'Ik koop ze in gedeelten. Kom een keer in Långvik eten.'

Gunnar gaf hem een hand, zijn vrouw Linda glimlachte tegen Gerlof en toen liepen ze verder. Gerlof kon eindelijk naar de tafel gaan om koffie te drinken en wortelcake te eten.

Astrid en Carl zaten er al, en toen Gerlof moeizaam was gaan zitten en koffie kreeg ging er een man schuin tegenover hem zitten. Het was Lennart Henriksson.

'Dat is achter de rug', zei de politieagent tegen Gerlof.

Gerlof knikte.

'Het verdriet blijft natuurlijk.'

'Jazeker. En je dochter ... Is ze hier?' vroeg Lennart.

'Nee. Ze is terug naar Göteborg.'

'Wanneer is ze vertrokken?'

'Waarschijnlijk vanochtend', zei Gerlof.

Lennart keek naar hem.

'Is ze langsgekomen om afscheid te nemen?'

'Nee. Maar daar ben ik niet zo verbaasd over.'

Hij had eraan toe kunnen voegen dat het Julia en hem niet was gelukt om elkaar erg na te komen tijdens haar bezoek aan Öland, maar dat mocht Lennart zelf bedenken.

Lennart zat zwijgend in zijn koffiekopje te kijken. Hij had een bezorgde rimpel op zijn voorhoofd en trommelde zacht met de vingers van zijn rechterhand op tafel.

Toen keek hij weer naar Gerlof.

'Weet je zéker dat ze weg is?'

'Astrid zei dat de auto er niet stond.'

Ze knikte bevestigend naast hem.

'De klip was leeg. En de gordijnen van het botenhuis waren dicht. Dat was toch zo, Carl?'

Haar broer knikte.

'Heeft ze afscheid van je genomen?' vroeg Lennart.

Gerlof begreep niet waarom hij zo ongerust was.

'Niet direct', zei Astrid. 'Maar dat is iets waarvoor de tijd soms ontbreekt.'

'Ik bel haar', zei Lennart snel. 'Is dat goed, Gerlof?'

'Natuurlijk', zei Gerlof. 'Wil je iets speciaals van haar?'

'Nee', zei Lennart terwijl hij zijn mobiel pakte.

'Heb je haar nummer?' vroeg Gerlof.

'Ja.' Lennart toetste de cijfers in op zijn telefoon. 'Ik wil alleen controleren waar ze is. Ze zei dat ze misschien ...'

Hij zweeg en hield de telefoon tegen zijn oor.

'Ik begrijp niets van die mobieltjes', fluisterde Astrid tegen Gerlof. 'Hoe bel je daarmee?'

'Geen idee', zei Gerlof en hij vroeg aan Lennart: 'Neemt ze op?'

Lennart liet de telefoon zakken. 'Ik kan haar niet bereiken ... ik krijg haar voicemail.' Hij keek naar Gerlof en voegde eraan toe: 'Je kunt hem natuurlijk uitzetten, als je niet gestoord wilt worden.'

'Dan heeft Julia dat beslist gedaan', zei Gerlof. 'Ze rijdt op dit moment waarschijnlijk door Småland.'

Lennart knikte langzaam maar leek toch niet tevreden. Hij bleef met zijn vingers op tafel trommelen en ten slotte kwam hij overeind. 'Jullie moeten me verontschuldigen', zei hij. 'Ik ... ik moet iets controleren.' Toen pakte hij zijn koffiekopje en liep weg.

Gerlof zag hem haastig naar de uitgang lopen en vroeg zich af of zijn dochter en Lennart Henriksson ergens mee bezig waren, iets waar bij niets van afwist, maar een paar seconden daarna werd er voorzichtig met een lepel tegen een koffiekopje getikt. Een stoelpoot schuurde over de grond en iemand stond op.

Gerlof zag tot zijn verbazing dat het John Hagman was. Hij en zijn zoon Anders zagen er even ongemakkelijk uit in hun zwarte kostuums.

John schraapte zijn keel, met een rood gezicht en vingers die zenuwachtig aan de zijkanten van zijn zwarte colbert friemelden. Toen begon hij een herdenkingstoespraak: 'Tja ...' zei hij. 'Ik doe dit niet ... nooit eigenlijk ... Maar ik wilde toch iets zeggen over Ernst Adolfsson, mijn vriend en de vriend van veel anderen, en over het dorp Stenvik. Het wordt daar nu nog stiller en donkerder ...'

Ruim een uur later was Gerlof terug in het bejaardentehuis – geduwd door Margit en Gösta – en kon hij bijkomen. Hij at een late lunch die Boel voor hem had opgewarmd. Op een van de tafels in de lege eetzaal lag de *Ölands-Posten* van die dag en Gerlofs oog viel op een artikel op de voorpagina: VERDWENEN BEJAARDE DOOD GEVONDEN.

Nog meer ellende. Het artikel ging over de bejaarde die een week geleden zijn huis op Zuid-Öland uit was gelopen en nu tussen de struiken op de alvaret was gevonden, doodgevroren. De politie vermoedde volgens de krant geen misdrijf. De man was oud en seniel en was minder dan een kilometer van het dorp waar hij zijn hele leven had gewoond verdwaald. Gerlof kende de dode niet, maar hij beschouwde het krantenartikel toch als een slecht teken.

De rest van de middag bleef hij in zijn kamer en hij zag af van koffie. Hij kwam pas naar buiten voor het avondeten, dat bestond uit Ölandse aardappelknoedels, slecht gezouten en met veel te weinig spek – heel anders dan de lekkernij die Ella een keer per maand kookte – maar Gerlof at er toch een paar.

'Ging alles in de kerk goed zonder mij?' vroeg Marie toen ze de aardappelknoedels voor hem opschepte.

'Jazeker', zei Gerlof.

'Dus Ernst Adolfsson is nu begraven?' vroeg Maja Nyman, die aan de andere kant van de tafel zat.

Maja kwam ook uit Stenvik, dacht Gerlof, ze was meer dan veertig jaar geleden verhuisd.

Hij knikte. 'Ja, Ernst rust nu naast de kerk.'

Hij pakte zijn vork en begon te eten, zoals altijd dankbaar dat hij gezonde tanden had. En de Sjögren was godzijdank eindelijk gekalmeerd.

'Was het een mooie kist?' vroeg Maja.

'Jazeker', zei Gerlof. 'Van mooi, witgeschilderd hout, glanzend gepolijst.'

'Ik wil een mahoniehouten kist', zei Maja. 'Als dat niet te duur is ... Anders wordt het waarschijnlijk goedkoop hout en een crematie.'

Gerlof knikte beleefd, nam nog een hap van de aardappelknoedels en wilde net zeggen dat cremeren absoluut te verkiezen was, toen iemand zijn schouder aanraakte. Het was Boel.

'Telefoon voor je, Gerlof', zei ze zacht.

Hij draaide zijn hoofd om. 'Tijdens het avondeten?'

'Ja. Het is belangrijk. Het is Lennart Henriksson ... van de politie.'

Gerlof voelde plotseling een ijzige kou in zijn maag, een kou die de Sjögren uit zijn avonddutje wekte. De reuma werd altijd erger van stress en nam meteen weer bezit van zijn gewrichten.

'Dan neem ik hem', zei hij.

Julia? Het ging waarschijnlijk over Julia en hij wist bijna zeker dat het slecht nieuws was. Hij kwam moeizaam overeind.

'Je kunt de telefoon in de keuken gebruiken', zei Boel.

Hij liep naar buiten, steunend op zijn stok. De keuken was leeg. De rode plastic telefoon hing aan de muur en Gerlof pakte de hoorn.

'Davidsson', zei hij.

'Gerlof ... met Lennart.'

Zijn stem klonk heel ernstig.

'Is er iets gebeurd?' vroeg Gerlof, hoewel hij het antwoord al wist.

'Ja. Het is Julia ... ze is niet naar Göteborg vertrokken.'

'Waar is ze?' Gerlof hield zijn adem in.

'In Borgholm', zei Lennart. 'In het ziekenhuis.'

'Is het erg?'

'Nogal. Maar het had veel erger gekund. Ze heeft flinke verwondingen. Ze verzorgen haar in het ziekenhuis ... Ik ga er vanavond naartoe om haar op te halen.'

'Wat is er gebeurd?' vroeg Gerlof. 'Wat heeft ze gedaan?'

Lennart aarzelde, haalde adem en gaf toen antwoord: 'Ze heeft gisteravond ingebroken in Vera Kants huis en ze is van de trap gevallen. Ze was een beetje ... ja, ze was nogal in de war toen ik haar vond. Ze beweerde dat het huis bewoond is. Dat Nils Kant daar woont.'

21

Julia werd door een langgerekt gepiep gewekt uit de warmte van de slaap en na een paar seconden herinnerde ze zich waar ze zich bevond. In Vera Kants grote huis in Stenvik.

Ze had het koud. De pijn in haar gewonde lichaam had haar suf gemaakt, en na een lange doorwaakte nacht op de vloer had ze haar ogen dichtgedaan en had ze gedroomd over de laatste zomer met Jens, toen de zon onafgebroken boven Öland had geschenen en de herfst ver weg was.

Ze zag de stoffige en smerige verandavloer onder zich en wist dat het weer dag was geworden.

Het gepiep kwam van de buitendeur die openging.

'Julia?' echode een stem boven haar.

Een paar handen tilden haar hoofd op en legden een opgevouwen jas of trui onder haar.

'Hoor je me? Julia, wakker worden!'

Ze draaide haar pijnlijke gezicht naar het plafond. Ze kon alleen haar linkeroog gebruiken – het rechter was helemaal opgezwollen.

Het was Lennarts kalme stem – ze herkende hem al voordat ze zag dat hij het echt was. In plaats van zijn politie-uniform droeg hij een zwart kostuum en glanzende, nette schoenen. Ze waren bedekt met opgedroogde modder van Vera Kants tuin, maar dat leek hem niet te kunnen schelen.

'Ik hoor je', zei ze.

'Mooi', zei hij. Hij klonk niet geïrriteerd, alleen moe.

'Ik ging hier naar binnen en ... ik viel van de trap', ging ze met een zwakke stem verder terwijl ze haar hoofd van de grond tilde. 'Dat was stom.'

'Gerlof zei dat je naar huis was', zei Lennart. 'Maar ik dacht al dat je hier misschien naartoe was gegaan.'

Julia lag op de veranda, zo ver was ze de afgelopen nacht gekropen toen ze op de keukenvloer wakker werd, tussen de resten van haar kapotte mobiel en de gebarsten lamp. De petroleum was eruit gelekt en was in brand gevlogen, maar het vuur was gedoofd op de stenen vloer.

Ze kon niet opstaan, want iemand had een gloeiende spijker door haar linkervoet geslagen. Dus was ze moeizaam naar de buitendeur gekropen, alleen om uit de keuken weg te komen, en in de duisternis op de veranda was ze weer weggezakt. Ze hoorde de wind waaien en had geen kracht om naar buiten te gaan. Ze was gestopt bij de deur, de hele tijd doodsbang dat ze voetstappen vanuit het huis zou horen naderen.

'Stom', herhaalde Julia zacht. 'Stom, stom ...'

'Denk daar nu niet aan. Ik had gisteravond hiernaartoe moeten komen, maar het overleg ...' Lennart zweeg en ze voelde zijn handen onder haar armen. Hij probeerde haar voorzichtig op te tillen. 'Kun je staan?' vroeg hij.

Ze hoopte dat hij niets zou merken van de wijn die ze had gedronken. De roes was er nog, met zijn weerzinwekkende nasmaak.

'Ik weet het niet ... Ik heb iets ... gebroken.'

'Weet je het zeker?'

Julia knikte moe. 'Ik ben verpleegster.'

Dat was ze inderdaad. En de diagnose die ze al voordat ze uit de keuken was gekropen voor zichzelf had gesteld was een polsfractuur, een gebroken sleutelbeen en een gebroken rechtervoet.

De voet was misschien alleen flink verstuikt, dat was moeilijk te bepalen. Julia had patiënten gehad die wekenlang niet op hun verzwikte voet konden staan – terwijl anderen hun voet braken en daarna bijna normaal rondliepen, in de overtuiging dat het snel zou overgaan.

Ze had er geen idee van hoe haar gezicht eruitzag. Erg waarschijnlijk. Misschien bloedde haar neus ook, want die zat verstopt.

'Probeer te gaan staan, Julia', zei Lennart.

Ze vond het fijn dat zijn stem kalm bleef, niet boos, niet gestrest.

'Het spijt me', zei ze met een dikke stem.

'Wat?'

Lennart trok haar voorzichtig onder haar armen omhoog.

'Het spijt me dat ik hier zonder jou naartoe ben gegaan.'

'Denk daar niet aan', zei Lennart weer.

Maar Julia wilde niet stil zijn, ze wilde alles vertellen.

'Ik zocht Jens. Ik zag op een avond licht achter een van de ramen en ik denk dat ... hij daar woont.'

'Woont? Wie?'

'Nils', zei Julia. 'Nils Kant, Vera's zoon. Er ligt een slaapzak op de bovenverdieping. Ik heb het gezien. En er hangen oude krantenknipsels.'

'Kun je lopen?' vroeg Lennart.

'Hij heeft ook in de kelder gegraven ... Ik weet niet waarom. Ligt het lichaam van Jens daar? Denk je dat, Lennart? Heeft hij Jens daar verstopt?'

'Kom nu.'

Lennart begon haar moeizaam door de buitendeur te leiden, en ze liepen in de koude wind de trap af. Het was niet gemakkelijk, want ze kon niet op haar rechtervoet staan, maar Lennart ondersteunde haar de hele tijd.

Toen ze over het tuinpad liepen zag Julia dat er een donkergroene auto voor het hek geparkeerd stond.

'Is die van jou, Lennart?' vroeg ze.

'Ja.'

'Heb je geen politieauto? Je zou een politieauto moeten hebben.'

'Dit is mijn privéauto ... Ik was vandaag op de begrafenis.'

'Ja ... natuurlijk.'

De begrafenis van Ernst, herinnerde Julia zich nu. Ze had hem gemist.

Het oude hek ging net zo moeilijk open als de avond ervoor, dus Lennart moest haar staand op één voet achterlaten terwijl hij trok en schopte om hem zo ver open te krijgen dat ze erdoor konden.

Ze ging moeizaam in de auto zitten, alsof ze negentig jaar was.

'Lennart', zei ze snel voordat hij het portier dichtdeed. 'Wil je alsjeblieft in de villa gaan kijken? Ik moet weten dat ... dat ik vannacht zag wat ik zag. Op de bovenverdieping en in de kelder.'

Hij keek haar een paar seconden aan en knikte toen. 'Ik neem aan dat je hier op me wacht?' vroeg hij.

Ze knikte.

'Je ... heb je een pistool?'

'Een pistool?'

'Ja ... als er iemand is ... daarbinnen. Ik denk het niet, maar ...'

Lennart lachte kort. 'Ik heb geen pistool bij me, alleen een zaklamp', zei hij. 'Het komt goed, Julia, ik red me wel. Ik ben zo terug.'

Toen sloot hij het portier en haalde een lamp uit de kofferbak. Julia zag hem de tuin in lopen en achter de vervallen houtschuur verdwijnen. Ze ademde uit in de stilte van de auto, leunde voorzichtig achterover en staarde leeg naar de klip en de grijze zee aan het eind van de dorpsweg.

Lennart bleef niet lang weg, misschien tussen de vijf en tien minuten. Julia was ongerust geweest vanaf het moment dat hij verdween, en ze was opgelucht toen ze hem weer zag.

Hij opende het bestuurdersportier, ging zitten en knikte naar haar.

'Je had helemaal gelijk', zei hij. 'Er is iemand binnen geweest. Pasgeleden nog.'

'Ja,' zei Julia, 'en ik denk dat ...'

Lennart stak snel zijn hand op.

'Het was Nils Kant niet', onderbrak hij haar.

Toen legde hij een klein voorwerp voor haar op het dashboard.

'Ik heb dit gevonden. Er lagen er een paar op de grond in de kelder.'

Het was een snuifdoos, een rond wegwerpmodel.

'Een tabaksnuiver', zei ze.

'Ja, hij snuift ... wie daar ook is geweest', zei Lennart terwijl hij de contactsleutel omdraaide. 'En nu gaan we naar Borgholm.'

In het ziekenhuis van Borgholm knipten ze Julia's kleren stuk, zowel haar trui als haar broek, en gaven haar een pijnstillende injectie. Een jonge mannelijke dokter onderzocht haar en vroeg hoe de verwondingen waren ontstaan.

'Ze is vannacht gevallen', zei Lennart, die in de deuropening van de onderzoekskamer stond en op het punt stond om weg te gaan. 'In Stenvik.'

'Op het strand?'

Lennart aarzelde maar een seconde voordat hij knikte.

'Inderdaad, op het strand.'

Toen ging Lennart weg, en de arts begon op haar rug en buik te duwen en trok aan haar armen en benen, en verpleegsters namen een serie röntgenfoto's. Daarna begonnen ze natte en koude gipsverbanden aan te brengen. Julia protesteerde niet, ze kende de procedure en wilde het dolgraag achter de rug hebben.

Er waren belangrijkere dingen om aan te denken. Ze had een belangrijke ontdekking in Vera Kants villa gedaan, daarvan was ze overtuigd.

Nils Kant leefde nog. Hij leefde en hij woonde in het oude huis van zijn moeder, net als in die griezelige Hitchcockfilm. Hij verstopte zich in het huis en Jens was daar naar binnen gegaan, en toen had Kant hem vermoord. Als ze elkaar niet in de mist op de alvaret hadden ontmoet. Nils Kant zwierf daar misschien graag rond.

Julia wilde niet in het ziekenhuis blijven. Ze vroeg of ze een telefoon mocht lenen nu haar mobiel kapot was, en belde Astrid in Stenvik. Ze vertelde wat er was gebeurd en stelde een vraag.

Astrid was thuis en natuurlijk mocht Julia een paar dagen bij haar logeren. Het was altijd leuk om gezelschap te hebben.

Lennart kwam na ruim een uur terug om haar op te halen.

'Je moet uitkijken met die stenen en rotsblokken op de stranden', zei de jonge arts toen hij naar het gips had gekeken en haar een hand had gegeven. 'Vooral als het donker is.'

'Had je iets in de stad te doen?' vroeg Julia toen ze in noordelijke richting terugreden.

'Ik was op het politiebureau', zei Lennart. 'Hun computers zijn sneller dan die van mij in Marnäs, dus heb ik daar een paar aangiften gedaan.' Hij keek naar haar. 'Onder andere over een inbraak in Stenvik.'

'O', zei Julia.

'Dat ging niet over jou', zei Lennart snel. 'Ik heb aangifte gedaan dat iemand in Kants villa heeft ingebroken en er heeft geslapen. Jij bent daar nooit binnen geweest, denk daaraan. Je zag op een avond dat er licht brandde. De dag daarna heb je mij gebeld om aangifte te doen. Zo was het toch?'

Julia keek naar hem.

'Inderdaad', zei ze. 'Ik struikelde en viel op het strand. In het donker.'

'Precies', zei Lennart.

Hij nam de afslag naar Stenvik.

'Maar ik denk nog steeds dat Nils Kant daarbinnen is geweest', voegde Julia er zachtjes aan toen. 'Ik geloof niet dat hij dood is.'

'Je mag geloven wat je wilt', zei Lennart kortaf. 'Kant is dood.'

Maar Julia dacht dat ze tegelijkertijd een schaduw van twijfel in zijn ogen zag.

Puerto Limón, maart 1960

De zon is weg, de duisternis is over de oostkust van Costa Rica neergedaald. In de schaduwen op het kleine zandstrand onder de veranda van de Casa Grande bar hoest iemand gedempt en begint daarna te fluiten, een vrolijke en zorgeloze melodie die stijgt en daalt in de maat van de avonddeining die ritmisch op het land breekt. Vanuit de bar klinkt gelach en het gerinkel van glas.

Geluidloze bliksemflitsen vlammen op aan de horizon. Een dof gerommel volgt. Het onweert, ver weg boven de Caraïbische zee, een onweer dat het land langzaam nadert.

Nils Kant zit bij zijn gebruikelijke tafel onder de kleine rode lichtjes op de veranda, eenzaam zoals altijd. Hij staart een tijdlang in zijn halflege glas, daarna drinkt hij het in één teug leeg.

Is dat het zesde of het zevende glas van de avond?

Hij weet het niet, het is niet belangrijk. Hij wilde deze avond niet meer dan vijf glazen lauwe rode wijn drinken, maar het maakt niet uit. Zo meteen bestelt hij er nog een. Er is geen reden om met drinken te stoppen. Geen enkele.

Hij zet het lege glas neer en krabt aan zijn linkerarm, die rood en gezwollen is. De laatste jaren krijgt hij schrijnende huidontstekingen van de zon op zijn armen en benen. Witte huidschilfers laten bij bosjes los, zijn huid is stuk en het laken is elke ochtend als hij wakker wordt bespikkeld met bloed. En op het kussen liggen altijd haren, hij begint een kale plek boven op zijn hoofd te krijgen.

Het is de zon, het is de hitte, het is het vocht. Nils gaat stukje bij beetje kapot en daar is niets aan te doen.

Niets, alleen blijven drinken. De wijn is sinds een paar jaar van een goedkope soort, want de stroom geld van zijn moeder is sinds het midden van de jaren vijftig steeds meer opgedroogd. Het enige wat zijn moeder als verklaring schrijft is dat de steengroeve van de familie is verkocht en gesloten. Hoeveel geld ze over heeft, vertelt ze niet. En oom August heeft al jarenlang niet vanuit Småland geschreven.

Nils heeft met niemand meer gevochten en niemand zwaar mishandeld sinds hij van Öland is weggegaan. Maar veldwachter Henriksson staat sommige nachten nog steeds naast zijn bed, zwijgend en bloedend. Het is maar een schrale troost dat het minder vaak voorkomt.

Nils pakt het wijnglas en leunt naar voren om op te staan en naar binnen te gaan om zich nog eens in te laten schenken – en op dat moment beseft hij dat hij de melodie die in de duisternis onder hem wordt gefloten herkent.

Hij bevriest in zijn beweging en luistert nauwkeuriger.

Jazeker, hij heeft die melodie gehoord, vele jaren geleden. Ze werd tijdens de oorlog veel op de radio gespeeld, en het nummer zat in de verzameling 78-toerenplaten van zijn moeder.

Hé, vrolijke broeders

Het was een vrolijk en opgewekt lied. Hij herinnert zich niet hoe het heet, maar hij weet de tekst nog.

Hé, als je wil, blijf dan niet stil,
Dan gaan we naar huis, naar Söder.

Hij is een Zweeds lied dat hij niet meer heeft gehoord sinds hij uit Stenvik is vertrokken. Nils komt overeind. Hij kijkt voorzichtig over de houten balustrade, drie of vier meter boven het strand.

Schaduwen.

Maar zit daar niet iemand op het strand, vlak bij de palen van de veranda?

'Hallo?' roept hij zacht in het Zweeds.

Het fluiten stopt abrupt.

'Ook hallo', antwoord een kalme stem vanuit de duisternis.

Ja, Nils ziet daar beneden een gestalte zitten, nu zijn ogen aan de duisternis zijn gewend. Het is een man met een hoed. Hij is opgehouden met fluiten en beweegt zich niet.

Als Nils naar de trap aan het eind van de veranda loopt, beginnen er dunne druppels koude motregen te vallen. Hij legt zijn hand op de reling en loopt op onvaste benen naar beneden. Stap voor stap naar de duisternis, tot hij het zachte zand dat nog steeds warm is onder zijn leren sandalen voelt.

Nils brengt zijn avonden al jarenlang op deze veranda door, maar hij is nog nooit in het donker op het strand geweest. Er zitten daar ratten, grote hongerige ratten.

Voorzichtig nadert hij de dikke palen die de veranda ondersteunen.

De gestalte die hem antwoord heeft gegeven zit er nog, kalm achterovergeleund in een strandstoel die voor enkele colóns te huur is bij de winkel een paar honderd meter verderop.

Het is een man, ziet Nils, met opgerolde overhemdsmouwen en een zonnehoed die zijn gezicht verbergt. Hij neuriet, dezelfde vrolijke melodie als daarnet.

Blijf dan niet stil,
Dan gaan we naar huis,

Nils doet nog een paar stappen dichterbij en blijft dan staan, zijn lichaam wankel van de wijn maar ook van spanning.

'Goedenavond', zegt de man.

Nils schraapt zijn keel. 'Kom je ... uit Zweden?' vraagt hij.

De Zweedse woorden voelen vreemd aan in zijn mond.

'Hoor je dat niet?' zegt de man in de strandstoel, terwijl tegelijkertijd een bliksemschicht de horizon verlicht.

In het schijnsel van de bliksem ziet Nils een vluchtige glimp van het witte gezicht van de Zweed. Een paar seconden later is er een zwak gerommel boven zee te horen.

'Ik dacht dat het beter was als jij in het donker naar mij toe kwam, in plaats van andersom', zegt de Zweed.

'Wat?' zegt Nils.

'Ik ben naar je kamer gegaan, maar je hospita zei dat je 's avonds meestal in deze bar zit te drinken. Is er niet zo veel te doen in Costa Rica?'

'Wat wil je?' vraagt Nils.

'Het is belangrijker om te bespreken wat jíj wilt, Nils.'

Nils zegt niets. Heel even heeft hij het gevoel dat hij deze man eerder heeft gezien, toen hij jong was.

Maar wanneer? In Stenvik?

Hij herinnert het zich niet.

De Zweed pakt de armleuningen van de strandstoel vast en komt overeind. Hij werpt een blik op de zee en kijkt Nils daarna recht aan. 'Wil je naar huis, Nils?' vraagt hij. 'Naar Zweden? Naar Öland?'

Nils knikt langzaam.

'Dat kan ik regelen', zegt de Zweed. 'We gaan je een heel nieuw leven geven, Nils.'

22

'Ik beschuldig je nergens van, Gerlof,' zei Lennart langzaam, 'maar je hebt je dochter blijkbaar laten geloven dat Nils Kant nog steeds leeft. Dat hij in het oude huis van zijn moeder Vera woont. En dat hij haar zoon op de alvaret heeft ontvoerd.'

Het was laat in de middag in het Marnästehuis en Gerlof zat bij zijn bureau. Hij keek als een betrapte schooljongen naar de grond.

'Ik kan zoiets hebben gesuggereerd', zei hij ten slotte. 'Niet dat Nils zich in Vera's huis verstopt, dat heb ik nooit gezegd, maar dat hij misschien nog leeft.'

Lennart zuchtte alleen. Hij stond in zijn politie-uniform midden in de kamer van Gerlof. Hij was naar het bejaardentehuis gekomen om te vertellen dat Julia bij Astrid in Stenvik was, nadat ze gisteren in het ziekenhuis van Borgholm was verbonden en gips had gekregen.

'Hoe voelt ze zich?' vroeg Gerlof zacht.

'Verstuikte rechtervoet, gebroken pols, gebroken sleutelbeen, een flinke bloedneus, blauwe plekken en een hersenschudding', zei Lennart. Hij zuchtte weer en voegde eraan toe: 'Het had erger kunnen zijn, ze had haar nek kunnen breken. Het had ook beter kunnen zijn. Ze had het bijvoorbeeld uit haar hoofd kunnen laten om bij Vera Kant naar binnen te gaan.'

'Wordt ze nu aangeklaagd?' vroeg Gerlof. 'Voor inbraak?'

'Nee', zei Lennart. 'Niet door mij. En ook niet door de eigenaar.'

'Heb je met hem gepraat?'

Lennart knikte. 'Ik heb een neef van Vera in Växjö kunnen vinden', zei hij. 'Ik heb hem gebeld voordat ik hiernaartoe kwam. Het is een jongere neef van Nils ... Hij is zelf al jarenlang niet in Stenvik geweest en weet ook heel zeker dat niemand anders van de familie er is geweest. Er zijn meerdere Smålandse neven en nichten die samen eigenaar van de villa zijn, maar ze kunnen het blijkbaar niet eens worden of ze het gaan renoveren of verkopen.'

'Ik vermoedde al zoiets', zei Gerlof. Daarna schudde hij zijn hoofd en keek naar de politieagent. Ik heb nooit tegen Julia gezegd dat ík dacht dat Nils Kant nog leeft, Lennart', zei hij. 'Ik heb alleen gezegd dat sómmigen dat geloven.'

'Wie dan?' vroeg Lennart.

'Tja ... Ernst', zei Gerlof, die John Hagman niet bij een politieaangelegenheid wilde betrekken. 'Ernst Adolfsson dacht het. Hij dacht volgens mij dat Nils Kant nog leeft en dat Kant Jens op de alvaret heeft vermoord. Dus probeerde Ernst mij te ...'

Lennart keek vermoeid naar hem.

'Privédetectives', onderbrak hij hem. 'Er zijn mensen die denken dat ze beter dan de politie weten hoe een misdaad moet worden opgelost.'

Gerlof dacht erover een grapje te maken, maar hij wist niets te bedenken.

'Het is natuurlijk een andere zaak dat er inderdaad iemand in het huis van Vera Kant is geweest', ging Lennart verder.

Gerlof keek verbaasd naar de politieagent.

'Is dat zo?' vroeg hij.

'De deur is opengebroken. En er zijn sporen op de bovenverdieping. Opgehangen krantenknipsels, oud eten, een slaapzak. En in de kelder is gegraven.'

Gerlof dacht na.

'Heb je het huis doorzocht?' vroeg hij.

'Maar heel kort', zei Lennart. 'Ik vond het belangrijker om je dochter naar het ziekenhuis te brengen.'

'Fijn. Haar vader bedankt je daarvoor', zei Gerlof.

'Ik heb haar bij Astrid achtergelaten en voordat ik hiernaartoe kwam, ben ik vanochtend nog een keer in Vera Kants villa geweest', ging de politieagent verder. 'Julia had geluk dat de petroleumlamp op de stenen vloer in de keuken terechtkwam toen ze hem liet vallen. Als hij bij de muur had gelegen, had het hele huis in vlammen kunnen opgaan.'

Gerlof knikte.

'Maar wat was er met de kelder?' vroeg hij. 'Hebben ze dingen opgegraven? Of begraven?'

'Dat is moeilijk te zien. Opgegraven, denk ik. Of misschien hebben ze alleen gegraven.'

'Inbrekers graven normaal gesproken niet naar dingen', zei Gerlof. 'Of blijven slapen.'

Lennart keek vermoeid naar hem. 'Nu speel je weer privédetective.'

'Ik denk alleen hardop na. En ik denk ...'

'Ja?' zei Lennart.

'Tja ... ik denk dat het iemand uit Stenvik moet zijn die in de villa is geweest.'

'Gerlof ...'

'Je kunt op Noord-Öland veel ongestoord doen', ging Gerlof verder. 'Dat weet jij ook. Er is tenslotte bijna niemand die je ziet ...'

'Ik nodig je van harte uit om een open brief over het tekort aan politieagenten te schrijven', zei Lennart snel.

'Maar één ding zien mensen altijd,' ging Gerlof verder, 'en dat zijn vreemden. Vreemde mensen met een schep, vreemde auto's voor Vera Kants villa. Dat zien de mensen in Stenvik. En ik weet dat ze niets hebben gezien.'

Lennart dacht na.

'Wie wonen er eigenlijk het hele jaar in Stenvik?' vroeg hij daarna.

'Bijna niemand.'

Lennart was een paar seconden stil.

'Ik kan je hulp nodig hebben, Gerlof. Geen speurwerk maar wat feiten bekijken. Ik heb iets in de kelder gevonden.' Hij stak zijn hand in de zak van zijn uniformjas. 'Er lagen meerdere snuifdozen bij het kelderraam en onder de trap. Allemaal leeg. Ze zijn waarschijnlijk niet uit Vera Kants tijd.'

Hij pakte een snuifdoos en een notitieboek. Het doosje was verpakt in een klein plastic zakje.

'Ik snuif niet', zei Gerlof.

'Nee. Maar ken jij iemand in Stenvik die snuift?'

Gerlof aarzelde een paar seconden, toen knikte hij. Het had geen zin om dingen te verbergen die de politie toch kon achterhalen.

'Maar één', zei hij.

Daarna gaf hij Lennart een naam. Die knikte en schreef hem op.

'Bedankt voor je hulp.'

'Ik ga graag mee', zei Gerlof. 'Als je naar hem toe gaat.'

Lennart deed zijn mond open en Gerlof voegde er snel aan toe: 'Ik voel me vandaag goed, ik kan zelf lopen. Hij zal ontspannen zijn en meer zeggen als ik erbij ben. Dat weet ik bijna zeker.'

Lennart zuchtte. 'Trek je jas maar aan,' zei hij, 'dan gaan we een ritje maken.'

'Je hebt een mooie toespraak gehouden, John', zei Gerlof. 'Op de begrafenis van Ernst, bedoel ik.'

John zat aan de andere kant van de eettafel in zijn kleine keuken in Stenvik en knikte kort zonder antwoord te geven. Hij leunde een paar seconden achterover en daarna weer naar voren. Hij was gespannen, dat zag Gerlof duidelijk, en de oorzaak was niet moeilijk te raden: de derde persoon aan tafel was Lennart Henriksson, die nog steeds zijn politie-uniform droeg.

De lege snuifdoos lag op tafel.

'Gaan jullie de zaak heropenen?' vroeg John.

'Heropenen, heropenen ...' zei Lennart terwijl hij zijn schouders ophaalde. 'We willen graag met Anders praten, als dit zijn snuifdoos is. Want dan is hij degene die in Vera Kants villa heeft geslapen en die in haar kelder heeft gegraven en krantenknipsels over Nils Kant en Jens Davidsson heeft opgehangen. En dan willen we graag weten waar Anders was op de dag dat de kleine Jens verdween.'

'Dat hoeven jullie Anders niet te vragen', zei John. 'Dat weet ik ook.'

'Goed', zei Lennart. Hij pakte zijn notitieboek en een pen. 'Vertel maar.'

'Hij was hier', zei John kort.

'In Stenvik?'

John knikte.

'En jij was hier ook? Kun je hem een alibi voor die dag geven?'

John haalde zijn schouders op. 'Het is heel wat jaren geleden', zei hij. 'Ik weet het niet meer precies. Maar 's avonds waren we buiten en zochten we langs het strand. Wij samen. Dat herinner ik me nog.'

'Dat herinner ik me ook', zei Gerlof.

Hoewel veel herinneringen van die avond heel vaag waren, had hij een duidelijk beeld in zijn hoofd van John en zijn zoon, die toen in de twintig was, die zij aan zij in zuidelijke richting langs het strand liepen.

'En 's middags?' zei Lennart. 'Wat deed Anders toen?'

'Dat herinner ik me niet', zei John. 'Misschien is hij weg geweest. Maar hij was zeker niet bij het huis van Gerlof.' John keek naar Gerlof. 'Anders heeft geen kwaad in zich, Gerlof.'

Gerlof knikte.

'Er is niemand die dat denkt.'

Lennart maakte meer notities.

'We moeten in elk geval met hem praten', zei hij daarna. 'Is je zoon hier?'

'Hij is in Borgholm', zei John. 'Hij is na de begrafenis vertrokken.'

'Woont hij daar?'

'Soms woont hij daar, bij zijn moeder', zei John. 'En soms woont hij bij mij. Hij mag doen wat hij wil. Hij heeft geen rijbewijs, dus neemt hij de bus heen en terug.'

'Hoe oud is hij nu?'

'Hij is tweeënveertig.'

'Tweeënveertig jaar ... en hij woont thuis?' zei Lennart.

'Dat is geen misdaad.' John wees met zijn duim over zijn

schouder. 'Hij heeft zijn eigen huis, achter het mijne.'

'Ik denk', mengde Gerlof zich voorzichtig in het gesprek, 'dat we wel kunnen stellen dat Anders een beetje bijzonder is. Dat kunnen we toch wel, John? Hij is vriendelijk en behulpzaam, maar hij is een beetje bijzonder.'

'Ik heb Anders een paar keer ontmoet', zei Lennart. 'Hij lijkt me absoluut toerekeningsvatbaar.'

John keek strak voor zich uit. 'Anders is erg op zichzelf', zei hij. 'Hij is een denker en praat niet zo veel, niet met mij en niet met anderen. Maar er steekt geen kwaad in hem.'

'En het adres?' vroeg Lennart.

John noemde het adres van een flat in Köpmansgatan. Lennart schreef het op.

'Goed', zei hij. 'Dan storen we je niet langer, John. We rijden nu terug naar Marnäs.'

De laatste zin was voor Gerlof bedoeld, die schuin achter hem stond en zich steeds meer de tweede politieagent in het gezelschap ging voelen.

Het was een heel onbehaaglijk gevoel, want hij had de starre angst gezien die tijdens het gesprek in Johns ogen begon te groeien. De angst dat de macht, die als een roofvogel hoog in de lucht cirkelde, hem en zijn enige zoon ten slotte in het oog had gekregen op het verlaten Noord-Öland en die hen nu nooit meer zou loslaten.

'Er steekt geen kwaad in hem', herhaalde John, hoewel Lennart al overeind was gekomen en op weg was naar de deur.

'Er is niets aan de hand, John', zei Gerlof zacht zonder overtuigend te klinken. 'We bellen vanavond. Goed?'

John knikte, maar hij keek nog steeds gespannen naar Lennart, die in de deuropening wachtte.

'Kom, Gerlof', zei Lennart.

Het klonk als een bevel. Gerlof voelde zich nu geen politieagent meer, maar eerder een schoothondje. Toch stond hij gehoorzaam op en volgde de politieagent door de voordeur naar buiten. Eigenlijk wilde hij naar Astrid om zijn dochter te bezoeken, maar dat moest maar een andere keer.

Gerlofs spieren trilden meer dan normaal toen hij naar zijn kamer liep, en zijn gewrichten deden ook meer pijn dan anders. Hij was terug in het Marnästehuis nadat hij een lift van Lennart had gekregen.

Hij hoorde de telefoon in de gang al rinkelen en dacht niet dat hij het zou halen, maar de telefoon bleef overgaan.

'Davidsson?'

'Met mij.'

Het was John.

'Hoe is het?'

Gerlof ging zwaar op zijn bed zitten.

John zweeg.

'Heb je met Anders gepraat?' vroeg Gerlof.

'Ja. Ik heb naar Borgholm gebeld. Ik heb met hem gepraat.'

'Goed. Misschien moet je hem niet vertellen dat de politie hem wil ...'

'Dat is te laat', onderbrak John hem. 'Ik heb gezegd dat de politie hier was.'

'Juist', zei Gerlof. 'Wat zei hij toen?'

'Niets. Hij luisterde alleen.'

Het bleef stil.

'John, we weten waarschijnlijk allebei wat Anders bij Vera Kant deed. Waarnaar hij op zoek was in de kelder', zei Gerlof. 'De schat van de soldaten. De oorlogsbuit die ze volgens de mensen bij zich hadden toen ze op Öland aankwamen.'

'Ja', zei John.

'De schat die Nils Kant heeft gepakt,' ging Gerlof verder, 'als hij dat heeft gedaan.'

'Anders heeft het er al jaren over', zei John.

'Hij zal hem niet vinden', zei Gerlof. 'Dat weet ik.'

John zweeg weer.

'We moeten naar Ramneby', ging Gerlof verder. 'Naar de zagerij en het houtmuseum. We kunnen morgen gaan.'

'Morgen kan ik niet', zei John. 'Ik moet naar Borgholm om Anders op te halen.'

'Volgende week dan. Als het museum tenminste open is', zei

Gerlof. 'En daarna kunnen we misschien in Borgholm stoppen en kijken hoe Martin Malm zich voelt.'

'Natuurlijk', zei John.

'We gaan Nils Kant vinden, John', zei Gerlof.

Het was bijna negen uur diezelfde avond. De gangen van het Marnästehuis waren stil en verlaten.

Gerlof stond voor Maja Nymans gesloten deur, steunend op zijn stok. Hij hoorde geen geluid in haar kamer. Boven een kijkgat hing een klein met de hand geschreven briefje met de tekst: WEES ZO VRIENDELIJK OM TE KLOPPEN! JOH. 10:7.

'Ik verzeker u: ik ben de deur voor de schapen', zei Gerlof vanuit zijn geheugen bij zichzelf.

Hij aarzelde een moment, daarna klopte hij aan.

Het duurde even voordat Maja opendeed. Ze hadden elkaar een paar uur eerder bij het avondeten gezien en ze droeg dezelfde gele rok en witte bloes nog.

'Hallo', zei Gerlof met een zachte glimlach. 'Ik was benieuwd of je thuis was.'

'Gerlof.' Maja glimlachte en knikte, maar hij dacht een zorgrimpel tussen alle andere rimpels onder het witte haar op haar voorhoofd te zien. Zijn bezoek was onverwacht.

'Mag ik binnenkomen?' vroeg hij.

Ze knikte een beetje aarzelend en deed een stap naar achteren.

'Ik heb niet opgeruimd', zei ze.

'Dat maakt helemaal niet uit', zei Gerlof.

Steunend op zijn stok liep hij langzaam de kamer in, die er net zo opgeruimd uitzag als alle andere keren dat hij hier was geweest. Een donkerrood Perzisch tapijt bedekte bijna de hele vloer en de muren hingen vol foto's en schilderijen.

Gerlof was vaak bij Maja binnen geweest. Ze hadden een verhouding gehad, die een paar maanden nadat Gerlof naar het bejaardentehuis kwam was begonnen en die na een jaar was geeindigd, toen de pijn van het syndroom van Sjögren te hevig werd. Daarna onderhielden ze een kalme vriendschap die nog steeds voortduurde. Ze kwamen beiden uit Stenvik en waren beiden na een lang huwelijk alleen achtergebleven. Ze hadden veel om over te praten.

'Voel je je goed, Maja?' vroeg hij.

'Jawel. Mijn gezondheid is goed.'

Maja trok een stoel naar de kleine bruine theetafel bij het raam en Gerlof ging dankbaar zitten. Maja ging ook zitten, en toen werd het stil.

Gerlof moest iets zeggen.

'Ik vraag me af, Maja, of je me iets kunt vertellen over een onderwerp waar we het al een keer over hebben gehad ...'

Hij stak zijn hand in zijn zak en haalde de kleine, witte envelop tevoorschijn die Julia hem een week geleden had gegeven.

'Mijn dochter vond deze brief op de begraafplaats, bij de grafsteen van Nils Kant', zei Gerlof. 'Ik weet dat jij hem hebt geschreven en daar hebt neergelegd, dat is niet wat ik aan je wil vragen. Ik vraag me alleen af ...'

'Ik hoef me nergens voor te schamen', zei Maja snel.

'Absoluut niet', zei Gerlof. 'Dat heb ik niet ...'

'Nils krijgt nooit de mooiste boeketten', zei Maja. 'Die krijgt mijn man altijd ... Ik verzorg Helges graf altijd eerst voordat ik bij Nils ga kijken.'

'Dat is goed', zei Gerlof. 'Alle graven moeten worden verzorgd. Dat was niet wat ik je wilde vragen, het gaat ergens anders om ... Ik weet nog dat je me een keer hebt verteld dat je Nils Kant op de alvaret hebt gezien, op de dag dat hij de Duitse soldaten tegenkwam.'

Maja knikte ernstig. 'Ik zag het aan hem', zei ze. 'Hij zei niets, maar ik zag dat er iets was gebeurd ... hij wilde alleen niet zeggen wat. Ik probeerde met hem te praten, maar Nils vluchtte de alvaret weer op.'

'Ik snap het', zei Gerlof. Hij zweeg even en ging daarna voorzichtig verder. 'En je hebt verteld dat je die dag iets van hem kreeg ...'

Maja keek hem strak aan. Ze knikte.

'Ik vraag me af of je kunt laten zien wat hij je heeft gegeven', ging Gerlof verder. 'En of je het aan iemand anders hebt verteld. Heb je dat?'

Maja zat onbeweeglijk naar hem te kijken. 'Niemand anders weet het', zei ze kort. 'En ik heb niets gekregen, ik heb iets gepakt.'

'Sorry?'

'Ik heb niets van Nils gekregen', zei Maja. 'Ik heb het gepakt. En daar heb ik heel vaak spijt van gehad.'

'Een pakje', zei Gerlof. 'Je zei dat het een pakje was.'

'Ik achtervolgde Nils', zei Maja. 'Ik was jong en nieuwsgierig. Veel te nieuwsgierig ... dus verstopte ik me achter de jeneverbesstruiken en zag Nils weglopen. Hij liep naar de offerstapel bij Stenvik.'

'Die stapel stenen?' zei Gerlof. 'Wat deed hij daar?'

Maja zweeg. Haar blik was nu afwezig. 'Hij begon in de grond te graven', antwoordde ze ten slotte.

'Begroef hij iets?' vroeg Gerlof. 'Was dat het pakje?'

Maja keek hem aan. 'Nils is dood, Gerlof.'

'Dat lijkt maar zo', zei Gerlof.

'Dat ís zo', zei Maja. 'Niet iedereen gelooft dat, maar ik weet het. Anders zou hij van zich hebben laten horen.'

Gerlof knikte. 'Groef je het pakje op toen Nils weg was?'

Maja schudde haar hoofd. 'Ik rende naar huis', zei ze. 'Dat deed ik later ... toen hij thuisgekomen was.'

Het duurde een paar seconden voordat Gerlof het begreep.

'Je bedoelt ... toen hij in zijn kist thuiskwam?'

Maja knikte. 'Ik ging naar de alvaret en groef het op', zei ze.

Ze kwam langzaam overeind, streek haar rok glad en liep naar de televisie in de hoek van de kamer. Gerlof bleef zitten, maar draaide zijn hoofd om zodat hij naar haar kon kijken.

'Het was een herfstdag in de jaren zestig, een paar jaar nadat Nils was begraven', zei Maja over haar schouder. 'Helge was op het land en de kinderen waren naar school in Marnäs. Ik sloot het huis af en liep naar de alvaret met een tuinschep in een plastic tas.'

Gerlof zag hoe Maja moeizaam een blauwgeschilderd houten kistje gedecoreerd met rode rozen van een plank onder de televisie pakte. Hij had het eerder gezien, het was haar oude naaidoos. Ze droeg het kistje naar de theetafel en zette het voor Gerlof neer.

'Ik liep over de grote weg', ging ze verder, 'en na een half uur kwam ik bij de alvaret buiten Stenvik. Ik vond de restanten van de offerstapel en probeerde me precies te herinneren waar ik Nils had zien graven ... En ten slotte wist ik het.'

Ze deed het deksel open. Gerlof zag scharen, garen en rijen naaigarenklosjes en dacht aan de tijd dat hij de scheuren in zijn zeilen altijd dichtnaaide. Toen tilde Maja een valse bodem op en zette hem opzij, en Gerlof zag een plat doosje in het geheime vak eronder liggen.

Het was een blikken doosje, verkleurd door oude roestvlekken.

Gerlof hoopte tenminste dat het roest was.

'Hier is het.' Maja pakte het doosje en gaf het aan hem. Hij hoorde binnenin iets ratelen.

'Mag ik het openmaken?' vroeg hij.

'Je mag ermee doen wat je wilt, Gerlof.'

Het doosje had geen slot en hij maakte het heel voorzichtig open. De inhoud blonk en fonkelde.

Misschien lagen er alleen een twintigtal stukken glas in het doosje, prullaria – maar het was moeilijk om er niet iets anders in te zien, iets duurders. En ernaast lag een kruis. Gerlof was geen expert, maar het leek hem een kruis van puur goud.

Gerlof deed het deksel dicht voordat hij in de verleiding kwam om de stenen op te pakken en tussen zijn vingers te rollen.

'Heb je iemand hierover verteld?' vroeg hij zacht.

'Ik heb het aan mijn man verteld voordat hij stierf', antwoordde Maja.

'Denk je dat hij het op zijn beurt aan iemand heeft verteld?'

'Hij praatte niet met andere mensen over zulke dingen', zei Maja. 'En als dat zo was had hij het beslist tegen me gezegd. We hadden geen geheimen voor elkaar.'

Gerlof geloofde haar. Helge was niet zo welbespraakt geweest.

Maar op de een of andere manier had het gerucht zich toch over Öland verspreid dat de soldaten van de Baltische staten die door Nils waren vermoord een oorlogsbuit bij zich hadden gehad. Gerlof had het gehoord – net als John en Anders Hagman.

'Dus je hebt ze de hele tijd verstopt?' zei hij.

Maja knikte.

'Ik heb er nooit iets mee gedaan, ze waren tenslotte niet van mij.' Ze zweeg even. 'Maar ik heb een keer geprobeerd om ze aan de moeder van Nils te geven.'

'Echt? Wanneer dan?'

Maja ging voorzichtig naast hem zitten en Gerlof merkte op dat ze haar stoel zo dichtbij trok dat hun knieën elkaar raakten tussen de gekrulde poten van de theetafel.

'Dat was een paar jaar later, aan het eind van de jaren zestig. Helge had gehoord dat Vera Kant al haar grond langs de kust verkocht omdat ze geldgebrek had. Dus ik dacht dat ik de stenen misschien aan haar moest geven.'

'Ben je naar haar toe gegaan?' vroeg Gerlof.

Maja knikte. 'Ik nam de bus naar Stenvik en liep Vera's tuin in. Het was zomer, en de voordeur stond op een kier toen ik op trillende benen de trap op liep. Ik was bang voor Vera, zoals bijna iedereen.' Maja zweeg even en ging daarna verder. 'Ergens in huis speelde een grammofoon of een radio, ik hoorde zachte muziek en stemmen. Ze had bezoek.'

Gerlof hield zijn adem in. 'Ze heeft jarenlang een huishoudster gehad, dus misschien was ...'

'Nee. Het waren twee mannen', onderbrak Maja hem. 'Ik hoorde twee mannenstemmen uit de keuken komen. Een mompelde en een praatte harder en dwingender, bijna als een kapitein.'

'Heb je ze gezien?' vroeg Gerlof.

'Nee, nee', zei Maja snel. 'En ik bleef ook niet staan luisteren. Ik klopte zodra ik boven aan de trap was. De stemmen zwegen en Vera kwam de veranda op stormen en deed de keukendeur achter zich dicht. Het was een schok om haar na zo veel jaar weer te zien. Ze was zo dun en krom geworden ... als een verdroogd stuk touw. Maar ze was nog steeds wantrouwend, ze keek naar me alsof ik een dief of zoiets was. "Wat wil je?" vroeg ze. Geen begroeting, geen vriendelijkheid. Ik was helemaal de draad kwijt. Ik had het doosje in mijn zak, maar ik haalde het niet eens tevoorschijn. Ik begon iets te stamelen over Nils en de alvaret ... en dat was waarschijnlijk stom. Het wás stom, want Vera schreeuwde tegen me dat ik moest ophoepelen. Daarna ging ze terug naar de keuken. En ik ging weer naar huis ... En een paar jaar later stierf ze.'

Gerlof knikte. Vera was gestorven op dezelfde trap waar Julia vanaf was gevallen. Hij vroeg: 'Hoorde je waarover ze het hadden? Die twee mannen?'

Maja schudde haar hoofd.

'Ik hoorde maar een paar woorden voordat ik aanklopte', zei ze. 'Het was iets over verlangen. Degene met de harde stem zei iets over iemand die naar iemand verlangde. Jullie verlangen tenslotte allebei naar elkaar, of zoiets.'

Gerlof dacht na.

'Misschien waren het familieleden van Vera', zei hij. 'Familie uit Småland?'

'Misschien', zei Maja.

Het werd stil. Gerlof had geen vragen meer, hij moest hierover nadenken.

'Tja', zei hij. Hij strekte zijn hand uit om Maja's schouder voorzichtig aan te raken, maar ze leunde een stukje naar voren zodat zijn vingers op haar wang terechtkwamen.

Daar bleven ze liggen en begonnen bijna alsof ze een eigen wil hadden te bewegen in een trilling die langzaam een streling werd.

Maja deed haar ogen dicht.

Gerlof schrok op en kwam overeind.

'Tja', zei hij weer. 'Ik kan niet ... niet meer.'

'Weet je het zeker?' vroeg Maja. Ze deed haar ogen weer open.

Gerlof knikte verdrietig.

'Te veel pijn in mijn lichaam', zei hij.

'Misschien verdwijnt het in het voorjaar', zei Maja. 'Dat gebeurt soms.'

'Ja', zei Gerlof terwijl hij zo snel mogelijk ging staan. 'Bedankt voor het gesprek, Maja. Ik zal dit niet verder verspreiden. Dat weet je.'

Maja bleef bij de theetafel zitten.

'Dat is goed, Gerlof', zei ze.

Gerlof besefte dat hij het doosje nog steeds in zijn hand had en legde het op tafel. Maar Maja pakte het op, haalde het kruis eruit en gaf het etui weer aan hem. 'Neem jij het maar', zei ze. 'Ik wil er niet langer voor zorgen. Het is beter als jij het hebt.'

'Dan doen we dat.'

Hij knikte een paar keer, bij wijze van onbeholpen afscheid, en liep Maja's kamer uit met het doosje in zijn broekzak. Het was zwaar en koud en ratelde zacht toen hij door de lege gang liep.

Gerlof deed de deur op slot toen hij weer in zijn eigen kamer was. Hij deed zijn deur nooit op slot, maar nu wel.

De oorlogsbuit, dacht hij. Soldaten zoeken altijd naar oorlogsbuit. Van wie hebben de soldaten de edelstenen gekregen of gepakt? Was er behalve zij nog iemand voor gestorven?

En waar moest hij ze opbergen? Gerlof keek om zich heen. Hij had geen naaidoos met dubbele bodem.

Ten slotte liep hij naar de boekenkast. Op een van de planken stond een flessenschip dat de laatste tocht van de brik Bluebird av Hull voorstelde, zoals Gerlof dacht dat het schip eruit had gezien in die stormnacht voor de kust van Bohuslän. De Bluebird was op weg naar de Bohuslänse rotsen.

Gerlof tilde de fles op en trok de kurk eruit. Daarna opende hij het doosje en liet de stenen langzaam en voorzichtig in de fles glijden. Hij schudde de fles om ze op hun plek te krijgen. Mooi, als je niet al te nauwkeurig keek zagen ze eruit als de rotsen waarop de brik al snel aan de grond zou lopen.

Dat moest voorlopig goed genoeg zijn.

Gerlof zette het flessenschip terug en verstopte het lege doosje achter een rij boeken op een lage plank.

De rest van de avond keek hij heel wat keren naar de fles. Na de twaalfde of vijftiende keer begon hij te begrijpen waarom Maja zo opgelucht had geleken toen ze het oude blikken doosje aan hem had gegeven.

Die nacht kwam zijn enige echte verschrikkelijke nachtmerrie uit zijn tijd op zee terug.

Hij droomde dat hij aan de reling van een schip stond dat langzaam door de Oostzee gleed, ergens tussen de noordpunt van Öland en het eiland Oaxen. Het schemerde en het was helemaal windstil. Gerlof keek over het spiegelgladde water naar de horizon zonder ergens land te zien ...

... En toen hij naar het water onder zich keek zag hij een oude mijn uit de Tweede Wereldoorlog. Hij dreef vlak onder het wateroppervlak, een grote zwarte stalen bol bedekt met algen en mosselen, met uitstekende zwarte pennen.

Hij kon hem niet ontwijken. Gerlof kon alleen zwijgend toekijken hoe de scheepsromp en de mijn langzaam maar onverbiddelijk naar elkaar toe gleden, steeds dichter naar elkaar toe.

Hij werd met een schok en een schreeuw wakker in de duisternis van het Marnästehuis, net voordat de mijn explodeerde.

23

Het was zondagochtend. Julia zat bij het raam in Astrids zitkamer met de krukken tegen de stoelleuning, en zag hoe haar zus Lena en echtgenoot Richard de controle overnamen over haar auto, die op de klip stond.

Ze had de auto twee weken langer kunnen houden dan gepland, maar nu was het voorbij. Misschien ook maar goed, ze kon toch niet rijden met gebroken botten in haar lichaam.

Lena en Richard waren zaterdag voor een kort bezoek naar Öland gekomen, ze waren bij Gerlof op visite geweest en hadden koffie in Marnäs gedronken voordat ze de nacht van zaterdag op zondag in het zomerhuis sliepen. 's Ochtends kwamen ze naar Astrid Linder om haar gedag te zeggen, en toen bleek ook dat ze van plan waren om Julia mee naar Göteborg te nemen.

Ze hadden het natuurlijk niet nodig gevonden om Julia over dat plan te vertellen. Ze wist niet eens dat Lena en Richard zouden langskomen voordat ze de donkergroene Volvo op de weg aan zag komen rijden en voor Astrids huis zag parkeren. En toen was het te laat om te vluchten.

'Hallo allemaal!' riep Lena kordaat toen Astrid haar binnenliet. Ze omhelsde Julia, waardoor deze pijnlijk werd herinnerd aan de scheur in haar sleutelbeen. 'Hoe is het?' Lena keek naar de krukken.

'Het gaat heel goed', zei Julia.

'Papa belde om te vertellen wat er was gebeurd', zei Lena. 'Heel vervelend. Maar het had natuurlijk erger kunnen zijn. Zo moet je maar denken, het had erger kunnen zijn.' Dat was alles wat haar zus te zeggen had over Julia's gebroken botten. 'Wat aardig van Astrid dat ze je hier laat logeren. Dat is toch lief?'

'Astrid is een engel', zei Julia.

En dat was waar. Astrid was een engel die het naar haar zin had in het verlaten Stenvik, maar ze had verteld dat ze zich soms ook eenzaam voelde. Ze was immers weduwe en haar enige kind, een dochter, werkte als arts in Saoedi-Arabië en kwam alleen met Kerst en midzomer thuis.

Richard zei helemaal niets; hij knikte alleen ongeduldig naar Julia, hield zijn lichtbruine herfstjack aan en begon na een paar minuten op zijn Rolex te kijken. Voor hem was het enige belangrijke waarschijnlijk dat de auto in Torslanda terug kwam, dacht Julia, zodat zijn dochter erin kon rijden.

Astrid bood koffie en koekjes aan, en Lena praatte enthousiast over de rust en de stilte in Stenvik nu het oktober was en alle toeristen weg waren. Richard zat met een rechte rug naast zijn vrouw en zei niets. Julia zat aan de andere kant van de tafel, keek uit het raam en dacht aan Vera Kants huis achter de grote bomen.

'Goed, we moeten waarschijnlijk maar eens gaan', zei Lena na de koffie. 'We moeten nog een heel eind rijden.'

Ze begon snel de kopjes af te ruimen. Richard ging naar buiten om Astrid te helpen met het vastspijkeren van een losse afvoerpijp aan de achterkant van het huis.

Julia kon niets doen, alleen zitten en toekijken. Ze had geen benen, geen baan, geen kinderen. Maar het leven zou toch doorgaan, op de een of andere manier.

'Lief dat jullie zijn gekomen', zei ze.

Lena knikte. 'We hebben meteen besloten om hiernaartoe te rijden en je naar huis te halen', zei ze. 'Je kunt zo niet rijden.'

'Dank je,' zei Julia, 'maar dat hoeft niet. Ik blijf.'

Lena luisterde niet. 'Als jij bij mij in de Ford komt, dan kan Richard de Volvo rijden', zei ze terwijl ze de koffiekan omspoelde. 'We stoppen altijd in Rydaholm om te lunchen, ze hebben daar een gezellig restaurant.'

'Ik kan niet naar huis zonder Jens', zei Julia. 'Ik moet hem vinden.'

Lena draaide zich om en keek haar aan. 'Wat zei je?' vroeg ze. 'Je wilt toch niet ...'

Julia schudde haar hoofd en onderbrak haar. 'Ik weet dat Jens dood is, Lena', zei ze terwijl ze haar zus strak bleef aankijken. 'Hij is dood. Dat besef ik nu, maar daar gaat het niet om. Ik wil hem vinden, waar hij ook is.'

'Ja, ja, dat is goed. Papa vindt het fijn dat je hier bent', zei Lena. 'Dus dat is goed.'

Ja, het was beter dan wijn drinken en pillen slikken voor de televisie in Göteborg, dacht Julia. Een seconde lang lagen alle weggegooide jaren als een harde druk op haar borstkas – de jaren toen het gemis van de verdwenen zoon veel belangrijker was geweest dan alle lichte herinneringen van hem die haar hadden kunnen troosten: een zwart gat van verdriet waarin ze wegzakte terwijl ze ophield te leven.

Maar nu voelde ze vrede. Een klein beetje vrede.

Tenslotte ging het er als je oud genoeg was alleen om dat je op een vreedzame plek was waar je je thuis voelde, samen met mensen om wie je gaf. Zoals Stenvik, met die engel van een Astrid. En Gerlof. En Lennart. Julia hield van hen allemaal.

En Lena bedoelde het goed. Julia wist dat zelfs haar grote zus het op de een of andere manier goed bedoelde.

'Ja, dat is goed', zei ze. 'Dan zien we elkaar in Göteborg.'

Een half uur later stapte Richard in de grote donkergroene Volvo voor Astrids huis, en Lena stapte in de kleine Ford.

Lena leunde naar voren en zwaaide door het raam naar Julia. Toen reden ze weg, eerst Richard en daarna haar zus.

Julia ademde uit.

Een minuut later begon de telefoon in de hal te rinkelen, maar het lukte haar niet om ernaartoe te lopen en op te nemen.

'Ik neem hem wel', zei Astrid. Julia hoorde dat ze de hoorn pakte en luisterde en toen riep ze haar.

'Het is de politie, Julia, voor jou. Het is Lennart.'

Op de egale vloer in huis kon Julia zich gemakkelijker en sneller bewegen met maar één kruk, en dat deed ze nu.

Ze pakte de hoorn. 'Met Julia.'

'Hoe voel je je?' vroeg Lennart.

'Beter', zei Julia. 'De tijd heelt alle botbreuken ... en Astrid zorgt goed voor me.'

'Mooi', zei hij. 'Ik heb een beetje nieuws ... hoewel je het misschien al hebt gehoord.'

'Hebben jullie Nils Kant gevonden?' vroeg Julia.

Het klonk alsof Lennart stil zuchtte. 'Er had geen spook in de kelder gegraven', antwoordde hij. 'Heeft Gerlof dat niet verteld?'

'We hebben niet zo veel met elkaar kunnen praten', zei Julia.

'Je vader heeft geholpen om de eigenaar van de snuifdozen op te sporen', zei Lennart. 'Je weet wel, de dozen in Vera's kelder.'

'Van wie waren ze?'

'Van Anders Hagman.'

'Anders Hagman?' zei Julia. 'Bedoel je Anders ... van de camping? Johns zoon?'

'Inderdaad', zei hij.

'Weet je dat zeker?'

'Hij heeft het niet zelf gezegd, want we hebben nog niet met hem kunnen praten', zei Lennart. 'Hij is verdwenen. Maar alles wijst erop.'

'Dus Nils Kant was niet degene die in de villa sliep?'

'Nee', zei Lennart. 'Er is altijd een eenvoudige verklaring voor alles, Julia. Anders Hagman woont maar een paar honderd meter verderop. Hij kon gemakkelijk naar het huis van Vera Kant sluipen als het donker was.'

'Maar waar groef hij naar?'

'Daar bestaan wat ideeën over. Ik heb mijn gedachten, en ik heb ze met mijn collega's in Borgholm besproken', zei Lennart. 'Ken je Anders? Gingen jullie met elkaar om toen je in Stenvik woonde?'

'Nee. Hij was jonger dan ik ... vier of vijf jaar', zei Julia, die zich Anders Hagman nauwelijks herinnerde uit haar jeugd.

Ze had alleen een vage herinnering van een sterke, stille en verlegen jongen. Hij was in zichzelf gekeerd, werkte op zijn vaders camping en deed nooit mee aan de midzomerfeesten of steigerfeesten of andere festiviteiten in Stenvik – niet voorzover zij het zich herinnerde.

'Hij is veroordeeld voor mishandeling', zei Lennart. 'Wist je dat?'

'Mishandeling?'

'Twaalf jaar geleden was er een dronkemansgevecht op de camping. Anders voelde zich bedreigd en sloeg een jonge Stockholmer neer. Ik was er die avond bij en heb hem gearresteerd. Hij kreeg een voorwaardelijke straf en een boete.'

Het bleef een paar seconden stil.

'Wordt hij ergens van verdacht?' vroeg Julia. 'Zitten jullie achter hem aan?'

'Nee, dat niet', zei Lennart. 'We zoeken hem om met hem te praten, om te achterhalen wat hij bij Vera Kant deed. Hij heeft zich tenslotte schuldig gemaakt aan inbraak.'

Ik ook, dacht Julia.

'Gaan jullie hem naar Jens vragen?' vroeg ze. 'Vragen jullie waar Anders was toen Jens verdween?'

'Misschien', zei Lennart. 'Moeten we dat doen?'

'Ik weet het niet', zei Julia.

Ze kon zich niet herinneren of Anders Hagman haar zoon ooit had ontmoet. Maar dat zou toch wel? Ze hadden 's zomers tenslotte bij de steiger gezwommen, in het zicht van de camping. Jens had hele dagen in een zwembroekje en met een zonnepet op over het strand gerend. Stond Anders dan op de klip naar hem te kijken?

'Anders is waarschijnlijk in Borgholm. We gaan hem morgen zoeken', zei Lennart. 'Als we iets interessants te weten komen laat ik het je weten.'

Gerlof had na het ongeluk met Julia gebeld, maar Julia had het gesprek kort gehouden. Ze schaamde zich. Hoe meer ze nadacht over de inbraak in Vera Kants villa en haar idee dat Nils Jens daar had verstopt, des te meer schaamde ze zich.

Op maandagochtend kwam Gerlof in John Hagmans auto naar Stenvik. Hij belde aan en Julia vocht met haar krukken om bij de deur te komen, want ze was alleen thuis. Astrid was in Marnäs om boodschappen te doen.

John reed, maar hij bleef in de auto. Julia zag de camping-eigenaar ineengedoken en nadenkend achter het stuur zitten.

'Ik wilde even langskomen om te zien hoe je je voelt', zei Gerlof. Hij steunde op zijn stok en was buiten adem van de twintig meter die hij van de auto naar het huis was gelopen.

'Ik voel me heel goed', zei Julia, steunend op haar krukken.

'Gaan jij en John een uitstapje maken?'

'We gaan naar Småland', zei Gerlof kort.

'Wanneer komen jullie terug?'

Gerlof lachte even.

'Boel vroeg daarnet precies hetzelfde. Ze wil me het liefst van 's ochtends vroeg tot 's avonds laat in mijn kamer houden.' Hij zweeg even en ging toen verder. 'Het wordt laat in de middag of vanavond. Misschien gaan we nog bij Martin Malm langs, als hij zich vandaag beter voelt dan de vorige keer.'

'Heeft het iets met Nils Kant te maken?' vroeg Julia.

'Misschien wel', zei Gerlof. 'We zullen zien.'

Julia knikte. Als hij niet meer wilde vertellen, hoefde dat niet.

'Ik heb over Anders Hagman gehoord', zei ze. 'En dat je zijn naam tegen de politie hebt genoemd.'

'Ja, dat heb ik gedaan en daar is John niet blij mee', zei Gerlof. 'Maar ze hadden het toch ontdekt, vroeg of laat.'

'Ze willen met hem praten', zei Julia. 'Ik weet het niet zeker, maar het lijkt erop dat de politie in Borgholm van plan is om het onderzoek te heropenen. Naar Jens, bedoel ik.'

'Tja. Ik denk dat ze met Anders op het verkeerde spoor zitten. Dat denkt John trouwens ook.'

'Moeten jullie ze dan niet in de juiste richting leiden?'

'De politie luistert niet naar gepensioneerden, en helemaal niet als ze denken dat we er idiote ideeën op na houden', zei Gerlof. 'We zijn niet betrouwbaar.'

'Maar jullie geven nooit op. Daar moet je bewondering voor hebben.'

'Tja', zei Gerlof terwijl hij de voordeur opendeed. 'We doen wat we kunnen.'

'Speur dan maar verder', zei Julia. 'Dat kan geen kwaad.'

Het commentaar was ironisch zonder dat ze het wist – de volgende keer dat Julia Gerlof zag zou hij stervende zijn.

'Tot ziens dan maar', zei Gerlof.

Ciudad de Panamá, april 1963

Panama City in de kanaalstaat Panama.

Flats en bouwvallen naast elkaar. Auto's, bussen, bromfiet-sen en jeeps. Mestiezen, militaire politie, bankiers, bedelaars, zoemende vliegen en groepen zwetende Amerikaanse soldaten op avontuur. De geur van verbrande benzine, rottend fruit en gegrilde vis.

Nils Kant loopt elke dag door de nauwe straten, met voetzo-len die in zijn schoenen branden.

Hij is op zoek naar Zweedse zeelieden.

Die zijn er niet in Costa Rica – Nils heeft ze in elk geval nog nooit ontmoet. Om er zeker van te zijn dat hij Zweden ontmoet, moet hij naar Ciudad de Panamá.

De busreis naar het zuiden duurt zes uur. Nils heeft de afge-lopen twee jaar vijf van dergelijke reizen naar het kanaalgebied gemaakt.

In het lange kanaal tussen de oceanen liggen de boten op een rij, om de lange tocht rond Kaap Hoorn niet te hoeven maken. De zeelieden gaan aan land om de grote haven te bekijken en sommigen blijven achter: de zombies.

Hij zoekt de juiste man tussen de achtergebleven zeelieden die zich in de haven verzamelen als de schepen uit het noorden binnenkomen, die bij de Scandinavische kerk staan als er brood wordt uitgedeeld en die de rest van de tijd in de buurt van de barretjes en winkels rondhangen. Hij zoekt de juiste man tussen degenen die alles drinken waar alcohol in zit, van goedkope Co-lombiaanse rum tot pure alcohol gedestilleerd uit schoensmeer.

Op de tweede avond van zijn vijfde bezoek loopt hij over de gebarsten betonnen trottoirs en ziet een schaduwachtige figuur met een fles in een donker portiek een half huizenblok voorbij de ingang van de Scandinavische kerk. Langzame bewegingen met gebogen knieën. Gesnotter en hoestaanvallen en de stank van overgeefsel.

Nils blijft voor hem staan.

'Hoe voel je je?' vraagt hij.

Hij praat Zweeds. Het heeft geen zin om tijd te verspillen aan mannen die niet meteen verstaan wat hij zegt.

'Wat?' vraagt de zombie.

'Ik zei: Hoe voel je je?'

'Kom je uit Zweden?'

De blik van de Zweed is eerder verdrietig en moe dan uitgedoofd, zijn baard is onverzorgd, maar de rimpels rond zijn mond en ogen zijn niet zo diep. Deze man zuipt nog niet zo lang en hij lijkt een jaar of vijfendertig – ongeveer dezelfde leeftijd als Nils.

Nils knikt. 'Ik kom van Öland.'

'Öland?' De zombie begint harder te praten en hoest. 'Öland, verdomme ... Ik kom uit Småland ... ja, verdomme. Ik ben in Nybro geboren.'

'De wereld is klein', zegt Nils.

'Maar ... ik heb de afvaart gemist.'

'Ja? Wat naar voor je.'

'Vorig jaar. Ik miste ... het schip, dat zou na twee dagen schutten. Ik zat in de gevangenis ... na een ruzie in een bar.' De man keek op met een nieuw licht in zijn ogen. 'Heb je geld?'

'Misschien.'

'Koop dan iets, koop whisky ... Ik weet waar.'

De man wil overeind komen, maar zijn benen zijn te stijf.

'Ik kan misschien een fles gaan kopen', zegt Nils. 'Een fles whisky. We kunnen hem delen. Maar dan moet je hier wachten. Doe je dat?'

De man knikt en zakt weer op zijn hurken.

'Koop iets', mompelt hij alleen.

'Goed', zegt Nils. Hij strekt zijn rug zonder de man in de ogen te kijken en zegt: 'Misschien kunnen we vrienden worden.'

Vijf weken later in Jamaicatown, de Engelse wijk in Puerto Limón.

Op het bord staat hotel Tican, maar het is nauwelijks een hotel te noemen en de receptie bestaat alleen uit een gebarsten houten plank op een paar tafelpoten met een beschimmeld gastenboek. Een trap aan de buitenkant van het gebouw leidt naar een paar kleine logeerkamers op de eerste verdieping. Nils hoort hard Engels praten in een gebouw aan de overkant van de straat.

Hij loop stil de trap op, langs een dikke, glanzende kakkerlak die in tegenovergestelde richting langs de muur loopt. Hij komt bij het kleine bordes op de eerste verdieping en klopt op de tweede kamerdeur in de rij van vier deuren.

'Yes, sir!' roept een stem en Nils doet de deur open.

Voor de derde keer ziet hij de Zweed terug die zegt dat hij Nils gaat helpen om naar huis te komen.

De Zweed zit op het enige bed in de warme hotelkamer, in een chaos van verkreukelde lakens en kussens met bruine vlekken, met een ontbloot bovenlichaam dat glimt van het zweet. Hij heeft een glas in zijn hand. Op het bureau naast het bed staat een kleine ventilator te zoemen.

Dit is de man die Nils de Ölander noemt. Hij heeft nooit verteld waar hij vandaan komt, maar Nils heeft goed geluisterd en hij denkt een zwak Ölands accent te horen als hij praat. Hij heeft begrepen dat de man het eiland goed kent. Heeft Nils hem al eens ontmoet?

'Kom binnen, kom binnen.' De Zweed leunt glimlachend tegen de muur en knikt naar de fles West-Indische rum op het bureau. 'Wil je iets drinken, Nils?'

'Nee.'

Nils doet de deur achter zich dicht. Hij is gestopt met alcohol drinken. Niet helemaal, maar bijna.

'Limón is een geweldige stad, Nils', zegt de man op het bed. Nils hoort geen sarcasme in zijn stem. 'Ik heb vandaag een wandeling gemaakt en ik heb een echt bordeel gevonden, heel toevallig, verstopt in een paar kamers achter een bar. Fantastische vrouwen. Maar ik liet me natuurlijk niet gaan, zoals je dat zo mooi zegt. Ik nam een drankje en ging weg.'

Nils knikt kort en leunt tegen de gesloten deur.

'Ik heb iemand gevonden', zegt hij. 'Een goede kandidaat.' Het is nog steeds onwennig voor hem om na achttien jaar in het buitenland hardop Zweeds te praten. Hij zoekt naar woorden. 'Hij komt uit Småland.'

'Aha, wat goed', zegt de Zweed. 'Waar? In Panama City?'

Nils knikt. 'Ik heb hem meegenomen. Ze controleren strenger bij de grens en ik moest ze omkopen, maar het is gelukt. Hij is nu in San José, in een goedkoop hotel. Hij is zijn paspoort kwijt, maar we hebben een nieuw aangevraagd bij de Zweedse ambassade.'

'Mooi, heel mooi. Hoe heet hij?'

Nils schudt zijn hoofd. 'Geen namen', zegt hij. 'Jij hebt de jouwe ook niet gezegd.'

'Je hoeft alleen maar bij de receptie te kijken', zegt de man op het bed. 'Ik heb me in het gastenboek ingeschreven. Dat moet.'

'Ik heb het gelezen', zegt Nils.

'Zo?'

'Er stond Fritiof Andersson', zegt Nils.

De man knikt tevreden.

'Je mag me Fritiof noemen, dat is voldoende.'

Nils schudt zijn hoofd.

'Ik geloof je niet. Ik wil je echte naam weten.'

'Mijn naam is niet belangrijk', zegt de man terwijl hij hem strak aankijkt. 'Fritiof is voldoende. Of niet soms?'

'Misschien.' Nils knikt langzaam. 'Voorlopig.'

'Goed.' Fritiof droogt zijn borst en voorhoofd met het laken. 'Nu moeten we wat zaken bespreken. Ik zal ...'

'Heeft mijn moeder je echt gestuurd?' vraagt Nils.

'Dat heb ik toch gezegd?'

De man op het bed lijkt de onderbreking niet te waarderen.

'Ze had me een brief moeten sturen', zegt Nils.

'Die komt later', zegt Fritiof. 'Je hebt toch geld gehad? Dat is van je moeder.' Hij neemt een slok van zijn drankje. 'Op dit moment moeten we het over andere dingen hebben. Ik ga over twee dagen naar huis. We zullen elkaar een tijdlang niet spreken. Maar ik kom terug als alles geregeld is, en dat wordt de laatste keer. Hoelang denk je dat het duurt?'

'Tja ... een paar weken misschien. Hij moet zijn pas hebben en hiernaartoe komen', zegt Nils.

'Goed', zegt Fritiof. 'Hou hem in de gaten en doe alles in de juiste volgorde. Dan kun je daarna naar huis.'

Nils knikt.

'Mooi', zegt Fritiof en hij droogt zijn gezicht weer af.

Beneden op straat lacht iemand, een motorfiets rijdt knetterend voorbij. Het enige wat Nils wil is de deur opendoen en de stinkende kamer uit lopen.

'Hoe voelt het trouwens?' vraagt de man terwijl hij naar voren leunt.

'Hoe voelt wat?' vraagt Nils.

'Ik ben een beetje nieuwsgierig.' De man die zichzelf Fritiof Andersson noemt zit glimlachend op de smerige lakens. 'Ik vraag het me gewoon af, Nils, puur uit nieuwsgierigheid. Hoe voelt het om iemand te vermoorden?'

24

Gerlof en John reden over de Ölandbrug, langs Kalmar en daarna in noordelijke richting langs de kust van Småland. Ze zeiden niet veel tijdens de rit.

Gerlof dacht er vooral aan dat het steeds moeilijker werd om uit het Marnästehuis weg te komen. Boel had hem vanochtend zorgvuldig ondervraagd over waar hij naartoe ging en hoelang hij weg zou blijven. Ten slotte had ze te kennen gegeven dat hij misschien te gezond was om in het bejaardentehuis te wonen.

'Er zijn veel ouderen op Noord-Öland met zware handicaps die een kamer in dit tehuis willen hebben, Gerlof', had Boel gezegd. 'We moeten de juiste prioriteiten stellen. Altijd.'

'Doe dat', had Gerlof gezegd en toen was hij weggelopen, steunend op zijn stok.

Had hij geen recht op zorg? Hij, die nauwelijks tien meter kon lopen zonder hulp? Boel moest blij zijn dat hij soms in de frisse lucht kwam, samen met een oude vriend als John. Of niet soms?

'Dus Anders is gevlucht', zei Gerlof uiteindelijk toen ze nog maar een paar kilometer bij Ramneby vandaan waren.

'Ja', zei John.

Hij hield zich altijd aan de maximumsnelheid, en er reed een lange rij auto's achter ze.

'Je hebt Anders toch verteld dat de politie naar hem op zoek is?' zei Gerlof.

John reed zwijgend verder, maar uiteindelijk knikte hij.

'Ik weet niet of dat zo'n goed idee was', zei Gerlof. 'De politie wordt altijd chagrijnig als iemand niet met ze wil praten.'

'Hij wil gewoon met rust worden gelaten', zei John.

'Ik weet niet zeker of dat zo'n goed idee is', herhaalde Gerlof.

John zweeg een tijdje. 'Heb je met Robert Blomberg gepraat toen je vorige week in Borgholm was?' vroeg hij daarna. 'De autoverkoper, bedoel ik.'

'Ik heb hem gezien', zei Gerlof. 'Hij was in zijn showroom. We hebben niet gepraat, ik wist niet wat ik moest zeggen.'

'Kan hij Kant zijn?' zei John.

'Als je het mij vraagt ... ik heb erover nagedacht en ik denk het niet', zei Gerlof. 'Het lijkt onwaarschijnlijk dat iemand als Nils Kant met een nieuwe naam terugkomt uit Zuid-Amerika en dat het hem lukt om in Borgholm op te gaan en een nieuw leven op te bouwen.'

'Ja', zei John. 'Misschien wel.'

Een paar minuten later reden ze langs het gele bord met de tekst RAMNEBY. Het was kwart voor elf 's ochtends. Een vrachtwagen met een laadvloer vol vers gekapt hout denderde langs.

Gerlof was nog nooit in Ramneby geweest, niet met zijn auto en niet met zijn schip, hij was er alleen langsgereden. Het dorp was niet groter dan Marnäs, en ze waren er snel doorheen en namen de afslag naar de zagerij.

Rondom de zagerij stond een stalen hek en John reed de auto het parkeerterrein op dat erbuiten lag.

Gerlof pakte zijn aktetas, en toen liepen ze naar het brede hek en belden aan. Na een tijdje begon een kleine luidspreker naast de bel te kraken.

'Hallo?' zei Gerlof, onzeker of hij tegen de bel of tegen de luidspreker moest praten, of misschien tegen de hemel. 'Hallo ... we willen naar het houtmuseum. Kunnen jullie opendoen?'

De speaker zweeg.

'Hebben ze je gehoord?' fluisterde John.

'Ik weet het niet.'

Gerlof hoorde gekras achter zich, draaide zijn hoofd om en zag een paar kraaien in een kale berk naast het parkeerterrein. Ze bleven krassen en Gerlof meende dat ze anders klonken dan de kraaien op Öland. Hadden vogels ook dialecten?

Toen zag hij achter het hek iemand dichterbij komen, een

oudere man met een pet en een zwart donsjack die bijna net zo langzaam bewoog als hijzelf. De man drukte op een knop en het hek zwaaide open.

'Heimersson', zei de man terwijl hij zijn hand uitstak.

Gerlof schudde hem. 'Davidsson', zei hij.

'Hagman', zei John.

'We willen naar het houtmuseum', zei Gerlof weer. 'Ik heb gisteren gebeld.'

'Dat klopt', zei Heimersson. Hij draaide zich om en liep voor ze uit. 'Het is goed dat jullie dat hebben gedaan. Het museum is eigenlijk alleen 's zomers geopend. Tot september. Maar als je belt komt het altijd in orde.'

Nu waren ze op het fabrieksterrein. Gerlof had verwacht dat hij de geur van pas gezaagd hout zou ruiken en dat hij mannen met petten zou zien die planken tussen stapels zaagsel ronddroegen – hij zat zoals gewoonlijk vast in het verleden. Het enige wat hij zag waren wegen en asfaltterreinen tussen grote grijze gebouwen van staal en aluminium. Ze droegen grote witte borden met de naam RAMNEBY HOUT erop.

'Ik heb hier achtenveertig jaar gewerkt', zei Heimersson over zijn schouder tegen Gerlof. 'Ik ben op mijn vijftiende begonnen en ik ben gebleven. Zo is het ... En nu zorg ik voor het museum.'

'We komen uit het dorp waar de eigenaars hebben gewoond', zei Gerlof. 'Op Noord-Öland.'

'De eigenaars?' zei Heimersson.

'De familie Kant.'

'Die bezitten het niet meer', zei Heimersson. 'Ze hebben het bedrijf aan het eind van de jaren zeventig verkocht, toen directeur Kant stierf. Een bosbedrijf in Canada is nu eigenaar van Ramneby.'

'Die vorige eigenaar, August Kant', zei Gerlof. 'Heb je die weleens ontmoet?'

'Zeker', zei Heimersson terwijl hij glimlachte alsof het een grappige vraag was. 'Ik ontmoette hem elke dag. Hij kwam altijd aanrijden in zijn oude MG ... We zijn er trouwens. Dit is het oude kantoor, uiteindelijk werd het te klein.'

HOUTMUSEUM stond er op het houten bord boven de deur. Heimersson deed de deur van het slot, ging naar binnen en deed het licht aan. Daarna ging hij achter een balie met een enorme, oude kassa staan.

'Zo ... welkom. Dat is dan dertig kronen per persoon.'

Gerlof betaalde voor allebei, kreeg twee dezelfde kwitanties als die hij in de portefeuille van Ernst Adolfsson had gevonden en daarna liepen ze het houtmuseum in.

Het was niet groot, maar twee zalen en een korte gang ertussen. In het midden van de zaal stonden een paar oude zagen en meetapparaten, en aan de muren hingen foto's. Grote aantallen ingelijste zwart-witfoto's achter glas, allemaal voorzien van uitleg op papieren stroken. Gerlof liep er zwijgend naartoe en staarde naar groepsfoto's van zagerijwerknemers, houthakkers met een zaag in hun handen en aangemeerde schepen met dekken vol hout.

'In de volgende zaal hangen nieuwere foto's', zei Heimersson achter hem.

'Mooi', zei Gerlof.

Hij wilde het liefst alleen rondlopen en hij merkte dat John zorgvuldig bij de gids uit de buurt bleef.

'Onze eerste computer staat daar ook', zei Heimersson. 'Ja ja, die ontwikkeling ... Al het zaagwerk wordt tegenwoordig met computers geregeld. Ik begrijp niet hoe dat in zijn werk gaat, maar het functioneert.'

'Juist.'

Gerlof bleef tussen de zwart-witfoto's zoeken.

'Ramneby exporteert zelfs veredeld hout naar Japan', zei Heimersson. 'Daar hebben jullie Ölanders waarschijnlijk nooit zaken gedaan?'

'Nee', zei Gerlof en hij voegde er snel aan toe: 'Maar onze kalksteen ligt op de vloer van St. Paul's Cathedral in Londen.'

Heimersson zweeg en Gerlof veranderde van gespreksonderwerp. 'Een vriend van ons is vorige maand in dit museum geweest, Ernst Adolfsson.'

'Een Ölander?'

Gerlof knikte. 'Een oude steenhouwer. Hij was hier in het midden van september.'

'Ja, dat weet ik nog heel goed', zei Heimersson. 'Ik heb het museum speciaal voor hem geopend, net als voor jullie. Het was een leuk bezoek. Hij zei dat hij op Öland woonde maar dat hij oorspronkelijk uit dit dorp kwam.'

'Uit Ramneby?' vroeg Gerlof.

'Inderdaad. Hij is in het dorp opgegroeid en is later naar Öland verhuisd.'

Dat was nieuw voor Gerlof, hij had Ernst nog nooit over zijn geboortedorp horen praten.

Hij deed nog een paar stappen, en toen zag hij het: de foto van Martin Malm en August Kant naast elkaar bij de haven van de zagerij, stijf opgesteld voor een rij jongere arbeiders.

Vriendschappelijke zakenontmoeting op de kade van de zagerij, 1959, stond er met schrijfmachinetekst op de strook papier onder de foto, hoewel maar één man in de groep vriendschappelijk lachte. De anderen, met inbegrip van Martin en Kant, staarden ernstig in de camera.

1959. Dat was een paar jaar voordat Martin zijn eerste grote schip had gekocht, dacht Gerlof.

Op deze foto, die groter was dan de foto in het boek, was de hand duidelijk op Martins linkerschouder te zien, en dat was in elk geval een teken van vriendschappelijkheid. Gerlof was zelf nooit op de gedachte gekomen om een arm rond Martin Malms schouders te slaan; hij was niet iemand die uitnodigde tot enige vorm van nabijheid. Maar August Kant dacht daar blijkbaar anders over.

'Dit is een van onze vrienden', zei Gerlof terwijl hij naar Martin Malms gezicht wees. 'Een Ölandse schipper.'

'Zo', zei Heimersson. Hij klonk niet bijzonder geïnteresseerd. 'Er lagen hier vroeger altijd boten ... Ze brachten hout naar Öland. Jullie hebben daar tenslotte niet zo veel bos.'

'We hadden bos, maar dat is gekapt door vastelanders', zei Gerlof. Hij wees weer naar de foto. 'En dit is toch August Kant?'

'Dat is de directeur, ja.'

'Hij had een tamelijk bekende neef', zei Gerlof. 'Nils Kant.'

'Die, ja', zei Heimersson. 'De politiemoordenaar, over hem werd gepraat. Ik heb er ook in de krant over gelezen. Maar hij is toch dood? Ik dacht dat hij naar het buitenland was gevlucht en daar was gestorven?'

'Ja', zei Gerlof. 'Maar is hij voor die tijd een keer hier geweest?'

'Ik geloof niet dat de directeur zo enthousiast was over Nils', zei Heimersson. 'Hij praatte nooit over zijn neef. Dus praatte niemand over hem, in elk geval niet als de directeur in de buurt was.'

'Misschien wilde hij niet laten merken dat hij wist waar Nils was?' zei Gerlof.

'Ja', zei Heimersson. 'Dat zou kunnen. Nils kwam hier trouwens tijdens zijn vlucht van Öland naartoe, na de politiemoord.'

'Was hij hier? En ontmoette hij zijn oom?'

'Dat weet ik niet. Maar hij bleef hier een tijdje rondhangen ... de mensen zagen hem in het bos', zei Heimersson. Hij wees naar de foto. 'Gunnar en ik waren toen loopjongens, hij schepte erover op dat hij hem had ontmoet en dat hij geld had gekregen. Maar hij schepte zo vaak op. Ik weet alleen dat iemand ten slotte de politie tipte dat Nils Kant hier rondliep. Ze kwamen hiernaartoe en bewaakten de zagerij een aantal dagen, voor als hij zou opduiken. Iedereen was een beetje zenuwachtig, maar wij deden natuurlijk ons werk. En de politiemoordenaar bleef weg.'

Gerlof kon de jonge Nils bijna zien, sluipend rond het kantoorgebouw aan de andere kant van het terrein, waarna hij op zijn hurken bij het raam ging zitten en naar binnen keek om zijn oom August te zoeken.

'Praatte onze vriend Ernst misschien over deze foto?' vroeg hij.

Heimersson dacht na. 'Inderdaad', zei hij. 'Hij bleef erbij staan kijken. Hij wilde de namen weten.'

'Namen?' zei Gerlof. 'Van de zagerijwerknemers?'

'Ja. Ik heb hem de namen gegeven die ik nog wist. Je vergeet dat soort dingen met de jaren, ik weet bijvoorbeeld niet meer ...'

'Mag ik de namen ook weten?' onderbrak Gerlof hem.

Hij pakte zijn notitieboek en een balpen uit zijn tas.

'Dat is prima', zei Heimersson. 'Eens kijken, links ...'

Van drie mannen in de rij herinnerde Heimersson zich de naam niet, het waren waarschijnlijk zeelieden, maar de overige schreef Gerlof op: Per Bengtsson, Knut Lindkvist, Anders Åkergren, Claes Frisell, Gunnar Johansson, Jan Ekendahl, Mikael Larsson. Daarna keek hij naar de lijst zonder ook maar één naam te herkennen. Hij begreep nog steeds niet waarnaar Ernst op zoek was geweest.

Heimersson ging zorgeloos verder. Hij liep door de gang voor hen uit naar de andere zaal van het museum.

'Hier staat onze eerste computer ... Zo groot als een gebouw. Maar zo waren ze vroeger.'

Gerlof knikte afwezig en liet zich door Heimersson rondleiden in de zaal waar de technologische ontwikkeling van de zagerij en de bedrijfstak werd gepresenteerd. Het ging voornamelijk over statistieken en grote machines.

'Heel interessant, werkelijk', zei Gerlof na tien minuten. 'Ontzettend bedankt.'

'Graag gedaan', zei Heimersson. 'Het is altijd leuk om mensen te ontmoeten die geïnteresseerd zijn in hout.'

Hij volgde hen naar buiten en wees naar een van de stalen gebouwen.

'We hebben net nieuwe röntgenapparatuur gekregen om de houtkwaliteit te onderzoeken', zei hij. 'Misschien willen jullie dat ook zien?'

Gerlof zag John snel nee schudden. Hij had zijn buik vol van hout.

'Bedankt,' zei hij, 'dat is veel te technisch voor ons. Maar we willen de haven graag zien.'

'De haven?' zei Heimersson. 'Zo zou ik het niet willen noemen. Het water is hier niet diep genoeg voor grote schepen. Al het hout wordt met vrachtwagens getransporteerd.'

'We willen toch graag kijken', zei Gerlof.

'Doe dat', zei Heimersson. 'Dan sluit ik het museum af.'

Nee, het was niet bepaald een indrukwekkende haven, dat zag Gerlof toen ze de ruim honderd meter naar het water hadden afgelegd. Er was nauwelijks een kade, het asfalt was gebarsten, de vierkante granieten tegels langs de kade waren van hun plek gekomen en ertussen gaapten grote kieren.

Naast de kade liep een houten steiger zo'n twintig meter het water in. Zelfs die moest worden gerepareerd, dacht Gerlof. Was er niet genoeg hout in de zagerij om dat te doen?

Een eenzame oude houten roeiboot deinde bij de steiger in het water, in stilte wachtend tot de eigenaar hem op het droge zou halen voordat de winterstormen begonnen.

Er stond een landwind en het was bitter koud. Öland lag als een zwarte streep aan de horizon. Hoewel de Smålandse kust met zijn eilanden en baaien mooi was, verlangde Gerlof alweer terug naar het eiland.

'Hier lagen Martin Malms schepen waarschijnlijk', zei hij.

'Ja', zei John. 'De foto is hier genomen.'

Er was niet veel meer te zien en Gerlof voelde de kou door zijn winterjas dringen. Hij had geen zin om in de wind de steiger op te lopen en toen John zich omdraaide deed hij hetzelfde.

Toen ze terugliepen bleef Gerlof stilstaan. Hij keek uit over het open terrein tussen de zagerijgebouwen. Het was er nog steeds helemaal verlaten.

Op hetzelfde moment werd hij overvallen door een plotselinge zekerheid. Het was niet logisch, het kwam uit zijn onderbewustzijn op als een donkere vis die vlak onder het wateroppervlak opduikt en toeslaat, en voordat hij er zelfs maar over had kunnen nadenken, kwamen de woorden al.

'Hier is het begonnen.'

'Wat?' vroeg John.

'Alles is hier begonnen. Nils Kant en Jens en ... Mijn kleinkind is gestorven door iets wat hier is begonnen.'

'In Ramneby?'

'Ja, hier. In de zagerij.'

'Hoe weet je dat?'

'Ik voel het', zei Gerlof en hij hoorde zelf hoe onnozel het klonk. Toch ging hij verder: 'Het was een soort ontmoeting, ik denk dat het een ontmoeting was. Toen Nils hiernaartoe kwam ... Hij moet zijn oom August hebben ontmoet en iets hebben afgesproken. Zoiets moet er gebeurd zijn.'

Maar het gevoel van zekerheid was weer weg.

'Tja. Zullen we maar naar huis rijden?' vroeg John.

Gerlof knikte langzaam en begon weer te lopen.

Gerlof zat alleen in Johns auto. Hij stond geparkeerd in de verlaten Larmgata in het centrum van Kalmar. John had in de stad willen stoppen voor een kort bezoek aan zijn zus Ingrid voordat ze naar Öland terugreden.

Gerlof dacht na. Had het bezoek aan het houtmuseum iets opgeleverd? Hij wist het niet zeker.

Aan de overkant van de straat ging de deur van Ingrids flatgebouw open en John kwam naar buiten. Hij liep recht op de auto af en deed de bestuurdersdeur open.

'Was alles goed met haar?' vroeg Gerlof.

John ging achter het stuur zitten zonder antwoord te geven. Hij startte de motor en reed weg.

Ze lieten Kalmar achter zich en reden in stilte over de rechte snelweg naar Öland, en toen ze op de brug waren vond Gerlof dat het lang genoeg had geduurd.

'Is er iets aan de hand?' vroeg hij. 'Is er iets bij Ingrid gebeurd?'

John knikte kort. 'De politie heeft Anders opgepakt', zei hij. 'Ze hebben hem tijdens de lunch opgehaald.'

'Waar?' vroeg Gerlof. 'Bij Ingrid?'

John knikte. 'Anders was bij zijn tante Ingrid. Hij had zich daar verstopt. En nu hebben ze hem opgepakt.'

'Hem opgepakt, weet je dat zeker?' zei Gerlof. 'De politie pakt toch alleen iemand op als ze denken dat ...'

'Ingrid zei dat ze naar binnen kwamen zonder te kloppen', onderbrak John hem. 'Ze kwamen binnen en zeiden tegen Anders dat hij mee moest naar Borgholm. Ze weigerden antwoord op haar vragen te geven.'

'Wist je dat hij naar Kalmar was gegaan?' vroeg Gerlof.

John zei niets, hij knikte alleen.

'Zoals ik vanochtend al zei,' zei Gerlof langzaam, 'is het waarschijnlijk geen goed idee om ervandoor te gaan als de politie met je wil praten. Daar worden ze alleen maar wantrouwig van.'

'Anders vertrouwt ze niet', zei John. 'Hij probeerde die ruzie op de camping te voorkomen. Maar hij was degene die voor de rechtbank moest verschijnen, niet de Stockholmers.'

'Ik weet het', zei Gerlof. 'Dat was onrechtvaardig.' Hij dacht even na en vroeg toen zo voorzichtig mogelijk: 'Maar als het zo is dat ... dat de politie denkt dat Anders iets te maken heeft met de verdwijning van mijn kleinkind en daarover met hem wil praten ... is er iets wat erop wijst dat ze gelijk kunnen hebben? Heb jij hem ooit verdacht?'

John schudde zijn hoofd. 'Anders is rechtschapen.'

'Daar hoef je niet eens over na te denken?' vroeg Gerlof.

'Het enige stomme dat ik ooit van hem heb gezien,' zei John, 'was toen hij op een avond in de jeneverbesstruiken bij de steiger rondsloop. Hij keek stiekem naar een paar meisjes die zich omkleedden voor de zwemles. Toen was hij twaalf of dertien jaar. Ik zei tegen hem dat hij dat nooit meer mocht doen. En hij heeft het nooit meer gedaan, voorzover ik weet.'

Gerlof knikte. 'Dat is toch niet zo erg?' zei hij.

'Hij is rechtschapen', herhaalde John. 'Maar toch hebben ze hem opgepakt.'

Ze waren nu over de brug en reden weer op het eiland.

Gerlof dacht na terwijl hij uitkeek over de door de wind geteisterde alvaret ten oosten van de hoofdweg. Hij knikte weer.

'Dan rijden we nu naar Borgholm', zei hij. 'Ik moet nog een keer met Martin Malm praten. Hij moet vertellen wat er echt is gebeurd.'

25

'Ik ga niet met Anders Hagman praten', zei Lennart tegen Julia toen ze in een politieauto op weg waren naar Borgholm. 'Er komt een rechercheur uit Kalmar hiernaartoe die is opgeleid voor dit soort zaken.'

'Wordt het een lang verhoor?' vroeg Julia terwijl ze naar Lennart keek, die achter het stuur zat.

Hij droeg een nieuwe politiejas, een gevoerd winterjack met het politie-embleem op zijn schouders. Hij was gekleed voor de stad.

'Ik geloof niet dat we het een verhoor moeten noemen', zei Lennart snel. 'Het is een praatje, een gesprek. Hij is niet opgepakt of aangehouden of zoiets. Daar is geen reden voor. Maar als Anders toegeeft dat hij in Vera Kants villa heeft ingebroken en dat hij die oude krantenknipsels heeft bewaard, dan zullen ze zeker over je zoon beginnen. En dan moeten we afwachten wat Anders daarover te zeggen heeft.'

'Ik heb geprobeerd me te herinneren of ... of hij op de een of andere manier interesse voor Jens toonde', zei Julia. 'Maar zoiets herinner ik me niet.'

'Dat is goed. Je moet mensen niet van allerlei dingen verdenken.'

Lennart had haar gebeld toen ze koffie zat te drinken met Astrid. Hij had verteld dat Anders Hagman in Kalmar was gevonden en naar Borgholm was overgebracht. Een half uur later had hij haar met zijn politieauto opgehaald. Julia was dankbaar dat Lennart haar vanaf het begin betrok bij het onderzoek, of wat het ook was, maar ze was tegelijkertijd zenuwachtig voor wat haar te wachten stond.

'Ik zit toch niet in dezelfde ruimte?' vroeg ze. 'Ik geloof niet dat ...'

'Nee, nee', zei Lennart. 'Alleen Anders en Niklas Bergman, de inspecteur.'

'Hebben jullie doorkijkspiegels ... of zoiets?' vroeg Julia.

Ze had spijt van haar vraag toen Lennart begon te glimlachen.

'Nee, dat hebben we niet', zei hij. 'Dat gebeurt waarschijnlijk voornamelijk in Amerikaanse televisieseries, met getuigenconfrontaties en dat soort spannende dingen. Soms gebruiken we video-opnames, maar dat gebeurt ook niet zo vaak. In Stockholm hebben ze soms confrontaties, maar hier niet.'

'Denk je dat hij het was?' vroeg Julia toen ze stopten bij het eerste verkeerslicht van Borgholm.

Lennart schudde zijn hoofd. 'Ik weet het niet. Maar we moeten met hem praten.'

Het politiebureau in Borgholm lag in een dwarsstraat van de afrit naar de stad. Lennart stopte op het parkeerterrein en deed het dashboardkastje open. Julia zag hem tussen de papieren, visitekaartjes en pakjes kauwgom zoeken.

'Dit mag ik niet vergeten', zei hij. 'Niet dat het nodig is, maar ik moet het bij me houden.'

Hij pakte zijn pistool, dat in een zwarte holster zat met de naam GLOCK in het leer gegraveerd. Lennart klikte het snel aan zijn heupriem vast, wachtte tot Julia steunend op haar krukken naast de auto stond en wees haar toen de weg naar het politiebureau.

Julia moest in de kantine van het politiebureau in Borgholm wachten. Het zag eruit als elke andere kantine, maar in een hoek stond een televisie en ze besefte dat het Amerikaanse teleshopprogramma aanstond waar ze in haar flat in Göteborg overdag altijd naar keek.

Nu was dat onbegrijpelijk. Hoe had ze ooit kunnen denken dat teleshoppen interessant was om naar te kijken?

Vlak voor tweeën kwam Lennart de kantine binnen. 'We zijn klaar', zei hij. 'Voor deze keer. Zullen we iets gaan eten?'

Julia knikte zonder te laten merken hoe nieuwsgierig ze was. Lennart zou het haar zeker vertellen als hij iets wist. Ze pakte haar krukken en volgde hem het politiebureau uit.

'Is Anders er nog?' vroeg ze toen ze de kou van Storgatan in stapten.

Lennart schudde zijn hoofd. 'Hij mocht terug naar zijn flat in Borgholm.'

Hij liep langzaam over de stoep en zorgde ervoor dat hij hetzelfde tempo als Julia aanhield. Ze probeerde zo snel mogelijk vooruit te komen op haar krukken, maar de wind was ijskoud en haar vingers werden gevoelloos.

'Of misschien is het de flat van zijn moeder', voegde Lennart eraan toe. 'Dat weet ik niet precies. Hij heeft in elk geval beloofd dat hij niet zou verdwijnen, voor als we nog een keer met hem willen praten. Is Chinees goed? Ik heb nogal genoeg van pizza.'

'Als het maar dichtbij is', zei Julia en ze liet Lennart de weg wijzen naar een Chinees restaurant naast de stadskerk van Borgholm.

Er waren nog maar een paar lunchgasten in het restaurant, en Lennart en Julia hingen hun jassen op en gingen aan een tafeltje bij het raam zitten. Julia keek naar het witte kerkgebouw en herinnerde zich de warme zomer toen ze confirmatie had gedaan en verliefd was op een jongen uit haar confirmatiegroep die ... Hoe heette hij ook alweer? Het was toen zo belangrijk geweest, maar nu herinnerde ze het zich niet meer.

'Maar wat deed Anders dan in de villa?' vroeg Julia zachtjes toen ze hadden besteld, vijf kleine gerechten. 'Zei hij dat?'

'Ja ... Hij zegt dat hij naar diamanten zocht', zei Lennart.

'Diamanten?'

Lennart knikte en keek uit het raam. 'Het is een oud gerucht ... Ik heb het ook gehoord. Er wordt gezegd dat de Duitsers die Nils Kant heeft gedood een oorlogsbuit van de Baltische staten bij zich hadden. Edelstenen. Anders kwam op het idee dat Nils ze in de kelder had verstopt voordat hij vluchtte. Dus is hij gaan graven, maar hij heeft ze nooit gevonden. Dat zegt hij in elk geval. Hij is een beetje eigenaardig.'

'En de krantenknipsels?' vroeg Julia.

'Die lagen verstopt in een kast, hij heeft ze gevonden en op-gehangen. Anders denkt dat Vera ze heeft bewaard.' Lennart keek haar aan. 'Weet je wat hij nog meer zegt? Hij zegt dat hij Vera's aanwezigheid daarbinnen heeft gevoeld. Dat ze in de villa rondwaart. Dat ze er spookt.'

'O', was alles wat Julia zei.

Ze wilde niet vertellen dat ze hetzelfde had gevoeld. Ze wilde geen seconde meer aan de nacht in Vera's villa denken.

Julia had nog een vraag, maar ze wist niet of ze hem wilde stellen. Vlak voordat de borden met eten op tafel werden gezet, gaf Lennart haar toch antwoord. 'Anders zegt dat hij je zoon die herfstdag niet heeft gezien. Hij kreeg een rechtstreekse vraag en zei dat hij niets wist. Hij was die dag binnen, het was te mistig en guur buiten, en hij hoorde wat er was gebeurd toen we hem vroe-gen te helpen zoeken. Niklas Bergman, de inspecteur die met hem praatte, had het gevoel dat Anders de waarheid vertelde. Hij was net zo open als over de inbraak in Vera Kants villa.'

Julia knikte alleen.

'Dus ik denk dat we daarmee niet veel verder komen', ging Lennart verder. 'Niet zolang er niets nieuws opduikt.'

Julia knikte weer. Ze keek naar haar handen en zei: 'Ik heb geprobeerd verder te gaan ... om me niet in het verleden te be-graven. Dat ging vroeger niet zo goed, maar deze herfst lukt het beter. Een beetje beter. Ik kan nu rouwen ... Dat kon ik vroeger niet.' Ze keek weer naar Lennart. 'Ik denk dat het goed voor me was om naar Öland te komen en mijn vader weer te zien. En jou.'

'Ik ben ontzettend blij dat te horen', zei Lennart. 'Ik zat ook vast in het verleden, heel lang.' Hij zweeg even en ging toen verder: 'En ik voelde me soms ontzettend beroerd, tot ik besefte dat je niet gelukkiger wordt van wraak nemen op mensen. Je moet verder. Het is moeilijk om vooruit te kijken, maar ik denk dat het moet.'

'Ja', zei Julia zacht. 'Je moet de doden met rust laten.'

Puerto Limón, juli 1963

Nils verlaat het zandstrand bij Limón dat Playa Bonita wordt genoemd als alle wijn op is en het feest bijna voorbij is. Hij heeft deze avond twee flessen rode Chileense wijn leeggedronken, maar toch voelt hij zich niet dronken genoeg voor datgene wat hem te wachten staat.

Er zijn vandaag weinig bezoekers geweest op Playa Bonita, en bijna iedereen is al lang geleden naar huis gegaan.

Er zijn maar twee mannen over. Ze zitten als schaduwen in het zand bij een gloeiend, klein vuur. Ze zingen zacht en lachen dronken met hun armen rond elkaars schouders. Een van de schaduwen is de man die Nils kent als Fritiof Andersson, de andere is hun slachtoffer. Nils denkt soms aan de man als de Smålander, maar meestal noemt hij hem Borracho. De Zuiplap.

Borracho vindt Costa Rica veel beter dan Panama, hij snapt niet waarom hij niet veel eerder hiernaartoe is gekomen. En Limón is een fantastische stad. Eigenlijk wil hij nooit meer weg.

Nils heeft gezegd dat hij zo lang kan blijven als hij wil.

Nils is degene die Borracho heeft geholpen om naar Costa Rica te komen. Hij heeft ervoor gezorgd dat Borracho zich enigszins heeft losgemaakt uit de alcoholmist en een provisorische pas bij de ambassade in Panama City heeft gehaald, ter vervanging van degene die op de boot is achtergebleven, en daarna heeft hij de trein in noordelijke richting naar San José genomen. Nils heeft een kamer in een goedkoop hotel bij het centraal station geregeld, hij heeft Borracho geld voor wijn en eten gegeven en heeft daarna op Fritiof Andersson gewacht.

Borracho was zo dankbaar, vermoeiend dankbaar. Hij heeft

een nieuwe vriend gevonden, iemand die hem begrijpt. Iemand voor wie hij zijn leven wil geven.

Nils heeft naar Borracho geknikt en geglimlacht, maar van binnen wilde hij de hele tijd dat Fritiof zo snel mogelijk zou terugkomen om hem te helpen ... Hij wil niet bevriend zijn met deze onderdanige Zweed die op hem lijkt, hij wil gewoon naar huis, naar Öland. Fritiof heeft beloofd om dat te regelen en het enige wat hij ervoor terug wil ...

Hé, als je wil, blijf dan niet stil,
Dan gaan we naar huis,

Alles wat Fritiof wil hebben zijn de verstopte edelstenen.

Daar verdenkt Nils hem tenminste van. De keren dat Fritiof hem heeft bezocht heeft hij het er meermaals over gehad. Hij weet wat er vlak na de oorlog met Nils op de alvaret is gebeurd.

'Zeiden die Duitsers waar ze vandaan kwamen?' had Fritiof gevraagd. 'Klopt het dat ze een oorlogsbuit bij zich hadden? En als ze een oorlogsbuit hadden, wat is er dan mee gebeurd? Wat heb je ermee gedaan, Nils?'

Zo veel vragen, maar Nils verdenkt deze man, die zich Fritiof noemt, ervan dat hij het antwoord op de meeste vragen al weet.

Nils heeft de vragen beantwoord, maar waar hij de edelstenen heeft verstopt vertelt hij niet. Die schat is van hem, wat hij ook waard is. Hij heeft zo veel jaar zonder geld geleefd dat hij het verdient.

Borracho werd al snel rusteloos in de kleine kamer in San José, maar Nils moest hem daar houden tot Fritiof er was. Na drie dagen waren alle gespreksonderwerpen uitgeput, en na een week hadden Nils en Borracho alleen het wijn drinken met elkaar gemeen. Ze zaten zwijgend op de hotelkamer, omringd door lege flessen, en buiten brandde de zon.

Ten slotte landde Fritiofs vliegtuig op de luchthaven, en hij verscheen in het hotel met een brede glimlach onder zijn zonnebril. Borracho werd wakker uit zijn roes zonder echt te begrijpen wie de nieuwe Zweed was en wat hij wilde, maar Fritiof bestelde nieuwe flessen wijn en het feest ging door. Fritiof zong en lachte, maar hij hield de hele tijd de controle; hij bestudeerde Borracho met een vaste blik.

De dag na Fritiofs aankomst ging Nils met de trein vooruit naar Limón. Hij ging terug naar zijn kleine woning, betaalde de laatste huur aan zijn hospita, madame Mendoza, en liet zijn haar net zo kort knippen als dat van Borracho. Daarna ging hij naar de bar in de haven en knikte tegen alle stakkers die Limón nooit zouden verlaten. Hij dronk wijn en zorgde ervoor dat hij een paar avonden achter elkaar in de modderige straten van de stad werd gezien, ogenschijnlijk straalbezopen.

'*Echa*', zei hij. Hij bedankte iedereen.

En hij vertelde aan madame Mendoza en verschillende barkeepers dat hij een wandeling in noordelijke richting langs de kust zou gaan maken, tot voorbij Playa Bonita – maar dat hij over een paar dagen terug zou zijn omdat er dan een Zweedse vriend op bezoek zou komen.

'*Echa*', zei hij alleen. '*Hasta pronto.*'

In de dageraad van zijn laatste dag in Limón stond hij op, liet wat geld in de keukenla liggen en liet de meeste van zijn bezittingen achter, en nam alleen kleren en eten, zijn portemonnee en de brieven van Vera mee. Daarna liet hij Limón eindelijk achter zich. Hij liep over het marktplein, waar de oude vishandelaars al op hun plek zaten en stille getuigen van het begin van zijn thuisreis waren. Hij liep langs het treinstation in noordelijke richting, de stad uit, zonder achterom te kijken, op weg naar de ontmoeting met Fritiof Andersson.

Niet op de vlucht – naar huis.

Voor het eerst in bijna twintig jaar is Nils op weg naar huis, naar Öland.

26

Deze keer werd de zware deur van Martin Malms villa niet opengedaan door een jonge verpleegster. Het was een oudere vrouw met lang, grijs haar, gekleed in een bloes en een lichte broek. Gerlof herkende haar, het was Martins vrouw, Ann-Britt Malm.

'Hallo', zei Gerlof.

De vrouw bleef stijf in de deuropening staan. Haar bleke gezicht stond ernstig en hij zag dat ze hem niet herkende.

'Gerlof Davidsson', zei hij, verplaatste de stok naar zijn linkerhand en stak zijn rechterhand uit. 'Uit Stenvik.'

'Ja, ja', zei ze. 'Gerlof. Je was hier vorige week ook, samen met een vrouw.'

'Dat was mijn dochter', zei Gerlof.

'Ik zag jullie vanaf de bovenverdieping weglopen, maar toen ik het aan Ylva vroeg, kon ze zich jullie namen niet herinneren', zei Ann-Britt Malm.

'Inderdaad', zei Gerlof. 'Ik wilde graag wat met Martin over vroeger praten, maar hij voelde zich niet goed. Gaat het vandaag beter met hem?'

Gerlof had de ijskoude wind van de zeestraat in zijn rug en probeerde niet te rillen, maar hij wilde heel graag de warmte van de villa in.

'Martin voelt zich vandaag niet veel beter', zei Ann-Britt Malm.

Gerlof knikte begripvol.

'Maar een beetje beter, misschien?' zei hij. Hij voelde zich net een huis-aan-huisverkoper. 'Ik blijf niet zo lang.'

Ten slotte stapte ze opzij.

'We kunnen zien hoe hij zich voelt', zei ze. 'Kom binnen.'

Gerlof draaide zich om voordat hij naar binnen ging en keek naar de straat.

John was in zijn auto blijven zitten. Gerlof knikte naar hem. 'Dertig minuten', had hij tegen hem gezegd. 'Als je ziet dat ze me binnenlaten, kun je over dertig minuten terugkomen.'

John zwaaide achter het raam, startte de motor en reed weg.

Gerlof stapte de warme villa binnen en zijn ledematen stopten langzamerhand met beven. Hij zette zijn aktetas op de stenen vloer in de grote hal en deed zijn jas uit.

'Het is vandaag bijna winter buiten', zei hij tegen Ann-Britt Malm.

Ze knikte alleen, duidelijk niet geïnteresseerd in een praatje.

De deur aan de lange kant van de kamer stond op een kier en ze liep ernaartoe en deed hem verder open. Gerlof volgde haar zwijgend.

Er lag een grote kamer achter, een salon. De lucht was verstikkend en bedompt en het rook er naar oude sigarettenlucht. Meerdere ramen keken uit op de binnenplaats van de villa, maar de donkere gordijnen waren dicht. Aan het plafond hing een kristallen kroonluchter die in witte stof was verpakt. In twee hoeken van de salon stond een tegelkachel, en in een derde stond een televisie zacht aan, op een zender die tekenfilms vertoonde.

Gerlof zag dat het de Flintstones waren.

Voor de televisie stond een rolstoel, en daarin zat een oude man ineengedoken met een deken over zijn knieën. Zijn kale hoofd was ruw van de donkere levervlekken en er liep een oud, wit litteken over zijn voorhoofd. Zijn kin trilde onophoudelijk.

Het was Martin Malm, de man die de sandaal van Jens had gestuurd.

'Je hebt bezoek, Martin', zei Ann-Britt Malm.

De oude reder draaide zijn hoofd met een ruk om. Zijn ogen gingen naar Gerlof en bleven op hem hangen.

'Dag Martin', zei Gerlof. 'Hoe is het met je?'

Malms trillende kin zakte een paar centimeter naar beneden en hij knikte kort.

'Voel je je goed?' zei Gerlof.

Hij schudde ontkennend zijn hoofd.

'Nee? Ik ook niet', zei Gerlof. 'We voelen ons zoals we verdienen.'

Het bleef stil. Op de televisie sprong Fred Flintstone in zijn auto en verdween in een stofwolk.

'Wil je koffie, Gerlof?' vroeg Ann-Britt Malm.

'Nee, dank je, ik hoef niets.'

Gerlof hoopte dat ze niet in de salon wilde blijven.

Dat was ze blijkbaar ook niet van plan. Ann-Britt draaide zich met haar hand op de deurkruk om en keek een laatste keer naar Gerlof, alsof ze elkaar begrepen.

'Ik kom straks terug', zei ze.

Toen liep ze naar buiten en deed de deur dicht.

Het werd heel stil in de salon.

Gerlof bleef een paar seconden staan, toen liep hij naar een stoel bij de muur. Hij stond een paar meter bij Martin vandaan, maar Gerlof wist dat het hem niet zou lukken om hem naar Martin toe te trekken en hij ging zitten.

'Zo', zei hij. 'Nu kunnen we een beetje praten.'

Malm keek nog steeds naar hem.

Het viel Gerlof op hoe weinig voorwerpen in de salon aan de zee herinnerden, in tegenstelling tot de hal en zijn eigen kamer in het Marnästehuis. Hier waren geen foto's van schepen, geen ingelijste zeekaarten, geen oude kompassen.

'Mis je de zee niet, Martin?' vroeg hij. 'Ik wel. Zelfs op zo'n winderige dag als vandaag, als je liever niet buiten bent. Maar ik heb dit nog.' Hij tilde zijn aktetas op. 'Hierin heb ik alle papieren van mijn tijd op zee. Ik wil je iets laten zien ...'

Hij deed de aktetas open en pakte het jubileumboek van Malmvracht AB. 'Dit boek herken je natuurlijk. Ik heb er vaak in gekeken en ik heb heel veel geleerd over al je schepen en avonturen op zee, Martin. Maar er is één foto die extra interessant is.'

Gerlof sloeg het boek open op de bladzijde met de foto van Ramneby.

'Deze', ging hij verder. 'Deze foto is toch van het eind van de jaren vijftig? Voordat je je eerste oceaanboot kocht?'

Hij keek naar Martin Malm en zag dat het hem was gelukt de aandacht van de oude reder te trekken. Malm staarde naar de foto en Gerlof zag dat zijn rechterhand schokte, alsof hij hem wilde optillen om naar de foto te wijzen.

'Herken je jezelf?' vroeg hij. 'Ik wel. En het schip? Dat is toch de Amelia? Ze lag altijd naast mijn Vågryttaren aan de kade in Borgholm.'

Martin Malm staarde naar de foto zonder iets te zeggen. Hij ademde zwaar, alsof er niet voldoende zuurstof was.

'Weet je nog waar deze foto is genomen? Ik ging meestal met motorolie naar Oskarshamn als ik op Småland voer, maar dit is volgens mij verder naar het zuiden.'

Martin gaf geen antwoord, maar hij staarde nog steeds naar de oude foto die Gerlof omhoog hield. De mannen op de steiger staarden terug, en Gerlof zag dat Martins kin weer ongecontroleerd begon te trillen.

'Dat is de Ramneby zagerij toch? Er staat geen tekst bij, maar Ernst Adolfsson herkende de omgeving. Toen deze foto werd genomen kon je nog van de scheepvaart leven. Niet ruim natuurlijk, maar toch ...' Gerlof wees weer naar de foto. 'En hier is de eigenaar van de zagerij, August Kant. De broer van Vera Kant uit Stenvik. Je kende August toch heel goed? Jullie deden tenslotte heel wat zaken samen.'

Martin probeerde uit de rolstoel op te staan om dichter bij Gerlof te komen. Dat leek in elk geval zo, zijn schouders schokten en hij haalde met korte stoten adem, zijn benen duwden tegen de voetplaten van de rolstoel. Hij staarde nog steeds naar de foto en deed zijn mond open.

'Frr-sjoff', zei hij met een dikke stem.

'Sorry?' zei Gerlof. 'Wat zei je, Martin?'

'Frr-sjoff', zei Martin weer.

Gerlof keek hem verbaasd aan en liet het boek met de foto van de zagerij zakken. Wat had Martin gezegd? Het klonk als *fris* of misschien *fries*.

Of had hij een naam gezegd – *Fridolf*?

Of *Fritiof*?

Puerto Limón, juli 1963

Nils wacht al langer dan een half uur gespannen in de duisternis onder de palmbomen, met zijn rug naar het strand gekeerd. De muggen zwermen om hem heen. Hij wuift ze weg en denkt aan Öland, aan hoe het was om vrij en zorgeloos over de Ölandse alvaret te zwerven. Tegelijkertijd luistert hij de hele tijd, maar hij hoort geen geluiden op het strand.

Ten slotte hoort hij voetstappen achter zich naderen.

'Het kostte tijd, maar nu slaapt hij', zegt Fritiof.

'Mooi.'

Nils volgt Fritiof naar het strand. De Zweedse Borracho ligt in elkaar gezakt als een zak kolen bij het gloeiende vuur, met hangend hoofd en zijn hand op de laatste wijnfles.

'Nu is het jouw beurt', zegt Fritiof.

'Ik?'

'Jij, ja.' Fritiof kijkt hem strak aan. 'Ik heb er genoeg werk aan gehad om die alcoholist de hele reis wakker te houden. Nu mag jij het overnemen.'

Nils kijkt op Borracho neer, maar verroert zich niet.

'Hij is waardeloos, Nils', zegt Fritiof. 'Hij heeft alleen waarde voor ons.'

Nils beweegt nog steeds niet.

'Denk je dat je hiervoor in de hel komt?' vraagt Fritiof.

Nils schudt zijn hoofd.

'Dat gebeurt niet', zegt Fritiof. 'Je kunt naar huis.'

'Dat is hier', zegt Nils.

'Wat?'

'De hel is hier', zegt Nils.

'Mooi.' Fritiof knikt. 'Dan wordt het tijd om die hel achter je te laten.'

Nils knikt vermoeid, en dan bukt hij zich en pakt Borracho's bovenlichaam vast. De man mompelt in zijn slaap, maar verzet zich niet. Nils trekt hem door het zand, weg van het vuur en naar de zwarte zee.

'Pas op voor haaien', zegt Fritiof achter hem.

Het water is lauw en de golven zijn breed maar krachteloos. Nils loopt achteruit de Caraïbische zee in en trekt Borracho's lichaam met zich mee.

Plotseling beweegt Borracho zich. Hij hoest als het schuim van de golven over zijn gezicht spoelt en begint zich te verzetten. Nils bijt op zijn tanden, loopt nog een paar meter achteruit tot het water tot boven zijn dijbenen komt en drukt Borracho onder water. Hij doet zijn ogen dicht en begint te tellen: Een, twee, drie ...

De man vecht wild met zijn armen om zijn hoofd boven water te krijgen. Nils houdt hem vast, denkt aan Öland en gaat door met tellen.

... achtenveertig, negenenveertig, vijftig ...

Het lijkt alsof het een uur duurt voordat het lichaam onder water ophoudt met bewegen. Toch blijft Nils krampachtig staan en houdt hem onder water. Al het leven moet weg, er mag niets overblijven. Als hij lang genoeg wacht verschijnt Borracho misschien niet in zijn dromen, zoals de veldwachter.

'Ben je klaar?' roept Fritiof vanaf het strand.

'Ja.'

'Goed zo, Nils.' Fritiof loopt het water in, buigt zich over Borracho, tilt een arm op en laat hem weer vallen. 'Goed gedaan.'

Nils zegt niets. Hij staat in de zuiging van de golven terwijl Fritiof het lichaam naar de waterkant trekt, en plotseling denkt hij aan zijn broertje Axel.

Het was een ongeluk, Axel, het was niet de bedoeling ... Het doden brengt degenen die al dood zijn terug, indringender dan ooit.

Fritiof waadt naar het strand en droogt zijn voorhoofd af met zijn overhemdmouw. Hij ademt uit.

'Goed, dat is dus geregeld', zegt hij en hij draait zich om naar

Nils. 'Dan mag je het nu vertellen.'

'Wat moet ik vertellen?'

Nils komt langzaam uit het water en gaat voor hem staan.

'Over de oorlogsbuit die je hebt verstopt. Waar is die, Nils?'

Het bovenlichaam van de Smålander ligt tussen hen in op het zand. Nils voelt dat Fritiof de overhand heeft, maar hij weigert te zwichten.

'En hoe heet jij, Fritiof Andersson? In werkelijkheid?'

De man voor hem geeft geen antwoord.

'Als je me mee naar huis neemt,' zegt Nils ten slotte, 'haal ik de oorlogsbuit op.'

'Dat zal een tijd duren', zegt Fritiof terwijl hij een mug wegwuift. 'Ik zal overal voor zorgen, maar het gaat een tijd duren. Eén stap per keer. Het lichaam moet eerst naar Öland ... het moet worden begraven en zo goed mogelijk worden vergeten. Daarna kun je thuiskomen. Snap je dat?'

Nils knikt.

Fritiof wijst met zijn schoen naar het lichaam tussen hen in. 'We moeten hem een paar meter het water in trekken, zijn gezicht kapot snijden en hem aan de bodem verankeren ... dan komen de roofvissen om hun werk te doen. Daarna zal niemand het verschil tussen jullie zien.' Hij knikt naar Borracho's kleine zak bij het vuur. 'Vergeet niet zijn pas mee te nemen. Anders kom je Mexico misschien niet in.'

'En daarna?' zegt Nils. 'Kom je dan weer hiernaartoe?'

'Ja. Jij blijft in Mexico City en ik kom over een week terug. Ik trek het lichaam op het strand en verwijder de sporen, daarna ga ik terug naar Limón en vraag aan de mensen of ze mijn Zweedse vriend Nils hebben gezien. Het is waarschijnlijk het beste als een onbekende het lichaam vindt, maar anders moet ik het doen.'

Nils begint zich uit te kleden.

'Dan wisselen we nu.'

Fritiof kijkt naar hem.

'En verder?' vraagt hij. 'Ben je niet iets vergeten?'

Nils trekt zijn overhemd in het donker uit.

'Wat dan?'

Fritiof wijst zwijgend naar Nils' linkerhand, met de twee kromme vingers. Daarna bukt hij zich en pakt Borracho's linkerarm, strekt hem uit zodat zijn hand in het zand ligt en stampt hard met zijn hak op de ringvinger en wijsvinger. Steeds harder, tot er een zacht gekraak in de duisternis klinkt.

'Zo', zegt Fritiof. Hij haalt een zakdoek uit zijn zak en bindt de gebroken vingers in een kromme hoek tegen de handpalm. 'Nu zijn jullie bijna kopieën van elkaar.'

Nils kijkt toe. Deze man, Fritiof, is hem de hele tijd voor met plannen. Hoe wil hij dat dit afloopt?

Nils duwt zijn onrust weg.

'Trek zijn broek uit', zegt hij. 'Ik droog hem boven het vuur. Daarna krijg je mijn broek, en mijn portemonnee.'

Nu wil hij alleen nog naar huis. Als hij maar naar Stenvik terug mag krijgt dit een gelukkige afloop.

Dan is het niet belangrijk meer dat hij op dit moment in de hel is.

27

'We zijn tenslotte oude mannen, wij tweeën', zei Gerlof tegen Malm. 'We hebben tijd om na te denken. En ik heb de laatste tijd heel veel nagedacht.'

Hij ontmoette Martins ogen. Ze zaten nog steeds tegenover elkaar in de donkere salon, waar de televisie nu beelden vertoonde van Fred Flintstone die stenen uit de berg hakte.

Gerlof had het jubileumboek met de foto van Ramneby nog vast.

'Je transportbedrijf was niet zo groot toen deze foto werd genomen', zei hij. 'Dat weet ik, want het mijne was net zo klein. Je had een paar zeilboten die met stenen en hout en allerlei andere goederen over de kleine Oostzee voeren, net als alle anderen. Maar daarna duurde het maar drie of vier jaar voordat je je eerste stalen schip kocht en door Europa en over de Atlantische Oceaan begon te varen. Wij hielden het met moeite nog een paar jaar bij met onze kleine zeilschepen, tot de regels over minimale bezetting en grootste belading te lastig werden. We kregen geen lening van de banken voor grotere schepen, alleen jij ging precies op het juiste moment verder met moderne tonnage.' Hij keek nog steeds naar Malm. 'Maar waar had je het geld vandaan, Martin? Je had in die tijd net zo weinig geld als de andere schippers, en de banken moeten voor jou net zo gierig zijn geweest als voor ons.'

Martin spande zijn kaken, maar hij zei niets.

'Kreeg je het geld van August Kant, Martin?' vroeg Gerlof. 'Van de eigenaar van de Ramneby zagerij?'

Martin staarde naar Gerlof en zijn hoofd schokte.

'Niet? Maar ik dacht dat het zo was gegaan.'

Gerlof stopte zijn hand weer in zijn aktetas, zette zijn stok voor zich en kwam overeind. Hij liep langzaam om de televisie heen naar Martin toe.

'Ik denk dat je bent betaald om een moordenaar uit Zuid-Amerika naar huis te halen, Martin. De politiemoordenaar Nils Kant ... de neef van August Kant.'

Martin bewoog zijn hoofd nu van voren naar achteren. Hij deed zijn mond weer open. 'Ee-ra', zei hij. 'Ee-ra A-ant.'

'Vera Kant', herhaalde Gerlof. Hij begon Martin iets beter te verstaan. 'Dat was de moeder van Nils. Zij wilde haar zoon na-tuurlijk ook thuis hebben. Maar het was toch haar broer August die betaalde? Hij betaalde je om een lichaam in een kist naar Öland te brengen, dat in Marnäs werd begraven zodat iedereen zou denken dat Nils Kant dood was. Daarna bracht je Nils een paar jaar later naar huis, discreter.'

Hij ging voor Martin staan, die zijn hoofd in zijn nek moest leggen om naar hem te kunnen kijken.

'Nils kwam thuis, waarschijnlijk ergens aan het eind van de jaren zestig, en hij verstopte zich op Öland. Hij hoefde zich niet zo goed te verstoppen, want niemand herkende hem na vijfen-twintig jaar. Hij kon zijn moeder gewoon bezoeken en over de alvaret zwerven.'

Gerlof keek op de man in de rolstoel neer.

'Ik denk dat Nils op een mistige septemberdag op de alvaret rondzwierf en dat hij daar een kleine jongen ontmoette die in de mist was verdwaald. Mijn kleinzoon Jens.'

Gerlof keek naar de vloer.

'En toen ging er iets mis', ging hij verder. 'Er gebeurde iets waardoor Nils bang werd. Ik denk niet dat Nils Kant zo slecht en waanzinnig was als sommige mensen beweren. Hij was al-leen bang en impulsief en hij kon soms gewelddadig worden. En daarom stierf Jens.' Gerlof zuchtte. 'En daarna ... dat weet jij waarschijnlijk het beste. Ik denk dat Nils bij je kwam en om hulp vroeg. Jullie hebben het lichaam samen ergens op de alva-ret begraven. Maar je bewaarde één ding.'

Hij hield hem het voorwerp dat hij uit de aktetas had gepakt voor. Het was de bruine envelop met het afgescheurde logo van Malmvracht, die Gerlof met de post had gekregen.

'Je bewaarde een sandaal van Jens. Die stuurde je een paar maanden geleden naar me toe, in deze envelop.' Gerlof pauzeerde even en vroeg toen: 'Waarom deed je dat? Wilde je biechten?'

Martin keek naar de envelop en zijn kin bewoog weer. 'Una-a i-sj e-ek', zei hij.

Gerlof knikte zonder het te begrijpen. Hij ging langzaam zitten om op adem te komen en keek Martin een hele tijd aan.

'Heb jij Nils Kant vermoord, Martin?'

Op Gerlofs laatste vraag kreeg hij natuurlijk geen antwoord, dus beantwoordde hij hem zelf. 'Ik denk dat je dat deed. Ik denk dat Nils te gevaarlijk voor je was geworden. En ik denk dat hij degene was die je dat litteken op je voorhoofd heeft bezorgd. Maar dat kan ik natuurlijk niet bewijzen.'

Hij bukte zich en stopte het boek en de envelop langzaam in zijn oude aktetas terug. De voorstelling was inspannend geweest.

In een boekenkast tegen de korte muur stonden ingelijste familiefoto's, en Gerlof zag op verschillende ervan lachende tieners.

'Onze kinderen, Martin', zei hij. 'We moeten er rekening mee houden dat ze ons vergeten. We willen dat ze zich alle goede dingen herinneren die we ondanks alles hebben gedaan, maar dat gebeurt niet altijd.'

Gerlof was moe en hij liet de woorden gewoon komen. Martin Malm zat krachteloos in zijn rolstoel. Hij bewoog zich niet en probeerde ook niets meer te zeggen.

De zuurstof in de salon leek helemaal verdwenen en het was donkerder dan daarstraks. Gerlof kwam langzaam overeind. 'Tja, Martin, ik moet je bedanken', zei hij. 'Het ga je zo goed mogelijk ... En misschien kom ik terug.'

Hij vond dat de laatste zin dreigend klonk, en dat was gedeeltelijk de bedoeling.

De deur naar de hal ging open voordat hij er was, en Ann-

Britt Malms bleke gezicht verscheen in de deuropening.

Gerlof lachte krachteloos naar haar.

'We hebben ons gesprekje gehad', zei hij.

Eigenlijk had alleen Gerlof gepraat, en hij had geen duidelijke antwoorden gekregen.

Hij liep langs Martin Malms vrouw en ze deed de deur van de salon achter hem dicht.

'Hartelijk bedankt', zei Gerlof en hij knikte naar haar.

'Ik heb hem gestuurd', zei Ann-Britt Malm.

Gerlof bleef staan. Ze wees naar zijn aktetas, waaruit het bovenste stuk van de bruine envelop stak.

'Martin heeft leverkanker', zei Ann-Britt. 'Hij heeft niet veel tijd meer.'

Gerlof wist niet wat hij moest zeggen. Hij keek naar de aktetas.

'Hoe wisten jullie ... jij ...' Hij schraapte zijn keel. '... naar wie hij gestuurd moest worden?'

'Martin heeft de envelop afgelopen zomer aan me gegeven', zei Ann-Britt Malm. 'De sandaal zat er al in, en hij had jouw naam erop geschreven. Ik hoefde hem alleen te posten.'

'Heb je ook gebeld?' vroeg hij. 'Iemand heeft me gebeld nadat hij was aangekomen, iemand die ophing.'

'Ja. Ik wilde iets vragen ... over de sandaal', zei Ann-Britt Malm. 'Waarom Martin hem had, wat het kon betekenen. Maar ik was bang voor het antwoord. Ik was bang dat Martin iets had gedaan, met je kind.'

'Het was mijn kind niet', zei Gerlof moe. 'Jens was mijn kleinkind. Maar ik weet niet wat de sandaal te betekenen heeft.'

'Dat weet ik ook niet, en dat is ...' Ze zweeg. 'Martin wilde iets zeggen toen hij hem aan me gaf, maar ik ... ik kreeg het idee dat hij de sandaal had bewaard als een soort verzekering. Zou dat kunnen?'

'Verzekering?' vroeg Gerlof.

'Tegen iemand anders', zei Ann-Britt. 'Ik weet het niet.'

Gerlof keek naar haar.

'Heeft Martin weleens over Kant gepraat? De familie Kant?'

Ann-Britt aarzelde, toen knikte ze zonder naar Gerlof te kijken.

'Ja, maar alleen dat ze zaken deden ... Vera Kant investeerde geld in Martins schip.'

'Vera uit Stenvik?' zei Gerlof. 'Dat deed August toch?'

Ann-Britt schudde haar hoofd.

'Vera Kant uit Stenvik investeerde geld in Martins eerste motorschip', zei ze. 'Hij had het geld nodig, dat weet ik.'

Gerlof knikte alleen. Hij had nog maar één vraag, daarna wilde hij weg uit dit grote, donkere huis.

'Kreeg Martin visite toen hij je de envelop had gegeven?' vroeg hij. 'Meteen daarna?'

'We krijgen niet zo vaak visite', zei Ann-Britt.

'Ik denk dat er iemand uit Stenvik is geweest', zei Gerlof. 'Een oude steenhouwer ... Ernst Adolfsson.'

'Ernst, ja', zei Ann-Britt. 'We hebben verschillende beeldhouwwerken van hem gekocht, maar nu is hij dood. Hij was hier op bezoek ... maar volgens mij was dat vroeger in de zomer.'

Ernst is me weer voor geweest, dacht Gerlof.

'Bedankt', zei hij alleen en hij pakte zijn winterjas. Hij voelde nu veel zwaarder, als een harnas. 'Gaat Martin binnenkort naar het ziekenhuis?' vroeg hij.

'Nee, hij gaat niet naar het ziekenhuis', zei Ann-Britt. 'De artsen komen altijd hier.'

Op de trap werd hij weer door de wind gegrepen, waardoor hij begon te wankelen. Het was moeheid. Het was ook gaan motregenen. Toen hij geen auto's op straat zag kneep hij zijn ogen dicht om de kou in eenzaamheid te trotseren, maar toen zag hij Johns auto een meter of tien verderop geparkeerd staan.

John knikte alleen toen hij de passagiersdeur opendeed en ging zitten.

'Dat was het', zei Gerlof.

'Mooi', zei John.

Op dat moment zag Gerlof pas dat er iemand op de achterbank zat: een breedgeschouderde man die onderuit gezakt zat en zich achter John verschool. Het was zijn zoon Anders.

'Ik ben naar de flat gegaan', zei John. 'Anders is weer thuis. Ze hebben hem laten gaan.'

'Mooi. Hallo, Anders.'

Johns zoon knikte.

'Het is toch mooi dat de politie je geloofde?' zei Gerlof.

'Inderdaad', zei Anders.

'Je gaat nu zeker niet meer naar Vera Kants villa?'

'Nee.' Anders schudde zijn hoofd. 'Het spookt daar.'

'Dat heb ik gehoord', zei Gerlof. 'Was je niet bang?'

'Nee', zei Anders. 'Ze bleef in haar kamer.'

'Ze? Bedoel je Vera?'

Anders knikte.

'Ze is verbitterd.'

'Verbitterd?'

'Ja, ze voelt zich bedrogen.'

'Inderdaad, dat is zo', zei Gerlof.

Hij dacht aan wat Maja Nyman had verteld over de twee mannenstemmen die ze in Vera's keuken had gehoord. Was een van die mannen Martin Malm geweest?

Het bleef regenen en John zette de ruitenwissers aan toen hij de straat op draaide.

'Ik wil nog even met Anders in Borgholm blijven', zei hij. 'We gaan koffiedrinken bij zijn moeder. Jij bent natuurlijk ook welkom.'

'Nee, ik moet naar huis', zei Gerlof snel. 'Anders wordt Boel hysterisch.'

'Tja', zei John.

'Ik kan de bus naar Marnäs nemen', zei Gerlof snel. 'Die gaat toch om half vier?'

'We kunnen bij het station kijken', zei John.

Gerlof zat stil en in gedachten verzonken terwijl ze door Borgholm reden. Hij had het gevoel dat hij dingen bij Martin Malm had gemist, dat hij de verkeerde vragen had gesteld en de paar antwoorden die hij had gekregen verkeerd had geïnterpreteerd. Hij had aantekeningen moeten maken.

'Martin kan niet meer praten', zei hij zuchtend.

'O nee?' zei John.

Toen de auto bij het plein rechts afsloeg draaide Gerlof zijn hoofd om en zag plotseling Julia achter een raam aan de overkant van de straat.

Ze zat met Lennart Henriksson, de politieagent, in een restaurant bij de kerk. Gerlof was niet verbaasd ze samen te zien.

Julia keek naar Lennart en zag er kalm uit, vond Gerlof toen de auto langs de ramen van het restaurant reed. Misschien niet blij, maar vredig. En Lennart zag er ook opgewekter uit dan hij jarenlang had gedaan. Dat was goed.

'Dus je neemt de bus?' vroeg John.

Gerlof knikte.

'Ik voel me goed', zei hij. En dat was ten dele waar; hij kon in elk geval lopen. 'We moeten het openbaar vervoer steunen', voegde hij eraan toe. 'Anders sluiten ze de lijnbussen ook nog.'

John sloeg af naar het oude stationsgebouw van Borgholm. Het was vroeger een treinstation geweest, het eindstation van de trein waar Nils Kant van af was gesprongen nadat hij de politieagent had vermoord. Nu stopten er alleen bussen en taxi's.

De auto reed het parkeerterrein op. John stapte uit, liep om de auto heen en deed de deur voor Gerlof open.

'Bedankt', zei Gerlof terwijl hij wankel overeind kwam. Hij knikte naar Anders.

Het was een vermoeiende dag geweest, maar hij vocht hard om stabiel en waardig naar de bussen achter het station te lopen, met zijn aktetas in de ene hand en zijn stok in de andere. De motregen was dichter geworden. De bus met bestemming Byxelkrok via Marnäs stond op de parkeerplaats; de chauffeur las een krant.

Gerlof stopte bij de ingang. 'Het is nu in elk geval afgelopen', zei hij. 'We hebben gedaan wat we konden. Martin moet leven met wat hij heeft gedaan. Zolang dat nog duurt.'

'Inderdaad. Dat moet hij', zei John.

'Trouwens,' zei Gerlof, 'weet jij of Martin een kennis heeft die Fridolf heet?'

John schudde zijn hoofd.

'Fridolf, zei je?'

'Ja. Of misschien Fritiof', zei Gerlof. 'Fridolf of Fritiof.'

'Nooit van gehoord', zei John. 'Is het belangrijk?'

'Nee. Dat denk ik niet.'

Gerlof bleef nog even naast John staan, terwijl op hetzelfde moment twee tienerjongens met zwarte donsjacks en gemillimeterd haar snel langsliepen en met één lange stap in de bus sprongen, zonder naar de oude man te kijken.

Gerlof besefte dat het niet uitmaakte of hij net een moordenaar had ontmaskerd of niet. Het veranderde niets. Het leven om hem heen ging gewoon verder, en Öland was nog steeds een dunbevolkt gebied.

Hij voelde zich gedeprimeerd. Misschien was het een tachtigerscrisis. 'Bedankt voor vandaag', zei hij tegen John. 'Ik bel je als ik thuis ben.'

'Doe dat.' John knikte en hield zijn stok vast terwijl Gerlof langzaam de hoge traptreden van de bus op klom. Hij pakte de stok aan, betaalde de chauffeur voor de rit met bejaardenkorting en ging rechts bij een raamplaats zitten. Door het raam zag hij John naar zijn oude auto teruglopen en instappen.

Gerlof leunde achterover, deed zijn ogen dicht en hoorde de bus op gang komen. Langzaam als een oud schip begon hij van het station weg te rijden.

Fridolf of Fritiof, dacht hij. En een ontmoeting in Ramneby, waar Ernst was opgegroeid.

Fridolf? Fritiof?

Gerlof kende niemand op Öland die zo heette.

28

'Nee, ik ben niet getrouwd', zei Lennart. 'Dat ben ik ook nooit geweest.'

'Geen kinderen?' vroeg Julia.

Lennart schudde zijn hoofd. 'Ook geen kinderen.' Hij keek naar zijn halflege waterglas. 'Ik heb maar één serieuze relatie in mijn leven gehad, en die heeft bijna tien jaar geduurd. Het eindigde vijf jaar geleden, ze woont nu in Kalmar en we zijn nog steeds vrienden.' Hij glimlachte naar Julia. 'Sindsdien heb ik mijn energie voornamelijk in het huis en de tuin gestopt.'

'Noord-Öland is misschien niet de beste plek', zei Julia. 'Als je iemand wilt ontmoeten, bedoel ik.'

'Je bedoelt dat er heel weinig keus is', zei Lennart nog steeds glimlachend. 'Ja, dat is waar. Dat is in Göteborg waarschijnlijk veel beter?'

'Ik weet het niet', zei Julia. 'Ik ben gestopt met zoeken.' Ze dronk van haar waterglas en ging verder: 'Ik heb eigenlijk ook maar één serieuze relatie gehad. En dat was nog langer geleden dan die van jou. Dat was met Jens' rusteloze vader Michael en dat eindigde ... ja, daarna. Je weet wel.'

Lennart knikte. 'Je moet heel doortastend zijn om een relatie te krijgen', zei hij.

Julia knikte.

'En wat heb jij nu voor plannen?' vroeg Lennart. 'Blijf je op Öland?'

'Ik weet het niet ... misschien wel', zei Julia. 'Ik heb niet zo veel dat me aan Göteborg bindt. En Gerlof is niet bepaald gezond. Hij wil natuurlijk niet in de gaten worden gehouden, maar ik denk dat het nodig kan zijn.'

'Ik weet dat Noord-Öland verpleegsters nodig heeft', zei Lennart terwijl hij naar haar keek. 'En ik wil graag dat je ...'

Hij werd onderbroken door een eentonig gepiep en Julia schrok op. Lennart keek naar de pieper aan zijn riem. 'Ze roepen me op', mompelde hij.

'Is het belangrijk?' vroeg Julia.

'Nee, waarschijnlijk alleen een kort overleg op het bureau.' Hij kwam overeind. 'Ik ga betalen.'

'We kunnen de rekening delen', zei Julia.

'Nee, nee.' Lennart maakte een afwerend gebaar met zijn hand. 'Ik heb je tenslotte mee hiernaartoe genomen.'

'Dank je', zei Julia.

Zoals gewoonlijk had ze geldgebrek.

'Laten we zeggen dat we elkaar ...' Lennart keek op zijn horloge. '... om kwart voor vier op het bureau zien. Dan ben ik beslist klaar en kunnen we de grote stad achter ons laten en naar huis rijden.'

'Goed.'

'Wil je misschien met me mee om te kijken hoe ik woon? Het is geen groot huis, maar het ligt ten noorden van Marnäs bij het water. De zon komt elke nieuwe dag uit zee op, als je het poëtisch wilt omschrijven.'

'Graag', zei Julia.

Ze gingen voor het restaurant uit elkaar. Lennart liep snel naar het bureau, en Julia liep langzaam op haar krukken naar Kungsgatan om wat winkels te bekijken. Er leek deze week geen kledinguitverkoop te zijn, maar ze kon in elk geval kijken wat er in de etalages hing.

Ze liep langs een sigarenwinkel en las automatisch de krantenkoppen – ZWAAR ONGELUK OP DE E22 – NIEMAND VAN DE DODEN GEÏDENTIFICEERD – CAROLA WEER GELUKKIG – ALLES OVER DE TELEVISIE DIT WEEKEND! – HEB JIJ BIJ BINGOLOTTO GEWONNEN? – zonder dat het haar raakte.

Ze voelde zich goed, ondanks de botbreuk. Ze was zelfs blij. Blij dat zij en Gerlof dichter bij elkaar waren gekomen dan ooit, blij dat zij en haar zus Lena het afgelopen weekend als tamelijk goede vrienden afscheid hadden genomen en ook blij dat Lennart Henriksson haar gezelschap prettig leek te vinden.

Julia was zelfs blij dat de politie Anders Hagman had vrijgelaten. Het was verschrikkelijk geweest als iemand uit Stenvik iets met de verdwijning van haar zoon te maken had. Dan was het beter als Jens die dag naar het strand was gegaan zonder dat iemand hem in de mist had gezien. Waarschijnlijk had hij zijn angst voor de zee overwonnen en was hij op de stenen in het water gesprongen en uitgegleden.

Julia geloofde dat nu.

Jönköping, april 1970

'Het is niet groot, maar het kijkt gedeeltelijk uit over het water van het Vättern', zegt de huisbaas terwijl hij door het raam wijst. 'En de keukeninventaris en het bed zijn inbegrepen bij de huur.'

De huisbaas hijgt en puft in de kleine kamer. De lift in de flat is kapot, en zijn voorhoofd glimt van het zweet door de vier trappen die hij op is gelopen. Hij draagt een kostuum en zijn enorme buik puilt boven zijn broekband uit.

'Mooi', zegt de toekomstige huurder.

'Er zijn ook goede parkeermogelijkheden.'

'Bedankt, maar ik heb geen auto.'

Het kost niet meer dan vijf minuten om de hele flat te inspecteren, eigenlijk minder dan vijf minuten. Een eenkamerwoning, helemaal aan het begin van Grönagatan in Zuid-Jönköping.

'Ik neem hem. Voor een half jaar. Misschien wordt het langer.'

'Een reizend beroep? En dan geen auto?'

'Ik ga met de trein en de bus', zegt de huurder. 'Ik trek veel rond ... en ik wacht tot de directie me terugroept.'

Nils test zijn nieuwe naam en zijn nieuwe leven nog steeds. Hij groeit er langzaam in en voelt het oude leven wegzakken. Maar helemaal verdwijnt het niet. Het is alsof hij dat tweede leven onder een kaasstolp bewaart. Het nieuwe leven is vrijer, met een identificatienummer en een paspoort waarmee hij grenzen kan passeren – maar het voelt nooit helemaal echt. Niet in Costa Rica, niet in Mexico, niet in de Bijlmermeer bij Amsterdam en ook niet het laatste jaar in de bijna lege flat in Bergsjön bij Göteborg, toen hij soms klam van het zweet wakker werd en dacht dat hij terug was in de dampende hitte van Costa Rica.

'Mag ik vragen hoe oud je bent?' vraagt de huisbaas.

'Vierenveertig jaar.'

'De beste jaren van het leven.'

'Ja, misschien wel.'

Als Nils vraagt wanneer hij eindelijk naar Öland terug kan komen heeft hij tot nu toe alleen ontwijkende antwoorden van Fritiof gekregen.

'Wie ongeduldig is maakt vergissingen', heeft Fritiof drie weken geleden via een ruisende telefoonlijn tegen hem gezegd. 'Je moet gewoon rustig blijven, Nils. Je kist is begraven in Marnäs, er begint dik gras op het graf te groeien en je oude moeder legt af en toe bloemen neer. Ze wacht op je.'

'Voelt ze zich goed?' wil hij weten.

'Ja.' Fritiof wacht even en gaat dan verder: 'Maar ze heeft ansichtkaarten gekregen. Vreemde ansichtkaarten. Eerst een paar uit Costa Rica, daarna uit Mexico en Nederland. Weet jij daar iets van?'

Nils weet ervan. Hij heeft al die jaren brieven en ansichtkaarten naar zijn moeder gestuurd, maar hij is altijd voorzichtig geweest.

'Ik heb er geen afzender op gezet', zegt Nils.

'Mooi. Dat maakte haar vast blij', zegt Fritiof. 'Maar nu gaat het gerucht dat Nils Kant nog leeft. Niet bij de politie, die bemoeit zich niet met dorpsroddels, maar in Stenvik. Daarom mag je niet ongeduldig zijn. Snap je?'

'Ja. Maar wat gebeurt er als ik terugkom naar Öland?'

'Tja, wat gebeurt er dan', zegt Fritiof, alsof het antwoord niet interessant is. 'Wat er gebeurt is dat je thuiskomt, bij je moeder. Maar eerst gaan we op jacht naar de schat. Toch?'

'Dat hebben we afgesproken. Als ik thuis ben wijs ik de schat aan.'

'Mooi. We moeten alleen het juiste moment afwachten', zegt Fritiof.

'Ja. En wanneer is dat?'

Maar Fritiof heeft al opgehangen.

Deze man, die beslist anders heet, heeft gewoon opgehangen. Nils krijgt het gevoel dat hij een afgesloten project is voor Fritiof Andersson, een dode man. Dood en begraven op de begraafplaats van Marnäs.

'De huur moet vooraf worden betaald', zegt de huisbaas.

'Dat is goed', zegt Nils. 'Ik kan nu betalen.'

'De opzegtermijn is een maand.'

'Mooi. Ik heb niet meer tijd nodig.'

Nils is niet dood, hij is op weg naar huis.

En de man die zichzelf Fritiof noemt moet niet de vergissing maken iets anders te denken.

29

Gerlof zat in de bus naar Marnäs en dacht na. Hij was tussen Borgholm en Köpingsvik even ingedommeld, maar hij werd wakker toen ze op de alvaret kwamen. Nu dacht hij na.

Hij had tijdens zijn gesprek met Martin Malm meer gezegd dan hij van plan was geweest, een heleboel ongegronde hypothesen die vermoedelijk nooit bewezen konden worden. Een bekentenis had hij niet gekregen, maar hij had in elk geval alles kunnen zeggen.

Nu zou hij proberen verder te gaan. Meer flessenschepen bouwen. Bezoek van John krijgen en koffiedrinken. Rouwadvertenties lezen in de krant en zien dat het winter werd buiten het Marnästehuis.

Maar het was moeilijk om te vergeten. Er was zo veel om over na te denken.

Hij pakte het boek over Malmvracht nog een keer, het jubileumboek dat aan de randen flink begon te slijten van het aldoor tevoorschijn halen en terugstoppen. Gerlof sloeg de bladzijde met de foto van de kade in Ramneby op, en opnieuw zag hij Martin Malm en August Kant naast elkaar staan voor de zagerijwerknemers.

Hij dacht eraan dat Ann-Britt Malm had verteld dat Vera Kant het geld voor Malms eerste grote schip aan hem had geleend en niet August. Dat betekende met andere woorden dat Vera Martin Malm had betaald om Nils thuis te krijgen.

Maar als August Kant niets met zijn neef te maken wilde hebben en misschien het liefst zag dat hij voor altijd in Zuid-Amerika bleef – wat betekende deze foto van nabijheid en zakelijke verstandhouding met Martin Malm dan? Augusts hand op Martins schouder ...

Het was toch Augusts hand? Gerlof keek nauwkeuriger. De duim leek aan de verkeerde kant van de vingers te zitten.

Hij staarde naar de foto tot zijn ogen pijn deden en de zwart-witcontouren begonnen te zweven en wazig werden. Hij pakte zijn leesbril uit de aktetas, zette hem op en keek opnieuw. Toen dat niet hielp, zette hij de bril af en hield hem als een vergrootglas boven de foto. De witte starende gezichten van de zagerijwerknemers kwamen zo dichterbij, maar losten tegelijkertijd op in zwart-witte puntjes.

Gerlof schoof de bril over de foto en keek naar de hand op Malms schouder. Daar lag hij, kameraadschappelijk rustend op de nek van de scheepseigenaar, maar ineens zag Gerlof duidelijk dat wat Augusts rechterhand had geleken in werkelijk een linkerhand was. En precies achter die hand ...

Gerlof keek naar het gezicht op de foto.

Plotseling zag hij voor het eerst wat Ernst had gezien.

'Wel alle duivels', zei hij.

De duivel aanroepen was een heel oude vloek – Gerlofs moeder had het hem meer dan zeventig jaar geleden verboden. Hij had die vloek sindsdien nooit meer gebruikt.

Om het heel zeker te weten pakte hij zijn notitieboek, zocht de namen die hij in het houtmuseum in Ramneby had opgeschreven en las er een van.

'Alle duivels', zei Gerlof weer.

Gedurende een paar seconden was hij helemaal verloren in zijn ontdekking – daarna keek hij op en herinnerde hij zich dat hij in een plattelandsbus op weg naar Marnäs zat. Daar waren ze nog niet, ze waren nog steeds ten zuiden van Stenvik, en op het moment dat hij uit het raam keek reed de bus langs het eerste bordje waarop CAMPING 2 KM stond.

Stenvik, de bus was bijna in Stenvik. Hij moest met John over zijn ontdekking praten.

Gerlof strekte zich snel uit naar de rode stopknop en drukte erop.

Toen de bus bij de bushalte honderd meter ten noorden van de afslag naar Stenvik langzamer ging rijden, stopte hij het jubileumboek en de bril in zijn aktetas en kwam op trillende benen overeind.

De middendeur van de bus ging sissend open en Gerlof liep de treden af en stapte de kou en de wind in. De Sjögren zeurde in zijn armen en benen, maar de pijn was beheersbaar.

De deuren gingen achter hem dicht en de bus reed weg. Hij stond alleen bij de bushalte en het motregende nog steeds. Vroeger had hier een klein houten wachthuisje gestaan waar je kon zitten als het regende, in afwachting van de wandeling naar huis of de komst van de bus – maar dat was nu weggehaald. Alles wat mooi en gratis was werd weggehaald.

Toen het doffe motorgeluid van de bus was weggestorven keek Gerlof naar het verlaten landschap, hij knoopte ook de bovenste knoop van zijn jas dicht en keek daarna naar het gele bordje dat naar Stenvik wees. Daar moest hij naartoe.

Hij keek verschillende keren om zich heen om niet overreden te worden als hij overstak, maar er reden geen auto's. De hoofdweg was helemaal verlaten. Hij liep de vijftig meter naar de afrit in een tamelijk snel tempo. Toen hij van de hoofdweg afsloeg, kreeg hij de wind bijna recht in zijn gezicht en ging het lopen moeizamer.

Hij had zeker tweehonderd meter langs de weg naar het dorp gelopen toen hij zich plotseling herinnerde dat John Hagman niet in Stenvik was.

John was in Borgholm.

Gerlof bleef staan en knipperde met zijn ogen tegen de wind.

Hoe had hij dat in hemelsnaam kunnen vergeten? Hij had minder dan een half uur geleden bij het busstation afscheid van John genomen, maar hij was zo onder de indruk geweest van zijn ontdekking op de foto van Ramneby dat hij dat was vergeten.

Maar er zou toch wel iemand thuis zijn in Stenvik? Julia was misschien nog niet terug, maar Astrid zou er zijn. Ze was bijna altijd thuis. Er zat gewoon niets anders op dan te blijven lopen – Marnäs was nog verder weg.

Nu ging het lopen moeizamer en de kou begon door zijn jas heen te dringen. De wind trok en rukte aan hem en hij boog zijn hoofd.

Eén stap per keer op het gebarsten asfalt. Hij telde ze: een, twee, drie – en bij de vijfentwintigste stap keek hij weer op, maar de loofbomen aan de horizon die het eind van de alvaret en de dorpsgrens markeerden leken niet dichterbij te komen.

Voor het eerst begon Gerlof een beetje ongerust te worden, als een zwemmer die onverschrokken heeft besloten om een ijskoud meer over te zwemmen maar plotseling al zijn kracht verliest als hij halverwege is. Teruggaan naar de hoofdweg was onmogelijk, maar het was bijna net zo moeilijk om verder te lopen.

Hij stapte plotseling mis met zijn linkervoet, struikelde over de asfaltrand en viel bijna in de greppel. Met behulp van zijn stok lukte het hem ternauwernood om zijn evenwicht te bewaren, en op dat moment hoorde hij het doffe geluid van een motor.

Er kwam vanaf Stenvik een auto aanrijden.

De auto was groot en glanzend en donkergroen, zag Gerlof toen hij dichterbij kwam. Het was een Jaguar met ritmisch zwaaiende ruitenwissers.

Hij reed niet voorbij, hij remde, het licht getinte zijraam gleed automatisch naar beneden en Gerlof zag een gezicht met een grijze baard achter het stuur.

'Hallo!' riep een vrolijke stem.

Gerlof zag dat het Gunnar Ljunger uit Långvik was. De hoteleigenaar die elke keer dat ze elkaar zagen zeurde over nieuwe flessenschepen was de laatste persoon die Gerlof op dit moment wilde zien, en toch kon hij niet anders dan zijn hand opheffen voor een vermoeide begroeting.

'Dag, Gunnar', zei hij met een zwakke stem terwijl hij een stap naar de auto toe deed.

'Hallo, Gerlof', riep Ljunger vanuit de auto. 'Waar ga jij naartoe?'

Het was een tamelijk domme vraag waarop hij een dom antwoord had kunnen geven, maar Gerlof knikte en zei: 'Naar Stenvik.'

'Ga je bij iemand op bezoek?'

'Misschien wel.' Gerlof wankelde in de wind. 'Misschien bij Astrid.'

'Astrid Linder?' zei Ljunger. 'Het leek er niet op dat ze thuis was toen ik langsreed. Het was donker achter de ramen.'

'O?'

Als Astrid ook niet thuis was, dan was er niemand thuis in Stenvik – dan zou Gerlof doodvriezen in de zeewind. De politie zou zijn koude en stijve lichaam morgen vinden, achter een jeneverbesstruik.

Hij dacht na en keek naar Ljunger.

'Ga je misschien naar Marnäs, Gunnar?' vroeg hij. 'Kom je langs het Marnästehuis?'

'Jazeker.' Ljunger leunde naar voren en deed de passagiersdeur open. 'Stap maar in.'

'Dat is aardig van je.'

Gerlof klom moeizaam met zijn stok en aktetas in de warme auto.

Het was stil en heel warm in de auto, de ventilatie met hete lucht stond vol aan. Ljunger zat met zijn gele donsjack opengeknoopt, en hoewel Gerlof het nog steeds ijskoud had, knoopte hij zijn jas ook open.

'Goed, daar gaan we dan', zei Ljunger. 'Op naar Marnäs.'

Hij drukte het gaspedaal diep in en de grote auto schoot met zo'n kracht weg dat Gerlof tegen de rugleuning van zijn stoel werd gedrukt.

'Heb je ergens tijd voor, Gerlof?' vroeg Ljunger.

Gerlof schudde zijn hoofd.

'Nee, ik wil graag ...'

'Mooi, ik wil je iets laten zien.'

Ze waren al bij de hoofdweg, die nog net zo verlaten was als daarstraks. Ljunger draaide de weg op, maar naar het zuiden in plaats van naar het noorden.

'Ik denk niet dat ik ...' begon Gerlof, maar Ljunger onderbrak hem: 'Hoe gaat het met je flessenschepen?'

'Goed', zei Gerlof, hoewel hij er de laatste weken geen minuut aan had gewerkt, hij had er niet eens aan gedacht. 'Misschien kun je voor Kerst een keer bij me langskomen, dan kun je ze bekijken.'

Ljunger knikte. Hij reed een paar honderd meter over de hoofdweg en sloeg toen weer af, naar een klein, rotsachtig pad dat niet werd aangegeven en dat tussen een omgeploegde akker en een oude stenen muur in oostelijke richting liep, naar de zee.

'Ik vroeg me alleen af ... Is het te laat om rode scheepsrompen te krijgen?' vroeg Ljunger. 'Als dat kan zou het mooi zijn.'

'Jazeker. Dat kan nog.' Gerlof knikte en ademde in. 'Gunnar, waar gaan we eigenlijk naartoe?'

'Het is niet zo ver meer', zei Ljunger. 'We zijn er bijna.'

Daarna zei hij niets meer en liet hij de auto langzaam over de smalle weg rollen. Gerlof kon niet anders dan meerijden en naar de monotoon zwaaiende ruitenwissers achter het raam kijken.

Hij keek naar de ruimte tussen de stoelen. Daar lag Gunnars mobiel, zwart met zilveren randen en veel kleiner dan alle mobieltjes die Gerlof ooit had gezien – de helft kleiner dan die van Julia.

'Waar gaan we naartoe, Gunnar?' vroeg hij zacht.

Ljunger gaf geen antwoord – het was alsof hij Gerlof niet meer hoorde. Hij keek strak naar de natte grindweg voor de auto en ontweek de kuilen en bulten in de wielsporen met één hand licht op het stuur. Hij glimlachte.

Gerlofs voorhoofd was nat van het zweet.

Hij wilde iets zeggen, iets luchtigs en alledaags. Een beleefde vraag over de situatie in de hotelbranche misschien. Maar hij was moe en zijn hoofd was helemaal leeg.

Gerlof wist uiteindelijk maar één ding te vragen.

'Ben je ooit in Zuid-Amerika geweest, Gunnar?'

Ljunger schudde zijn hoofd, nog steeds glimlachend. 'Helaas niet', antwoordde hij. 'Ik ben nooit verder dan Costa Rica gekomen.'

Öland, september 1972

Vanaf de passagiersstoel in de blauwe Volvo, hoog boven het water op de nieuwe brug, leunt Nils Kant naar voren om uit het raam over de Kalmarsund uit te kijken. Het is middag en er ligt een waas over het water; een dikke mistbank die in de zeestraat is ontstaan en die op weg is naar het eiland.

'Er komt vanavond mist', zegt hij.

'Daar hoopten we al op', zegt Fritiof naast hem.

'Wij?' zegt Nils. 'Zijn er meer?'

Fritiof knikt. 'Je zult ze zo meteen ontmoeten.'

Nils probeert te ontspannen en kijkt boven de brugleuning over het water uit. Hij kan zichzelf bijna in de zeestraat zien, zwemmend voor zijn leven naar het vasteland, nauwelijks twintig jaar oud.

De Ölandbrug is enorm, tonnen staal en beton rijzen uit boven het water in een bouwwerk dat bijna net zo breed is als een snelweg en kilometers lang. Nils heeft zich nooit kunnen voorstellen dat zijn eiland ooit zo'n verbinding met het vasteland zou krijgen.

'Hoe oud is de brug?' vraagt hij.

'Gloednieuw', zegt Fritiof achter het stuur.

Hij is heel zwijgzaam geweest sinds hij gisteravond bij Nils in Jönköping aankwam. Hij heeft Nils donkere kleren voor de rit gegeven en een zwarte gebreide muts om over zijn voorhoofd te trekken, maar hij heeft nauwelijks een woord gezegd.

De vrolijke en charmante Fritiof Andersson die hem meer dan tien jaar geleden in Costa Rica heeft bezocht is verdwenen; eigenlijk is hij al verdwenen sinds de Smålander in de zee ten noorden van Limón is verdronken. Na die avond heeft Fritiof

Nils voornamelijk behandeld als een pakketje, hij heeft hem tussen plaatsen en landen verschoven, goedkope kleine flats gehuurd of kamers in logementen voor daklozen in trieste wijken, en hij heeft hoogstens een paar keer per jaar via de telefoon iets van zich laten horen.

De avond voor het vertrek naar Öland begon Fritiof weer over de schat te zeuren. Waar was hij? Waar had Nils hem verstopt? In de villa?

Nils schudde zijn hoofd, en toen vertelde hij het eindelijk. 'Ik heb hem op de alvaret begraven, ten oosten van Stenvik. Bij de oude offerplaats. We kunnen er samen naartoe gaan om hem te halen.'

Fritiof knikte. 'Goed, dan doen we dat.'

Nils heeft lang op deze laatste reis gewacht. En nu is hij hier.

'Ik blijf nu thuis', zegt Nils tegen Fritiof.

Hij doet zijn ogen dicht als ze van de brug af rijden en op het vasteland ten noorden van Färjestaden komen. Terug op Öland, eindelijk.

'Ik blijf nu thuis', herhaalt hij. 'Ik blijf bij mijn moeder en ik zorg ervoor dat niemand me ziet.' Hij zwijgt even en vraagt dan: 'Ze voelt zich toch nog goed ... Vera?'

'Jazeker.' Fritiof knikt kort en drukt het gaspedaal in als ze over de grote alvaret naar Borgholm rijden.

Nils beseft dat er sinds zijn jeugd veel is veranderd op Öland. Er zijn meer struiken en bomen op het eiland, en de smalle grindweg naar Borgholm is een brede geasfalteerde hoofdweg geworden, net zo egaal en recht als de brug. De spoorlijn die van noord naar zuid liep is waarschijnlijk gesloten, want Nils ziet geen rails meer op de alvaret. De rijen windmolens die zich bij de stranden uitstrekten om wind van de zeestraat te vangen zijn ook weg, er staan nog maar een paar molens.

En het lijkt alsof er minder mensen op het eiland zijn – ondanks alle nieuwe zomerhuizen bij het water. Nils knikt ernaar. 'Wie wonen er in al die huizen?' vraagt hij.

'Zomergasten', zegt Fritiof kort. 'Ze verdienen hun geld in Stockholm en kopen een zomerhuis op Öland. Ze rijden in hun

344

auto over de brug en liggen in de vakanties in de zon, daarna vertrekken ze snel weer naar huis om meer geld te verdienen. Ze willen hier 's winters niet zijn ... het is te koud en te somber.'

Het klinkt alsof hij ze ten dele begrijpt.

Nils zegt niets. Het lijkt erop dat Fritiof helemaal gelijk heeft wat betreft de zomergasten, want bijna alle auto's op de weg rijden in tegengestelde richting naar het vasteland. De zomer is voorbij, het is herfst.

De kasteelruïne is er in elk geval nog, en die ziet eruit zoals hij altijd heeft gedaan, met zijn lege venstergaten op de heuvel boven Borgholm.

Als ze langs het kasteel zijn gereden, zijn ze bijna in de stad, en de mist wordt geleidelijk dichter. Fritiof gaat langzamer rijden en slaat af naar een klein parkeerterrein bij de stadsgrens van Borgholm, in het zicht van de kasteelruïne. Zonder verklaring stopt hij de auto.

'Zo', zegt hij alleen. 'Ik zei toch dat we gezelschap zouden krijgen.'

Hij opent het portier en zwaait.

Nils kijkt om zich heen. Langs de weg komt iemand aanlopen, het is een man die eruitziet alsof hij in de vijftig is. Hij is gekleed in een grijze wollen trui, een gabardine broek en glanzende leren schoenen die er duur uitzien, en hij knikt naar Fritiof. 'Jullie zijn laat.'

De man draagt een hoed die hij over zijn voorhoofd heeft getrokken. Hij heeft geen bagage en alleen een half opgerookte sigaret in zijn hand. Hij neemt een laatste trekje, gooit de sigaret weg en kijkt gespannen om zich heen voordat hij naar de auto loopt.

'Nils, ik denk dat je nu achterin moet gaan zitten', zegt Fritiof zacht. 'Dat is veiliger als we in Stenvik aankomen.'

Dan stapt hij zelf uit de auto. Er is een telefooncel aan het eind van het parkeerterrein, en Nils ziet dat Fritiof daar snel naartoe loopt. Hij stopt er een munt in, toetst een nummer in en praat heel kort in de hoorn.

Nils stapt ook uit de auto, en de duur geklede man trapt met

345

zijn rechterschoen op zijn sigaret en kijkt naar hem zonder hem te begroeten. Hij stapt in en gaat voorin zitten.

Nils gaat niet meteen achterin zitten. Hij loopt een meter of tien langs de weg en geniet ervan terug te zijn en zich opnieuw vrij over het eiland te kunnen bewegen.

Zijn eiland.

Plotseling rijden er een paar auto's op de hoofdweg langs. Nils ziet bleke gezichten achter de ramen naar hem staren. Hij volgt ze met zijn ogen, tot ze in de mist verdwijnen.

'Kom hier!' roept Fritiof met een geïrriteerde stem achter hem. Hij is weer bij de auto.

Nils komt langzaam terug, doet de achterdeur open en hoort de man voorin zacht vragen: 'Ging het goed, Gunnar?'

Daarna draait hij zich snel om naar Nils, zenuwachtig en schuldbewust, alsof hij zich heeft versproken.

De man die zichzelf de hele tijd Fritiof heeft genoemd draait zich ook om en glimlacht.

'Het maakt niet uit, we mogen elkaars namen nu weten', zegt hij. 'Ik ben Gunnar, en dit is Martin. We hebben Nils Kant op de achterbank. Maar iedereen hier vertrouwt elkaar, of niet soms?'

'Natuurlijk.'

Nils knikt kort en sluit het portier.

Fritiof heet dus Gunnar. En Nils weet dat hij hem ooit heeft ontmoet, maar hij weet nog steeds niet waar.

'Dan rijden we nu naar Stenvik', zegt Gunnar.

De auto rijdt de weg weer op, langs Borgholm naar het noorden. Het landschap wordt steeds bekender voor Nils, maar de mist uit de zeestraat wordt dichter en de horizon vervaagt.

De lucht wordt steeds grijzer. Gunnar wist dat er mist zou komen, hij heeft er rekening mee gehouden en daarom mocht Nils vandaag naar huis komen. Waarmee heeft hij nog meer rekening gehouden?

Ten noorden van Köpingsvik doet Gunnar het mistlicht aan en gaat harder rijden. Nils ziet de gele naamborden voorbij glijden. Bekende namen van Ölandse dorpen. Maar het landschap raakt hem het meest: akkers, wilde grassen, de rechte stenen muren die bij de weg beginnen en de mist in lopen.

En de alvaret, zijn eigen alvaret. De alvaret verspreidt zich naar alle kanten – met zijn zware grijsbruine kleuren en zijn oneindige hemel is hij net zo groot en mooi als Nils in zijn herinnering heeft.

Nils is weer thuis.

Niemand in de auto praat, en na een kwartier stilte ziet Nils het bord waarop hij heeft gewacht. STENVIK. Daaronder staat een grote pijl met de tekst CAMPING.

De weg naar het dorp is tegenwoordig geasfalteerd en Stenvik heeft een camping. Wanneer is dat gebeurd?

De auto rijdt zonder vaart te minderen langs de afrit naar Stenvik.

'We nemen de noordelijke afrit', zegt Gunnar. 'Daar is minder verkeer, en dan hoeven we niet door het dorp te rijden.'

Een paar minuten later slaan ze af naar de noordelijke dorpsweg, bij een melkbussenrek dat leeg en verlaten naast de hoofdweg staat. Toen Nils het rek voor het laatst zag was het gevuld met stalen bussen melk van de boerderijen langs de weg; nu is het bedekt met wit mos en lijkt het op instorten te staan.

Heel Öland is in vijfentwintig jaar veranderd, maar de noordelijke weg naar Stenvik is ongeveer zoals hij zich herinnert: smal en bochtig en nog steeds bedekt met grind. De weg is helemaal verlaten, met aan beide kanten een met gras begroeide greppel en de alvaret daarachter.

Gunnar laat de Volvo langzaam verder rijden, en na een paar honderd meter stopt hij helemaal. Hij wendt zich tot Nils en naast hem draait ook Martin zijn hoofd om. Ze kijken allebei naar hem.

'Zo,' zegt Gunnar ernstig, 'we hebben je naar Stenvik gebracht. En nu graaf jij de oorlogsbuit op bij de offerplaats.'

'Ik wil eerst mijn moeder zien', zegt Nils terwijl hij vastbesloten naar Gunnar kijkt.

'Vera loopt niet weg, Nils', zegt deze. 'Ze moet nog even wachten. Het is beter dat het echt donker is als we in het dorp aankomen. Denk je niet?'

'We delen de schat', zegt Nils snel.

'Natuurlijk. Maar dan moeten we hem eerst opgraven.'

Nils kijkt nog een paar seconden naar hem, en kijkt dan door het zijraam naar buiten. De mist is nu compact en het begint te schemeren.

Hij knikt. Hij zal Gunnar en Martin de helft van de edelstenen geven, dan staan ze quitte.

'We hebben iets nodig om mee te graven', zegt hij zacht.

'Natuurlijk. We hebben twee scheppen en een koevoet in de kofferbak', zegt Gunnar. 'We hebben overal aan gedacht. Maak je geen zorgen.'

Maar Nils ontspant niet. Hij is alleen met twee vreemde mannen, net als de Smålander op het strand in de duisternis bij de Caraïbische zee. Het verschil is dat de Smålander zijn nieuwe vrienden vertrouwde en dat doet Nils niet.

Gunnar parkeert niet langs de weg, hij remt bij een smalle opening in een stenen muur en trekt aan het stuur. De auto draait van de dorpsweg af en rijdt langzaam naar de vlakke grassenwereld van de alvaret.

Nils draait zijn hoofd om, maar ziet alleen mist door het achterraam. De weg die naar zijn geboortedorp leidt is helemaal verdwenen.

30

Gerlof zat stil en met een rechte rug op de stoel naast Gunnar Ljunger, op weg naar de wildernis ten zuiden van Marnäs. Het voorzichtige gesprek dat hij op gang probeerde te krijgen was mislukt, want Ljunger gaf geen antwoord. Het enige wat Gerlof kon doen was meerijden en zijn winterjas verder openknopen en moeizaam uittrekken, omdat het tropisch warm was in de auto. Misschien kon hij de ventilator aan de passagierskant op de een of andere manier zelf regelen, maar hij wist niet hoe. Alles leek elektronisch bediend te worden, en Gunnar maakte geen aanstalten hem te helpen.

Ze waren nu bij de oostkust van het eiland. De auto reed langzaam over een halve meter hoge en een paar meter brede dijk die door het vlakke landschap liep. Gerlof wist waar hij was. Hier had de spoorlijn van Öland over de alvaret gelopen voordat hij werd gesloten.

Hij keek op zijn horloge. Het was bijna vijf uur.

'Ik denk dat ik nu terug moet, Gunnar', zei hij zacht. 'Ze beginnen zich in het Marnästehuis zo meteen af te vragen waar ik ben.'

Ljunger knikte. 'Misschien doen ze dat wel,' zei hij, 'maar waarschijnlijk gaan ze niet naar je op zoek. Wat denk jij?'

De dreiging was zo duidelijk dat Gerlof zich van hem af draaide en aan de deurkruk trok.

De Jaguar reed langzaam en hij had zich naar buiten kunnen laten vallen, misschien zelfs zonder zijn botten te breken, en hij had naar de grote weg terug kunnen lopen voordat de duisternis inviel – maar de deur ging niet open. Ljunger had hem op afstand gesloten.

'Gunnar, ik wil eruit', zei hij en hij probeerde vastbesloten te klinken, als de zeekapitein die hij ooit was geweest.

'Zo meteen', zei Ljunger terwijl hij bleef rijden.

Ze reden over een oud roestig veerooster tussen twee stenen muren, en in de verte zagen ze eindelijk de Oostzee. Het water was grijs en zag er koud uit.

'Waarom doe je dit, Gunnar?' vroeg Gerlof.

'Dit was helemaal niet gepland', zei Ljunger. 'Ik reed vanaf Borgholm achter de bus en ik zag je bij de zuidelijke afrit naar Stenvik uitstappen. Ik hoefde alleen naar de noordelijke afrit te gaan, door het dorp te rijden en je op te pikken.' Ljunger ging nog langzamer rijden en draaide zijn hoofd naar hem toe. 'Wat heb je vandaag bij Martin Malm gedaan, Gerlof?'

Gerlof voelde zich ontmaskerd. Hij aarzelde met het antwoord. 'Bij Martin?' vroeg hij. 'Wat bedoel je?'

'Jij en John Hagman', zei Ljunger. 'Jij ging naar binnen en John wachtte buiten.'

'Tja. Martin en ik hebben even gepraat ... We zijn tenslotte allebei oude zeelieden', zei Gerlof. 'Hoe weet je dat?'

'Ann-Britt Malm belde me op mijn mobiel toen jij en Martin herinneringen ophaalden', zei Ljunger. 'Ze was ongerust over al het bezoek dat Martin de laatste tijd kreeg. Eerst Ernst Adolfsson en nu jij. Twee keer de afgelopen weken, blijkbaar. Het was een drukte van belang in Martins villa.'

'Dus jij en Ann-Britt zijn goed bevriend', zei Gerlof vermoeid.

Ljunger knikte. 'Martin en ik zijn oude zakencompagnons, maar er is niet meer zo goed met hem te praten', zei hij. 'Ann-Britt regelt zijn zaken en ze vraagt mij altijd om raad.'

Gerlof leunde achterover in de autostoel. 'Dat zijn jullie een hele tijd geweest. Al sinds de jaren vijftig.'

Hij stak zijn hand in zijn aktetas en haalde het jubileumboek van Malmvracht tevoorschijn.

'Ik liet deze foto aan Martin zien', zei hij, 'en ik heb er zelf vaak naar gekeken, maar het duurde heel lang voordat ik zag wat het eigenlijk voorstelde.'

'Echt?' zei Ljunger terwijl hij om een groep lage iepen heen reed. Ze waren maar zo'n honderd meter bij de zee vandaan. 'Maar nu weet je het?'

Gerlof knikte. 'Er staan twee mannen met macht voor een rij jonge zagerijwerknemers op een kade in Ramneby: fabrikant August Kant en scheepskapitein Martin Malm. En de hand van August Kant lijkt kameraadschappelijk op Martins schouder te liggen.' Hij stopte even en ging toen verder. 'Maar het is de hand van August Kant niet. Het is de hand van de man die áchter Martin Malm op de kade staat. Dat zag ik daarnet pas, in de bus.'

'Eén foto zegt meer dan duizend woorden', zei Ljunger terwijl hij remde. 'Zo zeg je dat toch?'

Nu lag de oostkust van het eiland voor hen, achter een weide met vergeeld gras. De regen viel zowel op het land als op het water, een koude regen die eigenlijk sneeuw wilde zijn.

'En de man die achter Martin Malm staat is een zagerijwerknemer die Gunnar Johansson heet. En die daarna zijn achternaam veranderde', zei Gerlof. 'Heb ik gelijk?'

'Niet helemaal, ik was op dat moment voorman', zei Ljunger. 'Maar het klopt dat ik mijn naam heb veranderd in Ljunger. Dat was toen ik naar Öland kwam.'

Hij zette de motor uit en het werd heel stil. De enige geluiden kwamen van de wind en de regen.

'Die foto had nooit in het boek mogen komen', zei Ljunger. 'Ann-Britt heeft hem geplaatst, ik wist het pas toen het boek was gedrukt. Maar alleen jij en Ernst Adolfsson hebben me herkend. Ernst herkende me blijkbaar van onze schooltijd.'

'Hij is opgegroeid in Ramneby, dat weet ik nu', zei Gerlof. 'Voor mij was het niet zo gemakkelijk om te zien dat jij het was. Maar ik vraag me één ding af ...'

Hij wist dat zijn einde naderde. Ljunger zou hem vermoorden, net zoals hij Ernst had vermoord. Gerlof bleef praten om het onvermijdelijke uit te stellen.

'Ik vraag me af ... Jij was voorman in de zagerij en je kreeg natuurlijk verhalen te horen over Nils, het vreselijke neefje van

August Kant. Kreeg je toen het idee om ...'

'Ik heb hem zelfs ontmoet', onderbrak Ljunger hem.

'Wie?' zei Gerlof. 'Nils Kant?'

'Nils, ja.' Ljunger knikte. 'Ik was na de oorlog als loopjongen in de zagerij begonnen en Nils kwam daarnaartoe toen hij voor de politie van Öland op de vlucht was. Hij verstopte zich tussen de struiken tot hij mij zag. Hij vroeg me directeur Kant te roepen. Dat deed ik, maar de directeur wilde niets van hem weten. August Kant gaf me vijf briefjes van honderd die ik aan Nils moest geven, zodat hij zou verdwijnen. Ik stopte er twee weg en gaf Nils drie briefjes.' Ljunger lachte bij de herinnering. 'Ik leefde de rest van de zomer als een koning van het geld.'

'Je hebt dus al vroeg begrepen dat er geld te verdienen was aan Nils Kant', zei Gerlof terwijl hij door het raam naar de motregen keek.

'Natuurlijk,' zei Ljunger, 'maar ik wist niet precies hoeveel dat was. Daar had ik geen idee van. Ik dacht dat ik misschien een paar duizend kronen en een gratis reis over de Atlantische Oceaan zou krijgen om Nils naar huis te halen als alle ophef was bedaard. Dat stelde ik aan August voor toen ik voorman in de zagerij was geworden, maar hij zei botweg nee. Hij was niet in het minst geïnteresseerd om het zwarte schaap van de familie naar Zweden terug te halen.'

Hij drukte op een knop naast het stuur en Gerlof hoorde een klik in de deur naast hem. 'Zo, nu is hij open', zei hij. 'Stap uit.'

Gerlof bleef zitten.

'Maar je gaf niet op', zei hij terwijl hij naar Ljunger keek. 'Toen August nee had gezegd zocht je contact met Nils' moeder in Stenvik en deed je haar hetzelfde aanbod. En zij zei ja. Of niet soms?'

Gunnar Ljunger zuchtte, alsof er een eigenwijs kind naast hem zat. Hij keek door het raam naar het kustlandschap.

'Door Vera heb ik dit mooie eiland ontdekt', zei hij. 'Ik kwam hier in de zomer van 1958 voor het eerst naartoe. Ik nam de veerboot naar Stora Rör en daarna de trein naar het noorden. De spoorlijn stond op het punt gesloten te worden, en de Ölandse zeevaart liep ook op zijn laatste benen. Veel mensen dachten waarschijnlijk dat het voorbij was voor Öland. Maar ik hoorde de mensen in de trein praten over een brug die misschien gebouwd zou worden. Een lange brug, zodat de Ölanders van het eiland af konden wanneer ze wilden. En zodat de vastelanders hiernaartoe konden komen.'

'De rijke vastelanders', zei Gerlof.

'Uiteraard.' Ljunger haalde adem en ging verder: 'En daarna kwam ik in Noord-Öland en ontdekte ik de zon en alle stranden die er waren. Veel zon en water, maar nauwelijks toeristen. Dus begon ik al voordat ik bij Vera Kant in Stenvik aanklopte na te denken.' Hij zuchtte. 'Vera zat eenzaam en ongelukkig in haar grote villa en verlangde naar haar zoon. Ik begon met haar te praten.'

'Eenzaam en ongelukkig', zei Gerlof. 'Maar ontzettend rijk.'

'Niet zo rijk als je zou denken', zei Ljunger. 'De steengroeve stond op het punt gesloten te worden en haar broer had beslag gelegd op de familiezagerij in Småland.'

'Ze was rijk door haar grond', zei Gerlof vermoeid. 'Grond langs de kust, strandpercelen.'

Hij vroeg zich af hoe hij zou sterven. Had Ljunger een wapen bij zich? Of zou hij een van de vele duizenden stenen van Öland pakken en gewoon zijn schedel inslaan, ongeveer zoals hij met Ernst had gedaan?

'Vera had inderdaad veel grond', zei Ljunger. 'Ik geloof dat niemand in Stenvik echt begreep hoeveel grond ze bezat, zowel ten zuiden als ten noorden van Stenvik. Het was natuurlijk waardeloos zolang ze er niets mee deed, maar de juiste persoon zou het kunnen overnemen en het aan vastelanders kunnen verkopen.' Hij begon zijn donsjack dicht te knopen en voegde eraan toe: 'In de jaren vijftig waren hier maar een paar zomerhuizen, maar ik wist dat er veel meer vraag naar zou komen – en ook naar een hotel en restaurants. En als de brug eenmaal was gebouwd zouden de prijzen flink stijgen.'

'Dus kreeg je Långvik van Vera', zei Gerlof.

'Ik kreeg niets.' Ljunger schudde zijn hoofd. 'Ik kocht al haar grond, helemaal legaal. Natuurlijk voor een heel lage prijs en met geld dat ik van Vera mocht lenen, maar alles is gedocumenteerd en helemaal legaal.'

'En Martin Malm mocht geld lenen voor een groter schip.'

'Precies. We hadden elkaar ontmoet toen Martin hout van Ramneby verscheepte', zei Ljunger. 'Ik had een betrouwbare handlanger nodig, iemand die de kist van Nils Kant uit het buitenland naar huis haalde, en later Nils. Het mocht wat mij betreft een hele tijd duren voordat hij thuiskwam, omdat Vera me dan geen grond meer zou geven. Dat wist ik.'

Hij lachte tevreden naar Gerlof. 'Kom mee.'

Ljunger deed zijn portier open.

Gerlof keek door het raam naar buiten. Hij zag een verlaten strandweide, met gras dat door de wind tegen de grond werd gedrukt.

'Wat is hier te zien?' vroeg hij.

'Niet veel', zei Ljunger terwijl hij uit de auto stapte. 'Je zult het zo weten.'

31

'Stap uit, Gerlof.'

Gunnar Ljunger had zijn portier gesloten, was snel rond de auto gelopen en had de passagiersdeur geopend. Hij wachtte ongeduldig tot Gerlof uitstapte.

'Ik moet mijn jas ...' begon Gerlof.

'Je hebt geen jas nodig, Gerlof', zei Ljunger. 'Je hebt het toch warm?'

Ljunger was minstens vijftien jaar jonger dan Gerlof, hij was groot en breed en had flink wat kracht in zijn armen. Hij pakte Gerlof onder zijn arm en tilde hem min of meer uit de auto.

Zelf droeg Ljunger zijn gele donsjack, met de tekst LÅNGVIK CONFERENCE CENTER in zwarte letters op zijn rug.

'Kom mee.'

Hij sloeg de autodeur dicht, pakte zijn sleutelhanger en drukte op een klein knopje. De portieren van de auto gingen met een zwakke klik op slot.

Voor Gerlof was zoiets bijna magie. Hij had zijn stok bij zich, maar zijn aktetas stond nog steeds in de auto. Hij deed een paar onzekere stappen naar voren, naar de weide bij de zee, hij had er nu een vermoeden van wat Ljunger van plan was.

De eerste minuten was het fijn om uit de sauna-achtige hitte van de auto te zijn; de wind verfriste en het leek bijna alsof hij geen jas nodig had.

Maar Gerlof zou het niet redden zonder winterjas, dat wist hij. Het was verlammend koud buiten, maar een paar graden boven nul. De wind zwiepte vanaf de Oostzee met harde stoten het eiland op, en de druppels van de motregen waren als kleine speldenprikken in zijn gezicht.

'Kijk eens, Gerlof.' Ljunger was een stuk over het grindpad naar de strandweide gelopen en wees naar een stenen muur voor een groepje bomen. Bij de muur groeide een eenzame misvormde boom. 'Zie je wat dit is?' vroeg hij.

Gerlof deed een paar wankele stappen naar voren. 'Een appelboom', zei hij zacht.

'Precies, een oude appelboom.' Ljunger pakte zijn arm en trok hem voorzichtig maar vastbesloten in de richting van het strand. Opnieuw wees hij, dit keer naar een verwrongen struik. Hij keek naar Gerlof. 'En wat is dat?'

'Een verlaten tuin', zei Gerlof.

'Alweer goed, en onder het gras liggen de stenen fundamenten van een huis.' Ljunger keek om zich heen. 'Ik heb dit strand jaren geleden gevonden. Het is hier heel rustig, zelfs in de zomer. Je kunt hier zitten denken en soms ...' Ljunger keek weer naar de appelboom. 'Soms zit ik hier gewoon en denk ik aan deze boom en aan de mensen die hier hebben gewoond. Waarom zijn ze niet op zo'n mooie plek gebleven?'

'Armoede', zei Gerlof terwijl hij voor het eerst huiverde.

Hij probeerde rechtop te blijven in de wind en niet te trillen of te wankelen. Maar het enige wat hij op zijn bovenlichaam droeg was een dun overhemd en een bijna net zo dun shirt, en hij begon de herfstkou door de stof heen te voelen.

'Ja, ze waren natuurlijk arm', zei Ljunger. 'Misschien voeren ze weg op een boot over de Atlantische Oceaan, net als Nils Kant en duizenden andere Ölanders. Maar het punt is ...' hij pauzeerde even, 'het punt is dat ze nooit de grote mogelijkheden van het eiland hebben gezien. Dat hebben jullie Ölanders nooit gedaan.'

Gerlof knikte alleen, Ljunger mocht net zoveel kletsen als hij wilde.

'Ik wil weer naar de auto', zei hij.

'Die is op slot', zei Ljunger.

'Ik vries zo meteen dood.'

'Loop dan terug naar Marnäs.' Ljunger wees naar de muur

naast de boom. 'Daar zit een gat in de muur. Erachter loopt een strandpad naar het noorden, langs een oude dansvloer ... Het is maar een paar kilometer naar het dorp, hemelsbreed.'

Gerlof wankelde in de wind, maar het kon hem niet schelen, hij had iets belangrijks te zeggen.

'Ik ben de enige die het weet, Gunnar.'

Ljunger keek naar hem zonder antwoord te geven.

'Zoals ik al zei, ik heb alles in de bus ontdekt, toen ik zag dat jij achter Martin Malm stond.'

Ljunger haalde zijn schouders op.

'Ernst Adolfsson zwaaide ook met die foto', zei hij. 'Maar hij zwaaide met nog veel meer, oude registraties op onroerend goed en dergelijke. Ik schrik niet zo snel.'

'Hij lag op me voor', zei Gerlof moe. 'Ik dacht dat Ernst alles vertelde, maar dat deed hij niet. Wat wilde hij van je?'

'De steengroeve. Hij wilde de steengroeve voor een symbolisch bedrag van me kopen, anders zou hij iedereen vertellen wat hij wist over de grondtransacties tussen Vera en mij.'

'Dat was toch niet zo veel gevraagd?' zei Gerlof.

'Zeg dat niet', zei Ljunger snel. 'Het is op dit moment waardeloze grond, maar het kan in de toekomst iets worden. Een Ölands casino opgenomen in de berg misschien. Wie weet? Dus sloeg ik het aanbod af.' Ljunger keek naar Gerlof. 'Maar jullie oude schippers overschatten jullie betekenis als jullie denken dat andere mensen geïnteresseerd zijn in dingen die decennia geleden zijn gebeurd.'

'Jíj bent in elk geval geïnteresseerd, Gunnar', zei Gerlof. 'Anders zouden we hier niet staan.'

'Het komt me helemaal niet uit dat er hier een heleboel gepensioneerden rondrennen die praatjes rondstrooien', zei Ljunger moe. 'Dat begrijp je toch wel? Het gaat niet alleen om de lopende projecten. We hebben belangrijke plannen met Långvik, die op dit moment bij bouw- en woningtoezicht liggen. Het gaat om grote investeringen. Het komend half jaar worden er zestig nieuwe stukken grond ten oosten van het dorp verkocht. Hoeveel denk je dat die waard zijn?'

Gerlof begreep het.

'Maar zoals ik al zei, ik ben de enige die het weet, niemand anders. John niet, mijn dochter niet.'

Ljunger glimlachte geamuseerd naar hem.

'Het is edelmoedig van je dat je alle eer opeist, Gerlof. En ik geloof je.'

'Heb je Vera Kant ook vermoord, Gunnar?'

'Natuurlijk niet. Ze viel van de trap en brak haar nek, heb ik gehoord. Ik heb nooit iemand vermoord.'

'Je hebt Ernst Adolfsson vermoord.'

'Nee', zei Ljunger. 'We hadden een discussie en dat werd een kleine ruzie.'

'Hij gooide tijdens de ruzie een van zijn kleine beelden in de steengroeve, of niet soms?' zei Gerlof.

'Inderdaad. En daarna duwde ik hem en hij viel en trok een van de grote beelden mee. Het was een ongeluk, net zoals de politie aannam.'

'Je hebt Nils Kant vermoord', zei Gerlof.

'Nee.'

'Dan was het Martin', zei Gerlof. 'En Jens? Wie van jullie heeft Jens vermoord?'

Ljunger lachte niet meer. Hij keek op zijn horloge en deed een paar stappen in de richting van de auto.

'Zag Jens jullie op de alvaret?' ging Gerlof met hardere stem verder. 'Waarom lieten jullie mijn kleinkind niet in leven? Hij was zes jaar ... hij vormde geen bedreiging voor jullie.'

'We laten dit sombere onderwerp voor wat het is, Gerlof. Ik moet nu trouwens weg.'

En dat klopte natuurlijk – Gunnar Ljunger had een volle agenda. Gerlof van het leven beroven was gewoon een van de punten op zijn agenda voor vandaag.

Gerlof sloot zijn ogen tegen de regen en de kou. Hij zou niet lang rechtop kunnen blijven staan. Maar hij was niet van plan op zijn knieën te vallen waar Gunnar Ljunger bij was, dat was beneden zijn waardigheid.

'Ik weet waar de edelstenen zijn', zei hij.

Gerlof deed een stap naar de auto toe en leunde op zijn stok. Als hij dichtbij genoeg kon komen, zou hij de stok misschien kunnen optillen en een flinke deuk in het glanzende metaal kunnen slaan.

'De edelstenen?' Ljunger keek naar hem, met zijn hand op de deurkruk.

Gerlof knikte.

'De oorlogsbuit van de soldaten. Ik heb ze gekregen en heb ze verstopt. Help me in de auto, dan rijden we ernaartoe om ze op te halen.'

Ljunger schudde zijn hoofd en glimlachte weer.

'Bedankt voor het aanbod', zei hij. 'Ik heb Nils verschillende keren naar de buit gevraagd, maar het was vooral Martin die de stenen wilde hebben. Het staat immers niet eens vast dat ze iets waard zijn. Voor mij was Vera's grond ruim voldoende. Je moet nooit te inhalig zijn.'

Hij deed het portier snel open, stapte in en ging zitten. Daarna startte hij de auto. De motor bromde niet eens, hij kwam ruisend op gang, perfect afgesteld.

Ljunger schakelde in zijn achteruit en reed langzaam terug naar het grindpad, buiten bereik van Gerlof, die het net was gelukt om een laatste stap naar voren te doen en de stok op te tillen.

Te laat. Alle duivels!

Gerlof stond hulpeloos op de weide. Hij liet de stok langzaam zakken en zag de auto, en daarmee zijn winterjas, wegrijden.

Ljunger zat op zijn gemak achter het stuur en keek niet eens naar Gerlof, hij had zijn hoofd omgedraaid om snel over het grindpad achteruit te kunnen rijden. Boven op de dijk, waar de spoorlijn had gelopen, keerde hij.

Nog verder weg, bijna bij de hoofdweg, stopte de Jaguar heel even. Gerlof zag met samengeknepen ogen hoe Ljunger de deur opendeed en eerst zijn aktetas en daarna zijn winterjas naar buiten gooide. Toen deed hij de deur dicht en reed weg, en Gerlof hoorde het geluid van de motor wegsterven.

Gerlof bleef met zijn rug naar de regen staan. De harde wind suisde in zijn oren.

Hij begon heel koud en nat te worden en het zou hem nooit lukken om naar de hoofdweg terug te lopen, of naar Marnäs. Dat wist Ljunger ook.

Hij tilde één voet op en draaide zijn onstabiele lichaam een halve slag, met kleine, wankele passen. Het strandlandschap was nog steeds grijs en troosteloos.

Het oude perceel dat Ljunger had aangewezen lag zo'n vijftig meter verderop. Hij kon daar misschien naartoe lopen en wat bescherming tegen de wind achter de stenen muur zoeken.

'Doe het dan', mompelde hij tegen zichzelf.

Gerlof begon te bewegen. Stap voor stap, met de stok als veilige steun telkens als zijn eigen benen wankelden. Zijn vrije arm hield hij ter hoogte van zijn borstkas, een armzalige bescherming tegen de wind.

Het grindpad onder zijn schoenen was hard en stevig, het was vele jaren geleden van vergruisde kalksteen gemaakt. Gunnar Ljungers auto had er geen sporen op achtergelaten, en als er bandensporen in de modderpoelen op de weg waren, dan zou de regen ze snel uitwissen. Het was alsof Ljunger hier nooit was geweest, alsof Gerlof hier helemaal zelf naartoe was gelopen.

De politie denkt niet aan een misdrijf. Zo zou het eind van het bericht in de *Ölands-Posten* luiden als ze hem hier doodgevroren aantroffen.

De hemel boven hem begon donker te worden.

Stap voor stap. Gerlof tilde een bevende hand op en veegde de koude motregendruppels van zijn voorhoofd.

Toen hij langzaam het strand naderde werd het ritmische gebruis van de golven die over de kleine strook strand aan de voet van de weide rolden steeds luider. Verder weg, boven het open water, zweefde een eenzame meeuw in de wind heen en weer. Het was niet het enige leven dat hij zag, want een paar kilometer in zee ontdekte Gerlof een wazig grijs silhouet van een groot vrachtschip op weg naar het noorden. Maar hij kon naar het vrachtschip zwaaien en schreeuwen zoveel hij wilde, niemand zou hem horen of zien.

Hij was nooit eerder op de kleine strandweide geweest, in elk geval niet voorzover hij zich kon herinneren. Gerlof verlangde naar de steile kust van Stenvik, die schraal en mooi was. Ölands oostkust was hem te vlak en te dichtbegroeid.

Het grindpad hield plotseling op en een smal pad liep verder door het gras. Er was al een hele tijd niemand geweest, want het gras van het pad was hoog en moeilijk begaanbaar, tenminste voor Gerlof, die zijn benen nauwelijks omhoog kon krijgen. Af en toe kwam er een extra krachtige windstoot vanaf het water, waardoor hij begon te wankelen en bijna viel. Maar hij liep verder, stap voor stap, en ten slotte was hij bij de appelboom. De paar meter daarnaartoe hadden hem bijna al zijn kracht gekost.

Het was een armzalige appelboom, klein en verwrongen door de harde zeewinden. De takken hadden geen bladeren en gaven geen bescherming, maar Gerlof kon in elk geval met zijn rug tegen de ruwe stam leunen en een moment op adem komen.

Hij voelde in zijn rechter broekzak. Daar zat een hard voorwerp en hij haalde het eruit. Het was Gunnar Ljungers zwarte mobiel.

Gerlof wist het weer. Hij had de kleine telefoon uit de ruimte tussen de autostoelen gepakt toen Ljunger uitstapte en rond de auto liep. En vlak voordat Ljunger hem uit de auto trok was het hem gelukt om hem in zijn zak te stoppen.

Maar de diefstal van de mobiel had geen nut, want Gerlof had er geen idee van hoe hij met het kleine apparaat moest bellen. Hij probeerde een paar cijfers in te toetsen – het nummer van John Hagman – maar er gebeurde niets. De mobiel was dood.

Langzaam stopte hij hem terug in zijn zak.

Moest hij dankbaar zijn dat Gunnar Ljunger hem zijn schoenen had laten houden? Zonder zijn schoenen was hij geen meter vooruit gekomen.

Nee, hij was niet dankbaar. Hij haatte Ljunger.

Grond en geld – dat was alles waar het om draaide. Martin Malm had geld gekregen voor een nieuw schip. En Gunnar Ljunger had grote stukken grond rondom Långvik gekregen om te exploiteren.

Vera Kant was al die jaren in de maling genomen, net als Nils.

En dat was Gerlof natuurlijk ook.

Gerlof wist nu bijna precies wat er was gebeurd. Dat was de hele tijd zijn doel geweest, maar dat was niet genoeg meer. Hij wilde het aan anderen vertellen, aan John en aan Julia en vooral aan de politie.

Hij had de betrokkenen van het drama willen toespreken, hij had willen uitleggen hoe alles was gegaan en daarna degene willen aanwijzen die het had gedaan, die Nils Kant en de kleine Jens had vermoord. Grote opschudding, mompelende stemmen in de kamer. De moordenaar zou instorten en bekennen, alle anderen zouden zich verbazen over de waarheid. Applaudisseren.

'Je wilt je gewoon interessant voelen', had Julia een keer tegen hem gezegd. En dat was ook zo, dacht hij. Daar draaide het waarschijnlijk allemaal om, dat hij zich interessant voelde. Niet oud en vergeten en halfdood.

Maar nu was hij bijna dood. Het leven was licht en warm, en nu de zon was ondergegaan eindigde de warmte. Gerlofs voeten voelden als ijsklompen in zijn schoenen, zijn vingers waren gevoelloos. De kou was verlammend maar ook merkwaardig ontspannend en bijna behaaglijk.

Hij sloot zijn ogen een paar seconden. In gedachten zag hij hoe Gunnar Ljunger wegreed in zijn grote auto. Hij had Gerlofs jas en aktetas bij wijze van dwaalspoor weggegooid, vermoedde Gerlof. Voor degene die hem uiteindelijk vond zou het allemaal duidelijk zijn: een seniele oude man was uit de bus gestapt en verdwaald, was in de verkeerde richting gelopen en had in zijn verwarde toestand zijn jas langs de weg uitgetrokken. En toen de duisternis inviel was hij doodgevroren bij het strand.

Het was niet voldoende voor Ljunger om Gerlof te vermoorden; hij vond het ook nodig om hem als een seniel neer te zetten.

Hij ademde de koude lucht in, kort en hijgend. Wanneer gaf het lichaam het op en functioneerde het niet meer? Was dat niet als de temperatuur van het bloed onder de dertig graden daalde?

Gerlof moest iets doen, misschien naar het strand lopen en proberen een bericht in het zand te kerven voordat hij stierf: GUNNAR LJUNGER – MOORDENAAR, met grote letters die de regen niet zou uitwissen. Maar hij kon het niet.

Het was alsof hij vanaf een schip overboord was geslagen, dit was net zo koud en nat en eenzaam. Gerlof had nooit leren zwemmen, en midden op zee in het water vallen was altijd een van zijn grote angsten geweest. Dat zou het einde voor hem betekend hebben.

Hij dacht aan Ella. Hij had altijd gedacht dat hij haar aanwezigheid op de een of andere manier zou voelen als hij bijna dood was, maar hij voelde niets.

Daarna dacht hij aan Julia. Was ze nu uit Borgholm vertrokken? Misschien reed ze op dit moment in Lennarts politieauto op de hoofdweg. Hij hoopte dat Ljunger haar met rust zou laten.

Ik sta nooit als ik kan zitten en ik zit nooit als ik kan liggen.

Het was een citaat dat Gerlof een keer had gelezen, maar hij wist op dit moment niet waar.

Zijn benen knikten. Hij kon niet meer rechtop staan en hij zakte langzaam naar beneden, met zijn rug pijnlijk schurend tegen de boomschors.

Onder de bladloze kruin van de appelboom gleed hij op kromme benen naar beneden, en hij wist dat hij niet meer overeind zou komen. Niet zonder hulp.

Het was een grote vergissing om onder de appelboom te gaan zitten en zijn ogen dicht te doen, dat wist Gerlof. Als hij eenmaal zat zou hij vroeg of laat op de grond willen gaan liggen en daarna zou hij zijn ogen dichtdoen en in de duisternis wegglijden.

Slapen zou een nog grotere vergissing zijn. Maar ten slotte gaf Gerlof het op en liet hij zich langzaam in het gras zakken.

Hij zou heel even gaan zitten en zijn ogen dicht doen, heel even maar.

Öland, september 1972

Gunnar heeft een ijzeren koevoet en twee scheppen in de kofferbak van de Volvo. Hij haalt het gereedschap eruit, geeft één schep aan Martin en kijkt dan naar Nils.

'Zo, we zijn er', zegt hij. 'Waar moeten we naartoe?'

Nils staat in de kou op de alvaret en kijkt in de mist om zich heen. Hij ruikt de vertrouwde geur van gras en gewassen en schrale aarde, en hij ziet jeneverbesstruiken en rotsblokken en zwak gemarkeerde paden, precies zoals in zijn jeugd – maar hij weet niet waar hij is. Alle richtpunten zijn in de mist verdwenen.

'We moeten naar de offerstapel', zegt hij zacht.

'Dat weet ik, dat zei je gisteravond al', zegt Gunnar geïrriteerd. 'Maar waar is die precies?'

'Hier ... in de buurt.'

Nils kijkt weer om zich heen en begint van de auto weg te lopen.

Martin, die tijdens de hele rit nauwelijks een woord heeft gezegd, haalt hem snel in. Hij heeft meteen een nieuwe sigaret opgestoken toen hij de auto uitstapte, en die rookt hij nu met een gespannen trek rond zijn mond. Gunnar haalt hen in en komt naast hem lopen.

Nils houdt iets in, alsof hij geen haast heeft. Hij wil de twee mannen voor zich hebben, wil ze in het zicht houden.

De mist is dichter dan Nils ooit heeft meegemaakt, hij herinnert zich eigenlijk alleen dat de zon altijd scheen toen hij als tiener over de alvaret zwierf. Nu heeft hij het gevoel dat hij in een luchtzak op de bodem van de zee loopt. Op een afstand van tien meter is het landschap al uitgewist, alle kleuren zijn grijswit, al het geluid is gedempt. Hij draagt alleen een dunne trui, een donker leren jack en een spijkerbroek, en hij rilt in de kille lucht.

'Kom je, Nils?'

Gunnar staat stil en heeft zich omgedraaid. Hij is niet meer dan een grote, grijze gestalte voor Nils, wazig als een houtskooltekening. Zijn blik is moeilijk te vangen en onmogelijk te interpreteren.

'We willen je niet kwijtraken', zegt hij, maar voordat Nils bij hem is draait hij zich om en begint weer met lange passen door het gebogen gras te lopen.

De schemering daalt langzaam neer over de alvaret. Het zal vanavond laat worden voordat Nils bij zijn moeder is. Weet ze dat hij vandaag thuiskomt?

Nils loopt langs een platte steen met ongelijke randen, bijna een driehoek, en plotseling herkent hij hem. Hij weet ineens waar hij is.

'Het is meer naar rechts', zegt hij.

Gunnar verandert zonder een woord te zeggen van richting.

Nils denkt dat hij een dof geluid in de mist hoort en hij stopt om te luisteren. Een auto op de dorpsweg? Hij luistert zwijgend, maar hoort niets meer.

Het is nu niet ver meer, maar als Gunnar en Martin ten slotte bij een halfhoge graspol stoppen, denkt Nils dat ze er nog niet zijn. Hij ziet de stenen van de offerplaats nergens.

'Hier is het', zegt Gunnar kortaf.

'Nee', zegt Nils.

'Jawel.'

Gunnar schopt een paar keer in het gras, zodat er een stenen rand tevoorschijn komt.

Pas dan beseft Nils dat er geen offerplaats meer is. Hij is vergeten. Wandelaars hebben al decennialang geen stenen neergelegd om de doden te eren en het gele gras van de alvaret heeft de stapel overwoekerd.

Nils denkt aan de laatste keer dat hij hier was, toen hij de schat verstopte. Hij was toen zo jong geweest, jong en bijna trots dat hij de soldaten op de alvaret had doodgeschoten.

Daarna was alles verkeerd gelopen. Was alles fout gegaan.

Nils wijst.

'Hier ... hier ergens', zegt hij. 'Graaf hier maar.'

Hij kijkt naar Martin, die met de schep in zijn hand staat en nog een sigaret opsteekt. Waarom is hij zo zenuwachtig?

'Graaf dan', zegt Nils. 'Als jullie de schat tenminste willen hebben.'

Hij stapt opzij en loopt naar de andere kant van de offerplaats. Achter zich hoort hij hoe een schep in de grond wordt gestoken. Het graven begint.

Nils tuurt in de mist, maar er beweegt niets. Alles is stil.

Achter hem graaft Martin een diepe geul in de aarde. Hij is al op een paar stenen gestuit die Gunnar voor hem moet loswrikken en zijn gezicht is rood. Hij haalt zwaar adem en kijkt chagrijnig naar Nils.

'Er is hier niets', zegt hij. 'Er liggen alleen stenen.'

'Wel waar', zegt Nils. Hij kijkt in het brede gat. 'Ik heb het hier begraven.'

Maar het gat is leeg, net zoals Martin zegt.

'Geef eens', zegt Nils en hij strekt zijn hand geïrriteerd uit naar de andere schep.

Dan begint hij zelf te graven, snel en krachtig.

Na een minuut ziet hij de vlakke kalkstenen die hij zo lang geleden van de offerplaats heeft gepakt – de stenen die hij ter bescherming rond het blikken doosje heeft gelegd.

Ze zijn er nog, zwart van de aarde, maar de schat is weg.

Nils kijkt naar Martin.

'Jij hebt de schat gepakt', zegt hij zacht terwijl hij een stap in zijn richting doet. 'Waar is hij?'

32

'We zijn er', zei Lennart en hij zette de motor van de politieauto uit. 'Wat vind je van mijn schuilplaats?'

'Heel mooi', zei Julia.

Hij was vijf kilometer ten noorden van Marnäs een kleine particuliere weg op gedraaid, tussen de dennenbomen en iepen door gereden en op een open plek gestopt. Ze zag de blauwgrijze zee, en daarvoor lag Lennarts huis van roodbruine stenen en een kleine tuin.

Het was niet groot, precies zoals hij had gezegd, maar de ligging was fantastisch. Achter het huis lag de verre horizon. Het strak gemaaide grasveld van het perceel ging bijna ongemerkt over in een breed zandstrand.

De kale stammen van de naaldbomen omlijstten de tuin als de muren van een kerk. Ze gaven schaduw aan de grond en dempten elk geluid.

Alles werd plechtig stil toen Lennart de motor afzette, alleen in de toppen van de dennenbomen ruiste het zwak.

'De dennenbomen zijn natuurlijk geplant,' zei Lennart, 'maar dat was ver voor mijn tijd.'

Ze stapten uit de auto en Julia ademde de lucht van het bos met gesloten ogen diep in.

'Hoelang woon je hier al?'

'Lang ... bijna twintig jaar. Maar ik heb het nog steeds naar mijn zin.' Hij keek om zich heen alsof hij iets zocht en vroeg: 'Ben je allergisch voor katten? Ik heb een Perzische kat die Missy heet, maar ik denk dat ze op stap is.'

'Dat is niet erg, ik kan tegen katten', zei Julia terwijl ze op haar krukken achter hem aan naar het huis liep.

Het zag er heel stabiel uit met zijn bakstenen muren, alsof geen winterstorm vanuit de Oostzee er ooit beweging in zou kunnen krijgen. Lennart deed de keukendeur aan de korte kant van het huis van het slot en hield hem voor haar open.

'Heb je al honger?' vroeg hij.

'Nee, dat valt mee', zei Julia terwijl ze de kleine bijkeuken in stapte.

Lennart was geen pietje precies, maar gewoon netjes. Hij had zijn huis veel beter op orde dan Julia haar kleine flat in Göteborg, met de *Ölands-Posten* keurig in een houten tijdschriftenhouder aan de muur. Een paar exemplaren van het tijdschrift *Svensk Polis* in de houder waren het enige wat zijn beroep verraadde. Verder stonden er verschillende hengels in de hal, twee of drie potplanten op elke vensterbank en een goedgevulde plank met kookboeken boven het fornuis in de keuken.

Julia zag nergens bierblikjes of flessen drank. Daar was ze blij om.

Lennart liep rond en deed de lampen voor de ramen in de zitkamer achter de keuken aan.

'Wil je naar het strand?' riep hij. 'Voordat het te donker wordt? We kunnen een paraplu meenemen.'

'Graag, als mijn krukken ook mee mogen.'

Lennart lachte.

'We doen het voorzichtig. Als je naar de landtong loopt kun je bij helder weer Böda zien', zei hij en hij voegde eraan toe: 'Je weet wel, die baai met het grote zandstrand.'

Julia glimlachte.

'Ja, ik weet waar Böda ligt', zei ze.

'Natuurlijk.' Hij keek de keuken in. 'Ik was even vergeten dat je hier vandaan komt. Zullen we gaan?'

Ze knikte en wierp een snelle blik op de klok. Kwart over vijf.

'Mag ik eerst je telefoon lenen?' vroeg ze.

'Uiteraard.'

'Ik wil Astrid bellen om te vertellen waar ik ben', zei Julia.

'Hij staat op het aanrecht', zei Lennart.

Astrid nam altijd op met haar nummer als er werd gebeld, en Julia kende het uit haar hoofd. Ze toetste het snel in en hoorde de telefoon overgaan. Bij de vijfde keer nam Astrid op, met Willy enthousiast blaffend op de achtergrond.

'Julia', zei ze toen ze hoorde wie het was. 'Ik was achter het huis aan het harken. Waar ben je?'

'Ik ben in Marnäs, of eigenlijk ten noorden van Marnäs, bij Lennart Henriksson. We hebben ...'

'Is Gerlof bij jou?'

'Nee', zei Julia. 'Hij is toch in het bejaardentehuis?'

'Daar is hij niet', zei Astrid beslist. 'Boel belde me een tijdje geleden. Ze vroeg zich af waar hij was. Hij is vanochtend met John Hagman op stap gegaan en hij is niet teruggekomen. Maar ik ben niet ongerust als jij dat niet bent.'

'Hij is waarschijnlijk bij John', zei Julia.

'Nee', zei Astrid net zo beslist. 'John was degene die Boel belde. Hij heeft Gerlof bij de bus afgezet en Gerlof zou hem bellen als hij er was.'

Julia dacht na. Gerlof mocht doen wat hij wilde, en er was vast niets met hem aan de hand, maar ...

'Ik bel het bejaardentehuis', zei ze, hoewel ze eigenlijk gewoon met Lennart naar het strand wilde.

'Doe dat', zei Astrid en ze namen afscheid.

Julia legde de hoorn neer.

'Alles goed?' zei Lennart achter haar. Hij stond in de deur naar de bijkeuken en had zijn jas alweer aan. 'Zullen we gaan? Dan drinken we straks koffie.'

Julia knikte, maar ze had een zorgelijke rimpel in haar voorhoofd. Ze liep met Lennart naar de hal en trok haar jas aan.

De hemel was nu donker, het was bijna avond en nog kouder dan daarstraks. Het geruis van de wind in de boomtoppen rondom het huis klonk ineens troosteloos.

Geen van de doden is geïdentificeerd, dacht Julia.

Het was een krantenkop over een auto-ongeluk dat ze in Borgholm had gelezen. Nu begon het in haar hoofd te malen: *Geen van de doden is geïdentificeerd, geen van de doden is geïdentificeerd ...*

Ze draaide zich om.

'Lennart', zei ze. 'Ik weet dat het heel vervelend is en dat ik me onnodig ongerust maak ... maar kunnen we straks naar het strand gaan en nu naar het bejaardentehuis in Marnäs rijden? Ik wil graag kijken of Gerlof thuis is.'

Öland, september 1972

'Schat? Ik heb die verdomde schat niet gepakt', zegt de man die Martin wordt genoemd.

'Je hebt het blikken doosje verstopt', zegt Nils en hij doet een stap naar voren. 'Toen ik er met mijn rug naartoe stond.'

'Welk doosje?' vraagt Martin terwijl hij zijn sigaretten weer tevoorschijn haalt.

'Iedereen moet nu kalmeren', zegt Gunnar achter hem. 'We staan allemaal aan dezelfde kant.'

Hij staat te dichtbij, vlak achter Nils' rug.

Nils wil hem daar niet hebben. Hij werpt een snelle blik achter zich en kijkt dan weer naar Martin.

'Je liegt', zegt hij en hij doet nog een stap naar voren.

'Ík? Ik heb je naar huis gehaald', zegt Martin geïrriteerd. 'Gunnar en ik hebben alles geregeld en we hebben je naar huis gehaald, op mijn schip. Van mij had je daar mogen blijven.'

'Ik ken je helemaal niet', zegt Nils en hij denkt: mijn schat. Mijn Stenvik.

'O ja?' Martin steekt een sigaret op. 'Ik heb er maling aan wie jij kent.'

'Laat de schep los, Nils', zegt Gunnar.

Hij staat nog steeds achter Nils, en veel te dichtbij.

Martin, die ook te dichtbij staat, tilt zijn schep plotseling op.

Nils vermoedt dat Martin van plan is hem een klap met de steel te geven, maar daar is hij te laat mee. Nils heeft ook een schep in zijn handen.

Hij houdt hem met twee handen rond de steel vast en zwaait ermee, net zo hard als hij dertig jaar geleden met de roeispaan naar Lass-Jan heeft uitgehaald. Oude razernij komt omhoog, zijn geduld is op. Hij heeft gewacht en gewacht.

'De schat is van mij!' roept hij en de man voor hem wordt wazig.

De man beweegt, maar het lukt hem niet te bukken. Het blad van de schep komt tegen zijn linkerschouder aan, schiet door en raakt hem vervolgens onder zijn oor.

Martin raakt uit balans en wankelt, en dan slaat Nils nog een keer, minstens even hard, op Martins voorhoofd.

'Nee!' Martin brult, draait rond en valt boven op de offerplaats.

Nils tilt de schep weer op en mikt nu op het onbeschermde gezicht.

'Stop!' brult Gunnar.

Martin, die voor Nils' voeten ligt, houdt zijn handen omhoog. Het bloed loopt over zijn gezicht, hij wacht op de dodelijke klap.

Maar Nils kan niet slaan.

'Stop, Nils!'

Gunnars hand ligt op de steel van de schep en hij rukt er zo hard aan dat Nils hem moet loslaten.

'Zo is het genoeg!' zegt Gunnar met een harde stem. 'Deze ruzie was helemaal niet nodig. Hoe is het, Martin?'

'Verdomme', fluistert Martin met een dikke stem en zijn armen nog steeds beschermend boven zijn hoofd. 'Doe het, Gunnar! Wacht niet op ... Doe het!'

'Het is te vroeg', zegt Gunnar.

'Ik ga nu', zegt Nils.

Hij doet een stap naar achteren, in de richting van Gunnar.

'Schijt aan het plan ... We doen het gewoon', zegt Martin. 'Hij is niet goed bij zijn hoofd, die klootzak ...'

Hij probeert langzaam overeind te komen, het bloed stroomt uit zijn neus en uit een snee op zijn voorhoofd.

'Iemand heeft de schat gepakt ... jullie of iemand anders', zegt Nils terwijl hij strak naar Gunnar kijkt zonder met zijn ogen te knipperen. 'De afspraak geldt dus niet meer.' Hij ademt in. 'Ik ga nu naar huis, naar Stenvik.'

'Goed ...' Gunnar zucht vermoeid zonder Nils in zijn ogen te kijken. 'Geen afspraken meer. Laten we maar inpakken.'

'Ik wil hier weg', zegt Nils.

'Nee.'

'Ja. Ik ga nu.'

'Je komt hier niet weg', zegt Gunnar en hij doet een stap naar hem toe. 'Het was nooit de bedoeling dat je hier weg zou komen. Begrijp je dat niet? Je moet hier blijven.'

'Nee. Ik ga', zegt Nils. 'Het stopt hier niet.'

'Jawel. Dat doet het wel. Je bent dood.'

Gunnar tilt de zware koevoet langzaam op en kijkt om zich heen in de mist, alsof hij er zeker van wil zijn dat niemand ziet wat er gebeurt.

'Je kunt niet naar huis, Nils', zegt hij. 'Je bent dood. Je ligt begraven in Marnäs.'

33

Gerlof was stervende en zag dode mensen.

Hij hoorde de doden ook. De botten van een krijger die was omgekomen in een vergeten veldslag in het bronzen tijdperk ratelden op het strand – hij deed zijn ogen dicht om de spoken daar beneden niet te zien dansen maar hij hoorde het geratel duidelijk.

Toen hij zijn ogen weer opendeed zag hij zijn vriend Ernst Adolfsson met een bloederig bovenlichaam in cirkels over de weide rondlopen om stenen in het gras te zoeken.

En toen Gerlof uitkeek over de zee voer de Dood in de schemering langs, recht tegen de wind in, aan boord van een oud houten schip met zwarte zeilen.

Het ergst van alles was dat zijn vrouw Ella gekleed in een nachtjapon tegen de appelboom geleund zat en met een ernstige blik in haar ogen naar hem keek en hem vroeg te stoppen met vechten. Gerlof deed zijn ogen dicht en wilde het echt opgeven en haar naar het zwarte schip volgen; hij wilde slapen en ontsnappen aan de regen en de kou, ontsnappen aan de ongerustheid en net doen alsof hij in zijn bed in zijn kamer in het Marnästehuis lag. Het sterven kostte tijd en dat irriteerde hem.

Het geratel op het strand ging door en Gerlof draaide langzaam zijn hoofd om en deed zijn ogen open.

De horizon, de lijn tussen hemel en zee, was helemaal verdwenen in de duisternis.

Maar waren het echt oude botten die ratelden of was het iets anders? Was er een levend wezen in de buurt?

Ergens in zijn gevoelloos geworden lichaam klampte zich een klein stukje levenswil vast en Gerlof kwam langzaam overeind,

steunend tegen de oude appelboom. Het was alsof hij het grootzeil hees in de harde wind, zwaar maar niet onmogelijk. Hij
telde: een, twee, drie, en kwam op zijn knieën.

Hup, hup, dacht hij en hij zette zijn rechtervoet op de
grond.

Daarna moest hij een paar minuten rusten. Hij stond onbeweeglijk, afgezien van zijn trillende knieën, voordat hij de laatste ruk omhoog in staande positie deed, als een gewichtheffer.

Hup, hup.

Het lukte. Hij kwam overeind, met één hand rond de boom
en de andere steunend op zijn stok.

Het grootzeil was gehesen, nu moest het schip naar zee. Hij
kon op de motor varen als dat nodig was. Gerlof had altijd goed
voor zijn machines gezorgd. Zijn schepen hadden zuigermoto-
ren. Dat vereiste dat ze elke keer gesmeerd moesten worden als
ze draaiden, maar dat was hij nooit vergeten.

'Hup', zei hij tegen zichzelf.

Hij liet de boom los en deed een korte stap in de richting van
het water. Dat ging redelijk goed: zijn gewrichten waren gevoelloos en deden geen pijn meer.

Hij bleef dicht bij de stenen muur, waar het gras korter was
dan op de weide, en naderde het strand langzaam. De wind
blies vanuit zee – recht door Gerlofs natte overhemd tegen zijn
bovenlichaam. Maar het geratel nam in kracht toe en het geluid
lokte hem dichterbij. Hij begon steeds zekerder te weten wat het
was.

En hij had gelijk, het was een lege plastic zak.

Een vuilniszak, groot en zwart en half begraven in het zand.
Waarschijnlijk weggegooid van een boot op de Oostzee. Er lag
meer troep op het strand: een oud melkpak, een groene fles, een
roestig blik. Het was bedroevend dat de mensen voortdurend
afval vanaf de boten in het water gooiden – maar als Gerlof
wilde overleven had hij die plastic zak nodig. Als hij hem uit het
zand trok, gaten in de bodem maakte en hem over zijn hoofd
aantrok zou hij bescherming bieden tegen de regen en zijn lichaamswarmte vannacht vasthouden.

Mooi.

Het was goed bedacht van een onderkoeld hoofd.

Het probleem was om op het strand te komen, want de weide hield op bij een scherpe richel die was gevormd door de golven. Hij was steil als een traptrede en verhief zich een paar decimeter boven het zand.

Twintig jaar geleden, of misschien zelfs maar tien, was Gerlof zonder erover na te denken snel en gemakkelijk op het strand gestapt, maar nu vertrouwde hij niet meer op zijn evenwichtsgevoel.

Gerlof concentreerde zich, ademde de ijskoude lucht diep in en deed een stap naar voren, met zijn rechtervoet omhoog en zijn stok naar voren gericht.

Het lukte niet. De stok kwam het eerst op het strand en zonk diep weg in het natte zand. Gerlof viel naar voren, liet de stok te laat los en hoorde hem met een scherp gekraak breken.

Terwijl hij viel probeerde hij zich met zijn rechterhand op te vangen. Toen hij landde was het zand hard als een stenen vloer, en alle lucht ontsnapte sissend uit zijn longen toen zijn bovenlichaam tegen het zand sloeg.

Gerlof bleef een paar meter van de plastic zak liggen.

Hij kon zich niet bewegen – hij had iets gebroken. Het was een goed plan geweest om te proberen de zak te bereiken, maar deze keer lukte het hem niet meer om op te staan.

Hij deed zijn ogen dicht. Zelfs toen hij het geluid van een draaiende automotor hoorde, deed hij zijn ogen niet open.

Het geluid ging hem niet aan.

34

De politieradio naast het stuur in Lennarts auto had gezwegen tot hij een oproep in de microfoon aan de alarmcentrale in Kalmar deed – daarna begon hij krakende mededelingen uit te zenden die Julia niet kon ontcijferen.

Maar Lennart luisterde geconcentreerd.

'De hondenpatrouille laat op zich wachten, maar er komt snel een helikopter.'

'Wanneer?' zei Julia naast hem.

'Hij stijgt over een paar minuten op van Kalmar', zei Lennart. 'Ze hebben een warmtecamera aan boord.'

'Een warmtekaart?'

'Een camera', herhaalde Lennart. 'Die registreert lichaamswarmte. Goed om in het donker te hebben.'

'Fantastisch', zei Julia, maar het maakte haar niet kalmer.

Ze keek de hele tijd door het raam naar buiten, maar het was bijna half zeven en aardedonker. Ze wist nauwelijks waar ze zich op de hoofdweg bevonden.

Eerder, in het bejaardentehuis, was Boel eerst geïrriteerd geweest omdat Gerlof niets van zich had laten horen. 'Moeten we hem maar opsluiten?' zei ze zuchtend. 'Moeten we dat maar doen?'

Daarna was ze al snel bijna net zo ongerust als Julia geweest en ze had een aantal personeelsleden van de avonddienst op pad gestuurd om te kijken of Gerlof bij een bushalte zat.

Lennart was kalmer geweest, maar hij had ook begrepen dat het ernstig was. Via zijn radio had hij het politiebureau in Borgholm gealarmeerd.

Na een paar korte telefoongesprekken was het hem gelukt

de buschauffeur te lokaliseren die in Byxelkrok was gedraaid en met de bus weer op weg was naar Borgholm. Hij herinnerde zich niet dat Gerlof in de bus had gezeten, maar hij wist dat hij op de hoofdweg voor Marnäs bij een paar haltes was gestopt, en bij minstens drie haltes tussen Marnäs en Byxelkrok.

Het was net na zessen toen Julia en Lennart weer in de auto gingen zitten om te zoeken. Twee andere auto's met personeel van het bejaardentehuis gingen tegelijkertijd op weg. Boel bleef in haar kantoor om de wacht te houden bij de telefoon.

Het regende nog steeds. Julia en Lennart reden in zuidelijke richting vanaf het bejaardentehuis – zelfs al was het niet helemaal zeker dat Gerlof daar was uitgestapt, hij kon net zo goed hebben geslapen en na Marnäs zijn uitgestapt. Maar ze moesten ergens met zoeken beginnen.

Lennart reed langzaam, niet veel sneller dan een bromfiets, en sloeg af bij elke halte en parkeerplaats om niets van de weg te missen.

'Er is helemaal geen zicht', mompelde Julia.

Niet dat ze verwachtte veel te zien; op deze koude en regenachtige avond liepen er geen mensen langs de hoofdweg. Ze zag alleen donkere greppels en struiken en daarachter grijsbleke boomstammen.

De politieradio begon weer te kraken. Lennart luisterde.

'De helikopter is opgestegen', zei hij. 'Ze vliegen naar Marnäs.'

Julia knikte. Het was waarschijnlijk hun enige hoop, besefte ze.

'Is dit iets voor Gerlof?' vroeg Lennart na een tijdje.

'Hoezo?'

'Ik bedoel ... is hij, hoe zal ik het zeggen, al eerder ontoerekeningsvatbaar geweest?'

'Nee.' Julia schudde snel haar hoofd, dacht even na en voegde er toen aan toe: 'Maar het verbaast me niet helemaal ... dat hij uit de bus is gestapt en gewoon is gaan wandelen, of wat er ook is gebeurd. Hij denkt te veel na.'

'We vinden hem wel', zei Lennart zacht.

Julia knikte. 'Hij had zijn winterjas aan toen hij vanochtend vertrok. Dan redt hij het toch wel?'

'Met een jas redt hij het een hele nacht buiten', zei Lennart. 'Vooral als hij ook een schuilplaats tegen de wind vindt.'

Maar op de alvaret zijn geen schuilplaatsen tegen de wind, dacht Julia.

35

'Gerlof! Waar is hij, Gerlof?'

Gerlof deed langzaam zijn ogen open, hij was gewekt uit een warme zeildroom. Hij kneep zijn ogen dicht tegen de motregen.

'Wat?' zei hij met een hese stem, of misschien dacht hij het alleen maar.

Hij lag nog steeds op zijn rug op het strand, met een bonzende pijn in zijn rechterbeen.

Op de weide, als een grote schaduw tegen de avondhemel, stond hoteleigenaar Gunnar Ljunger in zijn lelijke gele reclamejas.

Stond hij daar echt? Ja, het was geen droom. Maar Ljunger lachte nu niet, zag Gerlof. Hij had in plaats daarvan een geïrriteerde frons tussen zijn ogen.

'Waar is mijn mobiel?' zei hij.

Gerlof slikte, zijn mond was droog en hij kon nauwelijks praten.

'Verstopt', fluisterde hij.

'Heb je iemand gebeld?' vroeg Ljunger.

Gerlof schudde zijn hoofd. Hij had immers niet kunnen bellen. Allemaal knoppen, en hij wist niet op welke hij moest drukken.

'Waar is hij? Heb je hem soms in je achterste gepropt?'

'Kom hem maar zoeken, Gunnar', zei Gerlof zacht.

Maar Ljunger bleef staan. En Gerlof wist waarom; als Ljunger naar het strand ging zouden zijn schoenen diepe sporen achterlaten. Zelfs de regen zou die niet weg krijgen.

De mobiel zat in Gerlofs broekzak, niet bijzonder goed verstopt, maar Ljunger moest nu een manier bedenken om hem terug te krijgen.

'Je bent taai, Gerlof', zei hij en hij strekte zijn rug. 'Maar ik zie dat je bent gevallen en gewond bent.'

Gerlof leek geen stem meer te hebben, want er kwamen geen woorden toen hij zijn mond opendeed. Zijn lippen waren droog en stijf van de kou.

'Zalig zijn de doden', zei Ljunger met een kalme stem boven hem. 'De dood is hard maar eerzaam, dus zing heja ho. Dat is van Dan Andersson, als je het niet wist. Ik ben gek op zijn liedjes, en trouwens ook op Taubes oude zeemansballaden. Vera Kant leerde me ernaar te luisteren. Ze had stapels 78-toerenplaten.'

'Ze had grond en geld', fluisterde Gerlof in het zand.

'Sorry?'

'Vera's grond en geld ... Dat is het enige waarom het gaat.'

Ljunger schudde zijn hoofd.

'Het gaat om een heleboel dingen', zei hij. 'Grond en geld en wraak en grote dromen ... en ook liefde voor Öland, zoals ik al zei. Ik hou van dit eiland.'

Gerlof zag dat hij zijn handen in zijn jaszakken stak en er een paar leren handschoenen uit haalde.

'Ik denk dat het tijd voor je wordt om te slapen, Gerlof', zei hij. 'En als je dat doet vind ik de mobiel. Je had hem niet moeten pakken.'

Gerlof was het gezeur van Ljunger zat. Gezeur. Gezeur. De hoteleigenaar stond boven op de richel en zeurde maar door en weigerde hem met rust te laten, terwijl er tegelijkertijd een zwak suizend geluid in de duisternis begon door te dringen.

'Het is tijd om bedankt en tot ziens te zeggen', zei Ljunger. 'Ik denk dat we ...'

Hij stopte plotseling en draaide zijn hoofd om.

Het geruis klonk steeds harder, als geruis van water, alsof de wind boven zee bezig was tot een storm uit te groeien, en het werd al snel een bulderende wind die aan Gerlofs dunne kleren trok.

Nu zag hij ook dat de geestverschijning boven hem, Ljunger, zijn hoofd in stomme verbazing naar de hemel had gedraaid.

Gerlof keek naar boven. Een schaduw gleed over hem heen.

Een enorm, ratelend lichaam met glanzende ogen zweefde boven het strand. Met een donkere bovenkant en een lichte onderkant en de verlichte tekst POLITIE op de vlakke onderkant.

Het was een helikopter.

Ljunger stond niet langer boven hem. Hij was weg, gevlucht, als een trol die was ontdekt en ontmaskerd vluchtte hij met lange stappen over het grindpad.

Gerlof staarde naar de grote, draaiende wieken. Ja, er vloog echt een helikopter boven hem, en hij zakte naar beneden en landde op de strandweide. Gerlof deed zijn ogen dicht.

Hij voelde geen blijdschap of opluchting, hij voelde niets. Zijn hersenen wachtten nog steeds tot het dodenschip zou komen om hem mee te nemen naar de zee. Maar dat kwam niet.

Het geratel van de wieken stierf weg en de twee deuren van de helikopter gingen open. Een paar mannen met helmen op kwamen met gebogen ruggen naar buiten. Ze droegen grijze op overalls lijkende uniformen; het waren piloten of vliegende politieagenten en ze renden snel over het gras naar Gerlof toe.

Een van hen had een warmtedeken onder zijn arm, de ander droeg een witte koffer. Gerlof begon te begrijpen waarom ze waren gekomen en hij ademde uit.

De helikopter was er voor hem. Hij ging het redden.

36

'Daar is hij!'

Julia's kreet was hard, en Lennart remde zo snel dat de auto begon te slippen. Maar zijn snelheid was laag en hij stond bijna meteen stil, in een schuine hoek op de hoofdweg. Ze bevonden zich direct ten zuiden van de afrit naar Stenvik.

'Waar?' zei Lennart.

Julia wees door de voorruit.

'Ik zie hem', zei ze. 'Buiten, daar ... op het veld. Daar ligt hij!'

Lennart leunde naar voren. Toen gaf hij gas en draaide aan het stuur. De auto maakte een scherpe bocht op de door de regen glad geworden weg. 'Er is daar een weg ... daar rij ik in.'

Maar toen ze het kleine grindpad op draaiden zag Julia dat ze het verkeerd had gezien. Het was geen lichaam. Het was ...

Lennart stopte de auto en Julia deed de deur snel open. Maar haar krukken remden haar snelheid en hij was er eerst.

'Het is maar een jas', zei hij terwijl hij hem omhoog hield. 'Een weggegooide jas.'

Julia liep naar hem toe en keek ernaar. Ze hield haar adem in.

'Die is van mijn vader', zei ze.

'Weet je het zeker?' vroeg Lennart. 'Hij ziet eruit als een ...'

'Kijk eens in de binnenzak.'

Lennart opende de jas en zocht in de zak. Hij haalde er een portemonnee uit en maakte hem open.

'Ik had een zaklamp moeten meenemen', mompelde hij terwijl hij probeerde de portemonnee in het schijnsel van de koplampen te houden.

'Hij is van Gerlof', zei Julia. 'Ik herken hem.'

Lennart haalde er een oud rijbewijs uit en knikte.

'Ja. Hij is inderdaad van Gerlof.'

Julia keek om zich heen.

'Gerlof!' riep ze. 'Gerlof!'

Maar haar geroep verdronk in de wind en de draaiende automotor.

'We nemen de auto en gaan kijken', zei hij. 'Ik ken dit pad niet ... Ik geloof dat het bij het strand uitkomt.'

Hij draaide zich om, liep terug naar de politieauto en deed een korte oproep in de microfoon. Julia liep achter hem aan en ging weer op de passagiersstoel zitten.

'De helikopter weet nu waar we zijn', zei Lennart.

Hij schakelde in de eerste versnelling en begon langzaam te rijden, terwijl hij door de voorruit tuurde.

'Ik doe de lichten uit', zei hij. 'Dan zien we beter.'

Het werd aardedonker op de weg voor ze, maar toen Julia's ogen gewend waren kon ze de alvaret aan beide kanten van de auto zien. Elke nieuwe schaduw die daar buiten opdook leek op een oude man die in het gras stond, maar het waren maar jeneverbesstruiken.

Plotseling wees Lennart schuin naar boven.

'Daar is hij', zei hij. 'Ze zijn hem aan het zoeken.'

Julia staarde naar de felle, knipperende rode en witte lichten die aan de hemel bewogen. Ze besefte dat het de helikopter was, terwijl de politieradio tegelijkertijd weer begon te kraken.

'Ik geloof dat ze iets hebben gevonden', zei hij. 'Bij het water.'

Hij ging sneller rijden, sloeg een bocht om – en seconden daarna lichtte de auto plotseling op door een verblindend wit licht. Het was een andere auto.

'Verdomme!' riep Lennart.

Hij trapte op de rem, maar het was te laat. De auto die in de bocht op hen afkwam reed met hoge snelheid.

'Hou je vast!'

Julia strekte haar armen uit en zette zich schrap voor de botsing.

De knal gooide haar naar voren, maar de gordel ving haar op, terwijl ze tegelijkertijd zag dat de motorkap van de auto verkreukelde alsof het papier was.

De veiligheidsgordel had haar tegengehouden, maar de stoot boven haar ribben deed toch pijn.

Stilte. Een paar seconden van stille onbeweeglijkheid gingen voorbij na de botsing. Julia hoorde Lennart achter het stuur uitademen en zacht vloeken. Toen deed hij zijn licht aan. Er was nog maar een lamp die werkte, hij scheen op de glanzende auto die op ze in was gereden.

Lennart strekte zich uit naar het dashboardkastje. De klep was opengevlogen en hij haalde zijn pistoolholster eruit.

'Is alles goed met je, Julia?' vroeg hij.

Ze knipperde met haar ogen en knikte. 'Goed ... ja. Ik denk het wel.'

'Blijf maar zitten. Ik ben zo terug.'

Lennart deed de deur open en liet de kou binnen. Julia aarzelde en deed haar deur ook open.

Bijna tegelijkertijd ging het portier van de andere auto open. Een lange, breedgeschouderde man tuimelde naar buiten.

'Wie is dat?' hoorde ze Lennart roepen.

'Waar kom jij verdomme vandaan?' hoorde ze een andere stem schreeuwen. 'Doe verdomme je lichten aan! Waarom heb je geen licht aan als je rijdt?'

'Rustig', zei Lennart. 'Ik ben politieagent.'

'Wie is dat ... is dat Henriksson?' vroeg de andere stem.

Julia zwaaide haar benen uit de auto en tastte naar haar krukken. Ze ging staan, hoewel de grond scheef liep.

'Kom je van het strand?' vroeg Lennart.

In het schijnsel van de koplampen herkende ze de andere chauffeur plotseling. Het was de hoteleigenaar uit Långvik. Meteen daarna herinnerde ze zich zijn naam ook, het was Gunnar Ljunger.

Lennart herkende hem nu blijkbaar ook.

'Rustig, Gunnar', zei hij. 'Waar kom je vandaan?'

'Van ... van het strand.' Ljunger was zachter gaan praten. 'Ik was aan het rijden.'

'Heb je Gerlof Davidsson gezien?' vroeg Lennart.

Ljunger zweeg een paar seconden.

'Nee', zei hij toen.

'We zoeken hem', zei Lennart en hij wees naar boven. 'De helikopter zoekt ook.'

'O.'

Ljunger was merkwaardig ongeïnteresseerd, dacht Julia. Ze deed een stap naar voren en vroeg Lennart over de motorkap van de auto: 'Is het ver naar het strand?'

'Niet zo ver, denk ik', zei hij. 'Een paar honderd meter.'

Dat was voldoende voor Julia.

'Ik moet ernaartoe', zei ze.

Ze greep haar krukken stevig beet en begon naar voren te springen, langs Gunnar Ljungers auto en daarna over het grindpad.

'Gunnar, je moet achteruit rijden', hoorde ze Lennart achter zich zeggen. 'Ik moet naar het strand.'

'Henriksson, je kunt niet ...'

'Achteruit', zei Lennart streng. 'Daarna mag je in de auto blijven zitten, we moeten uitzoeken ...'

Zijn stem verdween al snel in de wind. Toen ze voorbij de twee auto's was zag ze het schijnsel van de helikopter weer; hij was een paar honderd meter verder geland.

Ze verhoogde haar snelheid, gleed een paar keer uit in de modderplassen op het grindpad, maar kon haar evenwicht met behulp van de krukken bewaren en liep verder.

Toen ze dichterbij kwam zag ze in het schijnsel van de schijnwerpers van de helikopter hoe twee mannen in lichtgrijze overalls gebukt stonden boven iets op het strand. Het was een lichaam. Ze tilden het uit het zand en sloegen er iets omheen.

'Papa!'

De mannen keken even naar haar en gingen daarna verder met hun werk.

Het lichaam op het strand lag roerloos in een deken. Julia wilde hem zien bewegen, wilde dat hij zijn hoofd optilde, maar pas toen ze nog maar een paar meter bij het strand vandaan was kreeg ze een teken van leven.

Gerlof hoestte. Een droog, hees geluid.

'Papa!' riep Julia weer.

Hij draaide zijn hoofd langzaam naar haar toe. 'Julia ...'

Hij hoestte weer.

'Voorzichtig', zei een van de mannen. 'We gaan hem optillen.'

Ze tilden Gerlof in de deken op en droegen hem snel weg.

'Mag ik mee?' vroeg Julia achter ze. 'Ik ben zijn dochter. En verpleegster.'

'Dat gaat niet', zei de man die het dichtst bij haar stond zonder op te kijken. 'We hebben geen plaats.'

'Waar vliegen jullie naartoe?' vroeg ze.

'Naar de eerste hulp in Kalmar.'

Ze liep mee naar de helikopter, hoewel de krukken de hele tijd in het gras bleven steken. Ze vocht om dicht bij het lichaam in de deken te blijven.

'Ik kom naar het ziekenhuis, papa.'

Net voordat ze hem in de helikopter schoven tilde Gerlof zijn hoofd op en zag ze zijn gezicht. Hij was spierwit. Maar zijn ogen waren open en plotseling keek hij haar aan. Hij zei iets, zacht en onhoorbaar.

'Wat?' Ze bukte zich en luisterde intensief.

'Ljunger heeft het gedaan', fluisterde Gerlof.

Julia fluisterde terug. 'Wat heeft hij gedaan, papa?'

'Onze ... Jens afgenomen.'

Daarna werd hij als een onbeweeglijk pakket achter in de helikopter getild en werd de deur achter hem dichtgetrokken.

'Je moet hier weg', zei een van de piloten voordat hij zijn eigen deur dichtdeed.

Julia liep onhandig op haar krukken naar achteren.

Toen de wieken weer begonnen te draaien stond ze op een afstand van vijftig meter. Er klonk een luid geratel in het donker en toen steeg de helikopter met haar oude vader op naar de zwarte hemel, hoger en hoger, en vloog met grote snelheid naar het zuidwesten.

Langzaam kwamen de zwakkere geluiden van het geklots van de golven en de wind terug. Julia hoorde in de verte iemand roepen en ze draaide haar hoofd om.

Het was Lennart. De twee auto's stonden nog steeds in de bocht, en hoewel Julia's armen nu pijn deden pakte ze de krukken opnieuw vast en liep ze terug naar de plek van het ongeluk.

'Was dat Gerlof?' vroeg Lennart toen ze er was.

Julia knikte. 'Ze brengen hem naar Kalmar.'

'Mooi.'

Gunnar Ljunger zat nog in zijn auto met de deur open, maar hij had niet achteruit kunnen rijden om de politieauto door te laten.

De motor sloeg na de botsing niet meer aan. Er klonk alleen een krachteloze klik als hij de sleutel omdraaide.

Ljunger sloeg geïrriteerd op het stuur.

'Je moet je auto afsluiten en hier achterlaten', zei Lennart. 'Je rijdt met ons mee naar Marnäs.'

Ljunger zuchtte, maar hij had geen keus. Hij haalde een aktetas uit zijn Jaguar en ging naast Lennart in de politieauto zitten. Julia moest genoegen nemen met de achterbank.

Tijdens de rit naar Marnäs leunde ze naar voren en observeerde ze Ljunger schuin van achteren.

Wat had hij op het strand gedaan? Wat had hij tegen Gerlof gezegd?

Ljunger zat met een rechte rug en leek haar blikken niet te voelen, maar de stemming in de politieauto was gespannen.

'Ga je het nu vertellen?' vroeg Lennart na een paar minuten.

'Wat moet ik vertellen?'

'Wat je op de kustweg deed?'

'Ik genoot van het weer', zei Ljunger kortaf.

'Waarom reed je zo hard?'

'Ik heb een Jaguar.'

'Wist je dat Gerlof op het strand lag?'

'Nee.'

Julia zuchtte.

'Hij liegt gewoon', zei ze tegen Lennart.

Ljunger gaf geen commentaar op haar opmerking. Hij keek met half gesloten ogen door de voorruit, ongeïnteresseerd of heel moe.

Na een paar minuten reed de politieauto het centrum van Marnäs in. Recht voor het politiebureau was een lege plek, waar Lennart parkeerde. Hij deed de deur van het politiebureau open en ze gingen alle drie naar binnen.

Lennart deed het licht aan en Ljunger ging midden in de ruimte staan, als een militair voor zijn troepen.

'Ik leg een korte verklaring af, meer niet', zei hij terwijl hij naar Lennart keek. 'Ik ben niet van plan hier langer te blijven dan nodig is. Ik wil naar huis.'

'Dat willen we allemaal, Gunnar', zei Lennart. Hij liep naar zijn bureau en zette zijn computer aan. 'Wil je koffie?'

'Nee.' Ljunger keek naar Julia en vroeg: 'Moet zíj erbij zijn?'

Lennart leek te verstijven toen Julia werd aangeduid met zij – maar ze schudde haar hoofd. Ze had andere dingen om zich zorgen over te maken.

'Zíj gaat naar haar vader in het ziekenhuis', zei ze. 'Om te kijken of hij het overleeft.' Julia keek strak naar Ljunger. 'Ik zal hem vragen wat er op het strand is gebeurd.'

'Goed, doe dat.'

Ljunger keek niet eens naar haar, en hij had een vreemd glimlachje rond zijn mond, alsof de situatie hem amuseerde.

'Ga zitten, Gunnar', zei Lennart. Hij wees naar een stoel naast het bureau.

Daarna deed hij een paar stappen in de richting van Julia, die nog bij de deur stond, en liet zijn stem zakken: 'Red je het?'

Ze knikte en pakte haar krukken.

'Ik kijk of er een avondbus gaat', zei ze. 'Anders neem ik een taxi.'

'Goed', zei Lennart. 'Bel je me straks? Ik kom zodra we hier klaar zijn.'

Julia glimlachte en knikte, alsof alles vanavond heel normaal was.

'Tot straks.'

Ze wilde Lennart een warme omhelzing geven, maar was niet van plan om dat voor de ogen van Gunnar Ljunger te doen.

Ze liep de trap af, de koude en lege straat op, en keek naar het busstation aan de andere kant van het plein. Er stond een bus, ging die naar het zuiden?

Een taxi naar Kalmar kostte honderden kronen, en dat alternatief moest ze in het ergste geval kiezen. Zelfs al moest ze haar bankrekening plunderen en moest ze de hele avond bij de eerste hulp zitten wachten, dan nog zou ze naar het ziekenhuis gaan. Ze wilde er zijn als Gerlof wakker werd. Lennart zou begrijpen dat ze nu bij Gerlof moest zijn, en bovendien had hij vanavond ook veel te doen.

Ze begon met behulp van de krukken naar het plein te lopen.

Plotseling dacht ze weer aan de glimlach – dat merkwaardige lachje van Gunnar Ljunger.

Hij had zijn auto total loss gereden en was min of meer aangewezen als de moordenaar van Gerlof, maar toen hij bij Lennarts bureau stond had hij toch dat kleine lachje gehad, alsof er daarbinnen een vluchtweg op hem wachtte.

Alsof hij dacht ...

Julia bleef plotseling stilstaan op het trottoir aan de overkant van de straat. Ze was halverwege het busstation, maar zonder er verder over na te denken draaide ze zich om en begon op haar krukken naar het politiebureau terug te huppen.

Het was maar honderd meter, maar Julia was niet op tijd.

Ze was nog op het trottoir toen ze het pistoolschot hoorde. Het was een korte, harde knal zonder echo, en het kwam uit het politiebureau.

Een doffe bonk volgde, en een paar seconden later klonk er nog een schot.

Julia deed nog drie stappen op haar krukken, maar toen dat te langzaam ging, gooide ze ze op het asfalt en begon ze te rennen.

Ze nam de trap naar het bureau met een paar lange passen,

terwijl de pijnscheuten door haar verstuikte voet schoten.

Ze rook de kruitgeur op het moment dat ze de deur opende, en pas toen bleef ze staan. Alles was stil. Er was geen geluid te horen in het politiebureau.

Julia keek voorzichtig naar binnen en zag Lennarts been naast het bureau uitsteken. Haar hart stond bijna stil, tot ze zag dat hij bewoog. Hij lag half op zijn knieën onder het bureau, met één hand op de grond en de andere hard tegen zijn bloedende voorhoofd gedrukt.

Lennarts holster was open en hij rolde langzaam om en keek met een wazige en verwarde blik naar Julia.

'Waar is hij?' vroeg hij. 'Waar is Ljunger?'

Julia begreep wat er was gebeurd. Lennart was niet degene die was neergeschoten – dat was Gunnar Ljunger.

Nu zag Julia hem, en ze besefte dat de hoteleigenaar zijn vluchtweg had gevonden.

Ljunger lachte niet meer. Zijn lichaam lag op de vloer aan de andere kant van het bureau en zijn glanzende leren schoenen schokten licht. Een plas bloed groeide langzaam op de vloer onder zijn hoofd, en verspreide druppels hadden zijn gele donsjack met roze vlekken bespat. Het bloed glansde in het schijnsel van de plafondlamp.

Ljunger staarde met halfopen mond naar het plafond. Zijn ogen keken verbaasd, alsof hij niet begreep dat het allemaal echt voorbij was.

In zijn rechterhand had hij Lennarts pistool nog vast.

37

'Hoe voel je je, Lennart?' vroeg Gerlof zacht vanuit zijn bed in het ziekenhuis.

Lennart haalde zijn schouders vermoeid op.

'Het is zoals het is. Ik had beter moeten opletten', zei hij en hij zuchtte diep. 'Ik had moeten beseffen wat hij van plan was.'

'Denk er niet meer aan, Lennart', zei Julia aan de andere kant van Gerlofs ziekenhuisbed.

'Hij heeft me bedrogen. Hij was gaan zitten en ik dacht dat hij ontspande ... maar op dat moment sprong hij naar voren, smeet me tegen het bureau en rukte de holster open. Ik was er niet op voorbereid.' Hij zuchtte en raakte de pleister op zijn voorhoofd aan. 'Ik ben te oud, ik reageer te langzaam. Ik had moeten ...'

'Denk er niet aan, Lennart', herhaalde Julia. 'Ljunger heeft jóú kwaad gedaan, niet andersom.'

Lennart knikte, maar hij leek niet overtuigd.

Het eerste schot dat Gunnar Ljunger had afgevuurd had de muur van het politiebureau geraakt, maar Lennart had tijdens het gevecht om de dienstrevolver zijn hoofd tegen de rand van het bureau gestoten. Hij had meerdere hechtingen in het medisch centrum in Marnäs gekregen en onder de pleister op zijn voorhoofd zat een diepe snee.

Nu zaten Lennart en Julia elk aan een kant van Gerlofs bed in een ziekenzaal in het ziekenhuis van Borgholm. Het was laat in de middag en achter het raam daalde een donkergele herfstzon boven de stad.

Gerlof hoopte dat het bezoek niet zo lang zou duren, want eigenlijk wilde hij alleen zijn en slapen. Hij had nog steeds geen kracht om uit bed te komen.

Zijn hoofd was in elk geval weer helder, maar hij herinnerde zich niet veel van de laatste dagen. Waarschijnlijk had hij het niet overleefd zonder het snelle helikoptertransport naar de eerste hulp in Kalmar. Zijn gezondheidstoestand was in twee dagen van levensbedreigend naar ernstig gegaan. Daarna was hij vooruitgegaan en stabieler geworden, en op de vierde dag was hij met een ambulance naar het ziekenhuis in Borgholm gebracht.

Hij had hier meer rust dan in Kalmar, en Gerlof had een eigen kamer op de tweede verdieping gekregen met uitzicht op de kasteelruïne en de villawijk van Borgholm. En nu waren Julia en Lennart op bezoek, vijf dagen na Ljungers poging om hem op het strand buiten Marnäs te vermoorden.

'Dit is de derde keer in twee dagen dat ik hier ben, papa', zei Julia. 'Maar het is de eerste keer dat je wakker bent.'

Gerlof knikte moe.

Zijn linkerarm was gespalkt en verbonden na de val op het strand. Eén voet zat in het gips. Een slang van een infuus met voedingsoplossing was gekoppeld aan een naald in zijn arm, een andere slang was gekoppeld aan een katheter, en hij was toegedekt met dubbele dekens – maar hij voelde zich toch iets beter dan de dag ervoor. De koorts zakte langzaam maar zeker.

Gerlof probeerde te gaan zitten om Julia en Lennart beter te kunnen zien, en zijn dochter kwam snel overeind en stopte een extra kussen in zijn rug.

'Dank je.'

Zijn stem was heel zwak, maar hij kon praten.

'Hoe voel je je vandaag, papa?' vroeg ze.

Gerlof stak zijn rechterduim langzaam op. Hij hoestte en haalde moeizaam adem.

'Eerst dachten ze ... dat ik longontsteking had', fluisterde hij langzaam. Hij haalde weer adem en ging toen verder. 'Maar vanochtend ... zeiden ze dat het alleen bronchitis is.' Hij hoestte weer. 'En ze weten heel zeker dat ik ... allebei mijn voeten kan behouden.' Hij stopte even en voegde er toen aan toe: 'Daar ben ik blij om.'

'Je bent een taaie, Gerlof', zei Lennart.

Gerlof knikte. 'Gunnar Ljunger ... zei hetzelfde.'

Lennarts pieper ging.

'Wat nu weer ...'

De politieagent zuchtte moe. Hij keek naar de display.

'Het lijkt erop dat mijn chef met me wil praten, de vragen houden nooit op', zei hij. 'Ik kan beter gaan bellen. Ik ben zo terug.'

Lennart lachte naar Julia, die teruglachte, en knikte daarna naar het bed. 'Niet weggaan, Gerlof.'

Gerlof knikte langzaam en Lennart deed de deur dicht.

Het werd stil in de kamer, maar het was geen gespannen stilte. Er hoefde niets gezegd te worden. Julia legde haar hand op Gerlofs deken en leunde naar voren. 'Ik moet de groeten doen van familie en vrienden', zei ze. 'Lena belde gisteravond vanuit Göteborg, ze komt hier zo snel mogelijk naartoe. En Astrid doet natuurlijk ook de groeten. John en Gösta waren hier gisteren, maar ze zeiden dat je sliep. Iedereen die je kent denkt aan je.'

'Dank je.' Gerlof hoestte weer. 'En hoe ... voel jij je?' fluisterde hij.

'Heel goed', zei Julia snel. 'Ik ben de laatste dagen vaak bij Lennart geweest, in zijn prachtige huis in het bos. Hoewel hij natuurlijk een heleboel rapporten moest schrijven en vaak in Borgholm moest zijn ... dus ik heb niet zo veel voor hem kunnen doen. Ik heb voornamelijk naast hem gezeten en ben ongerust geweest over jou.'

'Ik ... red het wel', fluisterde Gerlof.

'Ja, dat weet ik nu', zei Julia. 'En ik red het ook.'

Haar vader hoestte nog een keer en ging toen verder: 'Je voelt je dus sterk?'

'Zeker.' Julia lachte alsof ze niet echt begreep wat hij bedoelde. 'Ik ben nu in elk geval veel sterker.'

Gerlof ging door met fluisteren: 'Ik heb nagedacht', zei hij. 'Ik weet het niet zeker ... maar ik denk dat ik weet hoe alles is gegaan.'

Julia keek hem aan. 'Alles?' vroeg ze.

'Alles', fluisterde Gerlof. 'Wil je weten ... wat er met Jens is gebeurd?'

Julia keek hem ernstig aan. Ze hield haar adem in. 'Weet je het dan, papa?' vroeg ze. 'Heeft Ljunger verteld hoe het is gebeurd?'

'Hij zei ... een paar dingen', zei Gerlof. 'Niet alles. Dus een deel van wat er gebeurd is ... heb ik geraden. Maar het is ... geen gelukkige afloop, Julia. De afloop is zoals hij is. Wil je het weten?'

Julia perste haar lippen op elkaar en knikte kort. 'Vertel.'

'Weet je nog wat ik zei toen je naar Öland kwam ... dat we de moordenaar misschien uit zijn tent konden lokken ... om naar de sandaal van Jens te kijken?' vroeg Gerlof.

Julia knikte. 'Maar hij is nooit gekomen.'

Gerlof keek naar de dalende zon boven de bomen achter het raam. Hij wilde dat hij nog jong was en dat hij naar de griezelige verhalen in de schemering mocht luisteren, in plaats van oud te zijn en ze te moeten vertellen. 'Ik denk dat hij het toch deed', zei hij. 'De moordenaar is wel gekomen ... al zagen jij en ik hem niet.'

Öland, september 1972

Gunnar staat recht voor Nils en tilt de zware ijzeren koevoet langzaam op. Hij kijkt in de mist om zich heen, alsof hij er zeker van wil zijn dat niemand ziet wat er op de alvaret gebeurt. Of wat er gaat gebeuren.

'Je kunt niet naar huis, Nils', zegt hij. 'Je bent dood. Je ligt in een graf in Marnäs.'

Nils schudt zijn hoofd. 'Laat die koevoet los', zegt hij.

De hele alvaret lijkt plotseling doodstil, alsof alle lucht is verdwenen.

'Laat eerst de schep los, Nils.'

Nils schudt zijn hoofd weer. Hij werpt een snelle blik op de andere schatzoeker, Martin, die een paar meter verderop zwaar ademhalend met zijn hand op zijn voorhoofd op de grond ligt. Hij vormt geen bedreiging.

Maar Gunnar is niet ongevaarlijk. Hij staat wijdbeens te luisteren en lijkt plotseling in de verte iets te horen.

'Goed', zet hij dan. 'Ik laat de koevoet los.'

En dat doet hij. Hij landt met een doffe bons naast de offerplaats.

'Goed.' Nils laat zijn schep nu ook vallen, maar hij ontspant niet. 'En nu ga ik naar ...'

Plotseling hoort hij ook een geluid. Een zwak geruis op de dorpsweg groeit snel aan tot een dof gebrom.

Het is een auto.

'Ik geloof dat we gezelschap krijgen', zegt Gunnar.

Hij lijkt niet verrast.

Er gaan een paar seconden voorbij. Dan verschijnt er een brede schaduw achter hen in de mist. Een schaduw die op vier

397

wielen over het gras naar hen toe rijdt.

Het is een andere Volvo, een nieuwe bruine Volvo die langzaam uit de mist komt aanrijden. Hij draait en stopt naast Gunnars auto, de motor wordt afgezet en de deur gaat open.

Nils kent de man die uitstapt niet. Maar hij ziet dat de man een stuk jonger is dan hij en dat hij een goed geperst zwart politie-uniform draagt. En hij heeft een pistool in zijn holster. Hij doet het portier dicht, trekt zijn uniformjas recht en loopt zwijgend naar hen toe.

De politieagent stopt een paar meter voor Nils. Zijn blik is strak op hem gericht en hij begint te praten.

'We hebben elkaar nooit ontmoet', zegt de politieagent. 'Maar ik heb veel aan je gedacht.'

Nils staart met open mond naar hem.

'Je hebt mijn vader vermoord', zegt de politieagent.

Een paar seconden lang begrijpt Nils er niets van.

'Nils, dit is Lennart', zegt Gunnar op een paar meter afstand. 'Lennart Henriksson. Zijn vader was politieagent. Weet je nog, toen je jong was, vele jaren geleden ... Jullie hebben elkaar in de trein naar Borgholm ontmoet.'

Dan begrijpt Nils het eindelijk. Hij begrijpt wat er gaat gebeuren en hij reageert. Nils ziet dat Henriksson met zijn hand naar zijn holster tast. Hij deinst achteruit in de mist en begint te rennen.

'Stop!'

Nils stopt natuurlijk niet, hij vlucht. De val die is opgezet staat op het punt dicht te klappen, maar hij ontsnapt.

Hij is niet jong meer en hij beweegt zich traag over het gras, maar dit is de alvaret, dit is zijn terrein. Hij vlucht met gebogen hoofd door de mistflarden en rent naar de dichtstbijzijnde struiken terwijl hij op het schot wacht – maar hij bereikt de beschermende jeneverbesstruiken voordat het komt.

Nils hoort geroep achter zich in de mist, maar ze zijn ver weg. Hij stopt niet en holt met lange passen verder.

Is dit de weg naar het dorp?

Nils denkt het. Hij is op weg naar huis, nu gaat hij eindelijk naar zijn moeder en niemand kan hem tegenhouden.

Plotseling ziet Nils een gestalte voor zich in de mist, hij blijft staan, komt op adem en staat op het punt om weer te gaan rennen, als hij ziet dat dit geen achtervolger is. Het is een kleine jongen, niet ouder dan vijf of zes jaar. Hij komt uit de grijze mist naar hem toe lopen en stopt maar zo'n tien korte stappen bij hem vandaan.

De jongen is klein en tenger en gekleed in een korte broek en een dunne rode trui, en aan zijn voeten heeft hij een paar kleine sandalen. Hij kijkt zwijgend en nieuwsgierig naar Nils en aarzelt, alsof hij eigenlijk niet bang is maar weet dat hij dat zou moeten zijn.

Maar Nils is niet gevaarlijk, niet voor een kind. Hij heeft nooit iets anders gedaan dan zich verdedigen, hij probeerde zijn broertje die zomerdag echt te redden van de verdrinkingsdood, zelfs al kwam hij te laat, en hij heeft in zijn hele leven nog nooit een kind kwaad gedaan. Nog nooit.

'Hallo', zegt Nils en hij ademt uit.

Hij probeert zijn heftige ademhaling te onderdrukken om de jongen niet bang te maken.

De jongen geeft geen antwoord.

Nils draait zijn hoofd snel om en kijkt om zich heen, maar niemand lijkt hem te volgen. De mist beschermt hem. Hij kan niet te lang blijven staan, maar hij kan even op adem komen.

Hij kijkt zonder te lachen weer naar de jongen en vraagt zacht: 'Ben je alleen?'

De jongen knikt zwijgend.

'Ben je verdwaald?'

'Ik denk het', zegt de jongen zacht.

'Dat is niet erg ... Ik ken de weg hier op de alvaret.' Nils doet een stap naar hem toe. 'Hoe heet je?'

'Jens', zegt de jongen.

'En verder?'

'Jens Davidsson.'

'Mooi. Ik heet ...'

Hij aarzelt – welke naam zal hij gebruiken?

'Ik heet Nils', zegt hij ten slotte.

'En verder?' vraagt Jens. Het is een beetje een spel.

Nils lacht kort. 'Ik heet Nils Kant', zegt hij en hij doet nog een stap naar hem toe.

De jongen blijft staan, in een wereld die alleen bestaat uit gras en graniet en een paar jeneverbesstruiken. Gras en stenen en struiken zijn het enige wat zichtbaar is in de mist. Nils probeert naar hem te glimlachen om te laten zien dat alles in orde is.

De mist is overal, er is geen geluid te horen. Niet eens vogelgezang.

'Er is niets aan de hand', zegt Nils.

Hij wil de jongen meenemen naar het dorp en zijn huis zoeken voordat hij zelf naar zijn moeder gaat.

Nu staan ze heel dicht bij elkaar, Nils en Jens.

Plotseling klinkt er een brullende motor in de mist achter hen, en Nils probeert zich om te draaien en weg te rennen, maar hij heeft geen tijd om ook maar één stap te doen.

Het gebrul zwelt aan en lijkt van alle kanten te komen.

Het is de auto, de bruine Volvo, en hij komt tussen de stenen en de struiken naar hem toe rijden, eerst slippend over het gras, waarna hij zich herstelt en recht op Nils af komt. Zonder vaart te minderen.

Rechts of links?

De auto groeit, hij is zo groot. Nils heeft maar een paar seconden om te kiezen, één seconde – en dan is het te laat. Hij kan alleen kijken, met zijn armen rond de jongen geslagen. Er is geen bescherming.

Alles verdwijnt voor een moment.

Het wordt stil. Alleen de koude duisternis blijft.

Dan komt het geluid terug als een doffe echo. Mist, kou en een stationair draaiende automotor.

'Heb je hem?' vraagt een stem.

'Ja ... ik zie hem.'

Nils ligt op zijn rug, uitgestrekt in het gras. Zijn rechterbeen ligt in een vreemde hoek onder hem, maar hij voelt geen pijn.

De auto staat met draaiende motor een paar meter bij hem vandaan. De bestuurdersdeur gaat open en de politieagent stapt langzaam uit met zijn pistool in zijn hand.

De passagiersdeur gaat ook open. Gunnar stapt uit, maar hij blijft bij de auto staan en kijkt uit over de alvaret.

De politieagent komt naar Nils toe.

Hij zegt niets, hij staart alleen.

Nils herinnert zich plotseling de jongen in de mist, Jens. Waar is hij gebleven? Hij ziet hem niet meer.

Nils hoopt dat Jens Davidsson weg is, dat hij in de mist is ontkomen en dat hij op zijn kleine sandalen naar Stenvik is teruggerend. Een geslaagde vlucht. Nils wil hem achterna, hij wil naar huis, maar hij kan zich niet bewegen. Zijn been moet gebroken zijn.

'Voorbij', zegt hij alleen.

'Voorbij, mama. Het stopt hier op de alvaret.'

Nils is heel moe. Hij zou naar Stenvik kunnen kruipen, maar hij heeft de kracht niet.

De doden verzamelen zich rondom hem, als grijze schaduwen die zich zwijgend opdringen. Zijn vader en zijn broertje Axel. De twee Duitse soldaten. De veldwachter in de trein en de Zweedse zeeman uit Nybro.

Allemaal dood.

De jonge politieagent stopt twee passen bij Nils vandaan en knikt. 'Ja, het is voorbij.'

Hij ontgrendelt het pistool met de loop naar beneden, dan richt hij op Nils' hoofd en drukt af.

38

Gerlof vertelde het verhaal over de dood van Nils Kant langzaam en fluisterend.

Julia moest voorover buigen om het te horen. Maar ze heeft alles gehoord, helemaal tot het eind.

Nu zat ze stijf en stil bij het bed. Ze keek naar Gerlof. 'Is het zo ... gebeurd?' vroeg ze na een lange stilte. 'Wat je daarnet hebt verteld? Is dat gebeurd? Weet je het zeker?'

Gerlof knikte langzaam. 'Heel zeker', fluisterde hij.

'Hoe dan?' zei Julia. 'Hoe kun je dat zo zeker weten?'

'Tja ... Door dingen die Ljunger tegen me zei ... terwijl hij wachtte tot ik doodvroor', zei Gerlof. 'Hij zei ... dat het niet alleen de bedoeling was om Vera Kant grond en geld afhandig te maken. Hij zei dat het ook om wraak ging. Maar ... wraak op wie? En wie wilde wraak nemen? Ik heb hier liggen denken ... en ik kan maar één persoon bedenken.'

Julia schudde haar hoofd. 'Nee', zei ze alleen.

'Waarom zouden ze Nils Kant naar huis halen ... alles in aanmerking genomen?' fluisterde Gerlof. 'Niet voor Gunnar Ljungers bestwil. Voor Ljunger was Nils waardevoller in Amerika. Daar was hij ongevaarlijk, en Gunnar kreeg elk jaar dat voorbijging meer grond van Vera. De oorlogsbuit van de Duitsers was onbelangrijk vergeleken met alle grond die Gunnar in handen kon krijgen.' Hij haalde adem. 'Maar iemand anders wilde Nils hebben ... die wilde hem naar huis halen en wilde hem vlak voordat hij naar zijn moeder ging executeren. Dat zou een gepaste straf zijn.'

Julia schudde haar hoofd weer, krachteloos.

'Iemand die meehielp', ging Gerlof verder. 'Die Gunnar

Ljunger en Martin Malm hielp om de kist naar Öland te krijgen en die erbij was toen hij werd geopend en gecontroleerd en die iedereen ervan kon overtuigen dat het lichaam van Nils Kant was thuisgekomen. Een jonge en betrouwbare politieagent.'

Het werd weer stil. Gerlof draaide zijn hoofd om en keek naar de deur.

Julia draaide zich ook om.

Lennart was terug. Hij had zonder dat ze het merkten de deur van de ziekenkamer geopend. Nu stapte hij naar binnen alsof er niets aan de hand was.

'Zo,' zei hij, 'dat was mijn chef weer. Ze zijn klaar met alle onderzoeken in Marnäs, dus ik kan weer gaan werken als ik ...'

Lennart zweeg toen hij hun ernstige gezichten zag.

'Is er iets gebeurd?' vroeg hij terwijl hij achter de bezoekersstoel ging staan.

'We hebben gepraat ... over de sandaal, Lennart', zei Gerlof. 'De sandaal van Jens.'

'De sandaal?'

'Die je van me hebt gekregen ... weet je nog?' vroeg Gerlof. 'Is er ooit antwoord gekomen van je technici in het gerechtelijk laboratorium op het vasteland ... hebben ze er sporen op gevonden?'

Lennart keek een paar seconden zwijgend naar Gerlof, toen schudde hij zijn hoofd. 'Nee', zei hij. 'Geen sporen ... Ze hebben niets gevonden.'

'Je zei dat je hem hebt opgestuurd', zei Julia terwijl ze naar hem keek.

'Dat heb je toch gedaan?' zei Gerlof. 'We kunnen toch controleren ... of ze hem hebben ontvangen?'

'Ik weet het niet ... misschien', zei Lennart.

Hij keek de hele tijd naar Gerlof, maar er was geen boosheid in zijn blik. Helemaal geen gevoelens. Zijn gezicht was bleek en hij legde zijn handen langzaam op de rugleuning.

'Ik vraag me één ding af, Lennart', zei Gerlof . 'Wanneer heb je Gunnar Ljunger eigenlijk voor het eerst ontmoet?'

Lennart keek naar zijn handen. 'Dat weet ik niet meer', zei hij.

'Nee?'

'Dat was waarschijnlijk ... in eenenzestig of tweeënzestig.' Zijn stem klonk eentonig en futloos. 'In de zomer, toen ik net politieagent in Marnäs was. Er was ingebroken in zijn restaurant in Långvik ... Ik ging ernaartoe om de aangifte op te nemen. We begonnen te praten.'

'Over Nils Kant?'

Lennart knikte. Hij keek nog steeds niet naar Julia.

'Onder andere', zei hij. 'Ljunger wist ... Hij was erachter gekomen dat ik de zoon van de doodgeschoten politieagent was. Een paar weken later belde hij op en nodigde me uit voor een gesprek. Hij vroeg of ik wilde proberen Kant te vinden en hem naar huis te lokken om mijn vader te wreken ... Of ik daarin geïnteresseerd was.'

Lennart zweeg.

'Wat antwoordde je?'

'Ik zei dat ik interesse had', zei Lennart. 'Ik zou hem helpen en hij zou mij helpen. Het was een zakelijke overeenkomst.'

Gerlof knikte langzaam. 'Kwam daar een paar dagen geleden een eind aan?' vroeg hij zacht. 'In het politiebureau van Marnäs? Was je bang dat hij tegen je collega's zou gaan praten? Wie hield het pistool eigenlijk vast, Lennart ... het pistool waarmee Gunnar Ljunger is doodgeschoten?'

Lennart keek naar zijn handen. 'Dat is niet belangrijk', zei hij.

'Een zakelijke overeenkomst', zei Julia.

Ze keek uit het raam. Ze zag de schemering daarbuiten maar dacht aan heel andere dingen. Ze dacht eraan dat Martin Malm geld had gekregen voor nieuwe schepen. Dat Gunnar Ljunger grote stukken goedkope grond had gekregen om duur te verkopen. En dat Lennart Henriksson, de man op wie ze daarnet nog verliefd was geweest, ten slotte zijn wraak op Nils Kant had gehad.

En de prijs voor dat alles was het leven van haar zoon.

'Het was een overeenkomst', zei Lennart. 'Ik zou Ljunger en Martin Malm met bepaalde dingen helpen ... en zij zouden mij helpen.'

'Dus ontmoetten jullie elkaar in de mist op de alvaret ... die dag', zei Gerlof.

'Ljunger belde me 's ochtends op en zei dat ik naar de offerplaats moest komen', zei Lennart. 'We zouden elkaar daar ontmoeten. Maar ik was te laat, het was een chaos toen ik er aankwam. Martin Malm lag helemaal onder het bloed op de grond. Kant had hem met een schep geslagen. Malm is daar nooit van hersteld. Een paar dagen later kreeg hij zijn eerste hersenbloeding.'

'En Jens?' vroeg Julia zacht.

'Dat was een ongeluk, Julia. Ik had hem helemaal niet gezien', zei Lennart met een dikke stem zonder haar aan te kijken. 'Toen Kant dood was vonden we ... zijn lichaampje onder de auto. Hij had ... niet weg kunnen komen toen ik op Kant inreed.'

Hij zweeg.

'Waar hebben jullie hem begraven?' vroeg Gerlof.

'Hij ligt op de begraafplaats, in het graf van Kant', zei Lennart. Hij praatte alsof hij een verschrikkelijke nachtmerrie uit zijn herinnering moest oproepen. 'We brachten de lichamen van de jongen en van Kant in het donker naar het kerkhof. We plaatsten een bel op het hek, zodat we het zouden horen als er iemand kwam, en duwden het gras opzij. En daarna groeven we de halve nacht. Martin Malm, Ljunger en ik. Alle drie ... we groeven en groeven. Het was vreselijk.'

Julia deed haar ogen dicht.

Bij een stenen muur, dacht ze. Jens lag begraven bij de stenen muur van het kerkhof van Marnäs, vermoord door een man die vervuld was van haat – net zoals Lambert had gezegd.

Ze haalde adem.

'Maar voordat jullie Jens begroeven,' zei ze met een zwakke stem en gesloten ogen, 'kwamen jullie 's avonds naar Stenvik om naar hem te helpen zoeken. Jij leidde de zoektocht naar de jongen die je had vermoord ... mijn zoon.' Julia zuchtte verslagen.

'En daarna reed je rond en deed net of je op de alvaret zocht om je eigen sporen uit te wissen.'

Lennart knikte.

'Maar het was niet gemakkelijk', zei hij zacht, nog steeds zonder haar aan te kijken. 'Ik wil alleen zeggen, Julia, dat het niet gemakkelijk was om niets te zeggen. En deze herfst, toen je terugkwam ... Ik wilde je zo graag helpen. Ik probeerde ... ik wilde alles vergeten wat er twintig jaar geleden was gebeurd, en ik probeerde het jou ook te laten vergeten.' Hij zweeg en voegde eraan toe: 'Ik dacht dat het zou lukken.'

'Dus Nils Kant ligt in zijn kist', zei Gerlof.

Lennart knikte en keek naar hem.

'Ik heb al jarenlang niet meer met Gunnar Ljunger gepraat. Niet hierover ... Ik wist echt niet wat hij met jou van plan was, Gerlof.'

Hij liet de rugleuning los en draaide zich langzaam om, hij was nu net zo moe als de eerste keer dat ze hem had gezien, bij de steengroeve. Of misschien nog vermoeider.

Hij liep weer naar de deur en draaide zich nog een keer om: 'Ik kan wel zeggen dat ... dat het beter voelde om Ljunger dood te schieten dan wraak te nemen op Nils Kant', zei hij.

Lennart deed de deur open en liep de kamer uit.

Gerlof ademde uit in de stilte van de ziekenzaal. Niemand applaudisseerde.

Hij keek naar zijn dochter. 'Het ... het spijt me, Julia', fluisterde hij. 'Heel erg.'

Ze knikte en keek door haar stromende tranen in zijn ogen.

En op dat moment wist Julia hoe Jens er als volwassene zou hebben uitgezien. Ze zag het in Gerlofs gezicht.

Ze zouden veel op elkaar geleken hebben, de opa en het kleinkind. Jens zou grote gevoelige ogen hebben gehad, denkrimpels in zijn hoge voorhoofd en een verstandige en begripvolle blik die zowel het duistere als het lichte van het leven kon zien.

'Ik hou van je, papa.'

Ze pakte Gerlofs hand en hield hem stevig vast.

Epiloog

Het was de eerst echte voorjaarsdag, een dag met zon en warmte en bloemen en vogels, waarop de hemel boven Öland zich leek te verheffen als een lichtblauw laken in de wind. Een dag waarop het leven weer gevuld leek met mogelijkheden, hoe oud je ook was.

Voor plaatselijk journalist Bengt Nyberg voelde het voorjaar, als dat zich eindelijk aankondigde, altijd als het echte begin van het nieuwe jaar op Öland. Hij probeerde op dit soort dagen zo veel mogelijk buiten te zijn.

Bengt had veel overuren gemaakt. Hij had een paar dagen vrij kunnen nemen om in de voorjaarswarmte te wandelen en te luisteren naar het zorgeloze gezang van de nachtegalen op de alvaret, waar de laatste waterplassen van de gesmolten sneeuw in de zon droogden – maar vandaag wilde hij werken.

Bengt deed zijn ogen een paar seconden dicht en keek daarna naar de kerk van Marnäs aan de andere kant van de stenen muur.

Bij de opening van het graf afgelopen winter waren er veel nieuwsgierige en ongenode mensen bij het kerkhof geweest, een zee van mensen die op afstand werden gehouden door versperringen van de politie. Bij de begrafenis deze donderdag waren er maar een paar, en die waren door de dominee verzocht om aan de andere kant van de kerkhofmuur te blijven.

Dus stond Bengt hier als enige journalist met zijn notitieblok, en naast hem liep een jonge fotograaf die door de centrale redactie in Borgholm was gestuurd, hoewel Bengt had gezegd dat hij zelf foto's kon maken. Maar het was een grote zaak en de foto's konden misschien worden verkocht aan de kranten in de grote steden, en dan deugden Bengt Nybergs eenvoudige camera en snel genomen foto's natuurlijk niet.

De fotograaf die ze hadden gestuurd was net aangenomen, een jonge Smålander die Jens heette, net als de jongen, en die de *Ölands-Posten* alleen beschouwde als een eerste stap in zijn carrière – een carrière die over een paar jaar bij een avondkrant in Stockholm zou eindigen. Hij was ambitieus maar saai. Als hij geen foto's maakte, praatte hij de hele tijd over de beroemdheden die hij stiekem wilde fotograferen of over de renpaarden waarmee hij geld wilde winnen, en Bengt was helemaal niet geïnteresseerd in beide onderwerpen.

Jens was rusteloos. Zodra de koster de journalisten een plek buiten de muur had toegewezen, begon hij met een opgeheven camera rond te kijken naar een betere plek.

'Ik denk dat ik op het kerkhof kan komen', zei hij tegen Bengt terwijl hij ijverig over de stenen muur keek. 'Als ik daarlangs sluip ...'

Bengt schudde zijn hoofd en bewoog zich niet. 'Je blijft staan', zei hij zacht. 'Het is goed hier.'

Dus stonden ze achter de muur in de zon te wachten, en na een tijdje kwam het begrafenisgezelschap uit de kerk. Jens' automatische camera begon te ratelen.

Julia Davidsson, de moeder, liep langzaam achter de dominee aan over het stenen pad. Naast haar liep Gerlof, de opa. Beide waren in het zwart gekleed. Daarna kwam een man van Julia's leeftijd, gekleed in een zwarte jas.

'Wie is die vent?' fluisterde Jens terwijl hij de camera liet zakken.

'De vader van de jongen', zei Bengt.

Julia Davidsson hield haar vaders arm vast, en hij steunde op haar tot het graf, dat ten zuiden van de kerktoren lag. Ze stonden naast elkaar terwijl de kist langzaam in de grond zakte. Gerlof boog zijn hoofd en Julia gooide een roos naar beneden.

Dit voelt heel goed, dacht Bengt. Er waren in een half jaar zoveel verschrikkelijke dingen in de streek gebeurd: Ernst Adolfssons vreselijke einde in de steengroeve in Stenvik afgelopen herfst, Gunnar Ljungers gewelddadige dood in het politiebureau een maand later en de tweede jongenssandaal die de politie in Gunnars kluis in zijn kantoor in Långvik had gevonden, een kleine schoen die hoorde bij degene die de nu overleden reder Martin Malm eerder naar Gerlof had gestuurd.

De zaak leek afgesloten, maar plotseling had Lennart Henriksson verzocht om een nieuwe politiereconstructie met betrekking tot de toedracht van Ljungers dood, die werd gevolgd door een aanklacht tegen hem, niet alleen voor de moord op Gunnar Ljunger maar ook voor dood door schuld inzake Jens Davidsson.

Ten slotte was het graf van Nils Kant op een koude, grijze winterdag geopend.

De politietechnici hadden een tent boven het graf geplaatst, een kleine kerk van wit doek naast de grote kerk, en daar werkten ze dagenlang in stilte terwijl ze soms de warmte van het verwarmde kerkportaal opzochten. Tijdens de opgravingen was niet alleen het lichaam van Nils gevonden, maar ook de overblijfselen van een tot nu toe niet geïdentificeerde man, waarschijnlijk een Zweedse staatsburger die lange tijd in Latijns-Amerika had gewoond. Hij was daar zelfs vermoord.

Verborgen in een kuil onder de kist van Nils Kant had de politie ten slotte een derde lichaam gevonden, veel kleiner dan de andere twee. En toen was de zaak helemaal opgelost.

Avondkranten, televisieverslaggevers en de landelijke radio waren naar Marnäs gekomen om alles te verslaan. Het was een hectische tijd voor een plaatselijke journalist in het centrum van de gebeurtenissen – en Bengt vond het moeilijk om journalistieke afstand tot alles te bewaren en was vaak verdrietig tijdens het rapporteren. Hij kende Lennart Henriksson al tientallen jaren, en er was niets om blij over te zijn in dit drama.

Maar nu scheen de zon, het was het Ölandse nieuwjaar. Na meer dan twintig jaar in de grond kon de kleine jongen eindelijk echt worden begraven.

Toen de korte plechtigheid bij het graf voorbij was liepen Julia en Gerlof Davidsson langzaam terug naar de kerk, gevolgd door Jens' vader Michael, die een paar meter achter hen liep.

Julia en Gerlof praatten niet met elkaar, voorzover Bengt achter de muur kon zien. Hij had ze gedurende de hele begrafenisplechtigheid niet met elkaar zien praten. Niettemin had hij sterk het gevoel dat ze elkaar zo na stonden als twee familieleden elkaar na kunnen staan – hij was er zelfs een beetje jaloers op.

'Dat was het dan', zei de fotograaf terwijl hij zijn camera liet zakken. 'Dacht je niet?'

'Inderdaad', zei Bengt. 'We kunnen naar huis.'

Hij had geen woord opgeschreven en hij zou waarschijnlijk alleen een korte tekst bij de foto in de krant schrijven.

Dat moest voldoende zijn. Maar als iemand hem later zou vragen hoe de begrafenis van de kleine jongen was geweest, zou Bengt Nyberg kunnen antwoorden dat die licht en waardig en vredig was geweest, als ... ja, als een soort afsluiting.

Woord van dank

Schemeruur speelt zich voornamelijk af in het midden van de jaren negentig op het mooie Öland – maar dan een Öland dat deels alleen bestaat in de fantasie van de schrijver. Personen en bedrijven in het verhaal hebben geen echte voorbeelden, en veel plaatsen zijn verzonnen.

Dank aan mijn opa, kapitein Ellert Gerlofsson, en zijn broer, kapper en duiker Egon Gerlofsson, voor alle verhalen en herinneringen uit hun veelbewogen levens. Voor de historische feiten wil ik kapitein Stellan Johansson uit Bohuslän, journalist Kristian Wedel uit Göteborg en advocaat Lars Oscarsson uit Jönköping bedanken.

Veel vrienden hebben me op diverse manieren geholpen bij het schrijven van *Schemeruur*: dank hiervoor aan Kajsa Asklöf, Monica Bengtsson, Victoria Hammar en Peter Nilsson van de schrijfgroep Litter; dank ook aan Jacob Beck-Friis, Niclas Ekström, Caroline Karlsson, Rikard Hedlund, Mats Larsson, Carlos Olguin, Catarina Oscarsson, Michael Sevholt, Kalle Ulvstig en Anders Weidemann, alsmede aan mijn familie Lasse en Eva Björk uit Kalmar, Hans en Brigitta Gerlofsson uit Färjestaden en Gunilla en Per-Olof Rylander uit Borgholm.

Ik wil tevens al mijn competente redacteuren bedanken, en vooral Rickard Berghorn van het tijdschrift *Minotauren* en Kent Björnsson van uitgeverij Schakt, die veel van mijn korte verhalen met zo veel zorg hebben uitgegeven, alsmede Lotta Aquilonius van Wahlström & Widstrand, die zich zo heeft ingezet voor *Schemeruur*.

Mijn moeder Margot Theorin krijgt alle lof voor het grote aantal oude en nieuwe streekboeken en krantenartikelen, waarvan ze me zo royaal heeft voorzien.

Tot slot een woord van dank en een stevige omhelzing voor Helena en Klara, omdat ze al mijn gedagdroom verdragen.